조정래 장편소설

풀꽃도 꽃이다

1

조정래 장편소설

풀꽃도 꽃이다

1

해냄

세 번째 소망

논산훈련소를 떠나며 모든 훈련병들은 무슨 대단한 결의라도 하는 것처럼 똑같은 말을 다 한 차례씩 했다. "내 평생 논산 쪽을 보고는 오줌도 안 눈다." 그리고 27년 후 나는 외아들을 논산훈련소에 데려다주고 오면서 분단의 그 질긴 생명력에 새롭게 진저리 치고 절망해야 했다.

그 아들이 중·고등학교 때부터 사교육은 사회적 말썽이 되었다. 그래서 어느 군부 정권은 사교육 일소를 자기네 정치 업적으로 삼으려고 강력한 단속에 나섰다. 그때 나는, 그 옛날 논산훈련소를 떠나며 아들 시대에는 통일이 오지 않을까 기대했던 것처럼, 손자 시대에는 불법 과외가 없어질 수도 있겠구나 하고 기대했다.

그런데 군부독재가 역사 저편으로 사라지고, 민간 정부가 들어서고, 아들이 장가를 들어 나를 할아버지로 만들어주고, 두 손자가 차례로 학교에 들어가는 세월의 흐름 속에서 분단이 내 기대를 배신했던 것처럼 사교육도 갈수록 그 굳센 생명력을 팽창시키며 내 기대를 보기 좋게 배신했던 것이다.

이제 사교육은 '졸업장은 학교에서, 공부는 학원에서' 할 정도로 그 위세가 난공불락이 되었다. 그 폐해의 심각성은 너무 심해 더는 방치해서는 안 되는 극한에까지 와 있다.

연간 40조를 넘는 사교육 시장의 병폐는 누구의 책임일까. 그건 우리 모두의 책임이다. 정부의 책임이고, 교육계의 책임이고, 사회의 책임이고, 학부모의 책임이다. 이제 이들 모두가 똑같이 공동 책임을 지고 문제 해결에 나서지 않으면 우리의 내일은 점점 나락의 길로 치달아갈 수밖에 없다.

고등학생이 되고, 중학생이 된 내 손자들이 사교육 시장의 거센 파도에 대책 없이 휩쓸리는 것을 보면서 이 소설을 쓰는 심정은 아들을 논산훈련소에 데려다주고 돌아올 때의 심정과 그 비감함이 어찌 그리 같은가.

주인공 '강교민'이란 이름은 무슨 뜻의 줄임말일까. 독자들께 퀴즈를 낸다. 그것이 소설의 주제니까. 그 길로 모두 함께 나서기를 소망하며 글을 마친다.

2016년 7월 여름

조정래 장편소설

풀꽃도 꽃이다

1

| 차례 |

나무는 왜 흔들릴까

온갖 꽃이란 꽃은 다 피워놓고 4월은 이울고, 꽃과 함께 유록색 새싹들을 돋아 올리며 5월이 오고 있었다. 학교 울타리에도 개나리로 샛노랗게 물들었던 꽃들이 지고 어린 새잎들이 파릇파릇 돋아나고, 잎 먼저 피운 덩굴장미는 진초록 잎들에 떠받치며 새빨간 꽃들을 송이송이 피워내고 있었다. 그싱그럽게 피어나는 꽃과 잎 들은 아름다움의 극치였고 생명감 넘치는 약동이고 환희였다. 봄은 그렇게 찬란하고 황홀하게 온 천지를 수놓고 있었다.

그런데 바깥의 눈부신 봄 풍광과는 반대로 학생들이 웅성거리고 있는 복도 분위기는 침울하게 가라앉아 있었다.

"아유, 또 사형선고 내리는구나."

"아 증말, 언제까지 이 짓을 할 거냐."

"우리 학교는 왜 이 모양이냐."

"아, 쪽팔려 못 살겠다."

"와우, 존심 상해. 살맛 땡이다(자존심 상해. 살맛 없다)."

"쓰바, 이래 봤자 좋은 새끼 하나뿐이잖아."

"내 말이. 1등 빼고는 다 나가 뒈지라 그거지."

"글타니까. 1등 못하는 놈들은 인간 자격 없으니까 그만 떠나서, 어서 뛰어내리셔 하며 몰아대는 거라니까."

"아 정말, 살고 싶지가 않다."

"아휴, 청춘은 인생의 봄이라는데 우리 꼴은 이게 뭐냐. 마냥 공부, 공부에 시달리고, 요따위로 성적 써 붙여 스트레스 받고, 다 불 싸질러버리고 싶다."

"으유, 싹 다 죽이고 나도 팍 죽고 싶다."

"씨바, 우리 왕쌤 꼰대 영 갈비라니까(우리 교장 영감탱이 영 갈수록 비호감이라니까)."

"내 말이. 아주 골 때려."

"넘사벽이지 뭐냐(넘을 수 없는 4차원의 벽)."

"그 꼰대 말야. 우리가 뭉쳐서 어떻게 금따(금세기 최고 왕따) 시켜버리는 방법 없을까?"

"꿈 깨셔. 그 인간 재단 쪽에 철근 같은 빽줄이 박혀 있는 철밥통인 거 모르시진 않겠지?"

"그래, 그게 왕재수야."

"이 미친 짓도 다 재단에서 시켜서 하는 건데 뭘."

"씨바, 이렇게 전교생 등수 다 써 붙인다고 외고 같은 명문 사립이 된다던? 또라이들, 개꿈 꾸고 자빠졌는 거지."

"그래, 완전 촌빨 날리는 거야(촌티 내는 거지)."

"어허, 싸가지 없이 그 더러운 아구창들을 어찌 그리 마구 놀리고 그러시나 그래. 그게 다 우사모(우리를 사랑하는 사람들 모임)의 사랑이라는 걸 알고, 예, 열공(열심히 공부하다)하 겠습니다 해야지."

"거럼, 거럼. 십장생이지(십 대부터 장래를 생각해야 한다)."

"쓰발, 열공이고 빡공(빡세게 공부하다)이고 우리 같은 돌탱이(머리 나쁜 인간)들한테는 다 개소리 잡소리지."

"야, 솔까말(솔직히 까놓고 말해서) 1등 한 놈이라고 해서 행복한 건 아니라고."

"머잉(무슨 소리)?"

"그 새끼 담 시험에서 1등 뺏길까 봐 불안불안해서 밤마다 존나 생똥 싼다구."

"글쿠나(그렇구나)!"

"우와, 짱 진리 발견!"

"쓰바, 그러고 보면 인포인(인간이길 포기한 인간)인 우리가 차라리 더 행복한지도 모른다."

"야, 쩌기 저, 담탱이(담임선생) 온다."

"뜨자(가자)."

"그래, 야리나 한 대씩 까면서(담배나 한 대씩 피우면서) 우리 행복 찾자."

"쓰바, 드럽게 웃프다(웃기고 슬프다)."

"아휴, 짱나(짜증 나)."

"옘병, 아닥공이란다(아가리 닥치고 공부하란다)!"

사납고 거칠게 불평불만을 토해내고 있던 학생들 일부가 돌아섰다. 그들은 선생이 가까워지고 있는 것만큼 반대쪽으로 멀어지고 있었다.

복도의 벽에 나붙은 인쇄물 앞에서는 아직도 많은 학생들이 웅성거리고 있었다. 그런데 그 분위기는 여전히 음울하게 가라앉아 있었다. 밝은 얼굴은 거의 보이지 않았고, 학생들 표정은 찡그러지거나 칙칙하고 어두웠다. 학생들의 그런 불행스러운 모습은 모의고사가 끝나고 전교생 석차를 복도에 내붙일 때마다 반복되고 있었다.

강교민은 그런 아이들을 못 본 척 고개를 약간 돌리고 걸었다. 아이들은 평소와는 달리 그 잘하던 "안녕하세요"를 하지 않고 그저 고개만 꾸벅꾸벅했다. 강교민도 아무 말 없이 고개를 끄덕여 인사를 받았다. 못내 기분 상해 있는 아이들이 가엾고 미안해 '선생'으로서 면목이 없었다.

이 성적표가 나붙을 때마다 아이들이 어떤 불평불만을 터뜨리고 있는지 잘 알고 있었다. 아이들이 차마 들을 수 없이 거칠고 험하게 욕을 해대고 감정을 폭발시킨다고 해서 그들을 나무랄 도리가 없었다. 그들은 그들끼리 험담을 하는 것이지 선생들에게 대드는 것이 아니었다. 그리고 그들을 그렇게 불행스럽고 불량스럽게 만든 것은 다름 아닌 학교였다. 모의고사를 치르되 그 성적표만 내붙이지 않으면 그 많은 아이들이 그렇게 험상궂게 변할 리가 없었다. 그러나 교장의 쇠고집을 꺾을 사람은 아무도 없었다. 그는 그 방법이 아이들에게 계속 자극을 주어 꾸준히 실력을 향상시킬 수 있는 길이라고 믿고 있었다. 그 믿음은 교육적 확신을 넘어 신념으로 굳어져 있는 것이었다.

강교민은 교장실 앞에서 걸음을 멈추었다. 그리고 심호흡을 했다. '당신이 보수 꼴통이면 난 혁신 꼴통이다. 어디 누가 이기나 해보자구. 내가 훨씬 젊으니까, 당신은 나보다 훨씬 빨

리 물러나게 돼 있잖아. 그리고 흔들어서 뽑히지 않는 나무
는 없는 법이지. 절대 불가능할 것 같은 일도 일단 시작하고,
부딪치고, 흔들어대니까 결국 변하게 되더라구. 교장 선생님,
또 열 받으시겠지요? 그게 제가 노리는 거니까요.' 강교민은
어깨를 들었다 놓으며 똑, 똑, 똑, 교장실 문을 두들겼다.

"왜 또 왔소!"

떠밀어내듯 하는 어투의 교장 목소리는 묵직했다.

"예, 교장 선생님께서 부르시니 안 올 도리가 있습니까."

강교민은 굽신 인사하며 교장과 눈을 마주쳤다. 웃음 짓는
그 얼굴이 능청스럽기 그지없었다.

"거참, 불청객이 말은 언제나 번듯하게 잘하는군, 쳇!"

불청객이라는 말과 세게 혀 차는 소리는 잘 어울리고 있었
다. 교장은 마지못해 소파로 걸음을 옮겨놓았다.

"교장 선생님, 오늘도 애들 사기가 영 말이 아닙니다. 모두
풀 죽고 얼굴이 어두운 게, 그렇게 불행해 보일 수가 없습니
다. 학교가 애들을 행복하게 만들어야 할 의무는 있어도, 불
행하게 만들 권한은 없습니다. 그러니까……."

"그래요? 그것 참 그럴듯한 소리요. 그게 교육법 몇 조에 있
는 거요?"

교장은 마땅찮아하는 기색이 역연하면서도 여전히 무게 실

16

린 나직한 목소리로 말했다.

그건 상대에게 휘둘리지 않고, 품위도 잃지 않으려는 교장의 전술인 것을 강교민은 익히 잘 알고 있었다.

"예에, 그건 가장 기본적이고 본질적인 요소로서, 한 아이도 낙오자가 되는 불행을 겪게 해서는 안 된다는 페스탈로치적 교육 정신이기 때문에 굳이 교육법에서 따로 규정하거나 언급하지 않은 사항입니다. 그런데 우리 학교는 모의고사를 칠 때마다 저렇게 등수를 공개해 절대다수의 아이들을 불행하게 만들고 있으니, 그건 엄연히 교육 기본에 어긋나는 비교육적 처사라는 사실입니다."

"이런, 말 같지 않은 소린 하질 마시오. 학교는 학생들의 실력을 향상시켜야 하는 게 그 절대적 의무고 책임이오. 그게 국가가 명하고, 전체 학부모들이 원하는 바요."

교장은 삼각 진 매운 눈으로 강교민을 똑바로 보았다. 그 눈초리는 '더 이상 잔말 못하겠지!' 하는 자신감을 담고 있었다.

"예, 교장 선생님 말씀은 백번 맞습니다. 그러나 그 어떤 학교에서도 학생들이 다 똑같이 공부를 잘할 수 있도록 하는 이상은 실현시킬 수가 없습니다."

"아니오. 난 할 수 있소."

교장의 낮으면서도 단호한 목소리는 다시 한 번 강교민을 떠밀어내고 있었다.

"아니, 그걸 어떻게……. 무슨 묘책이라도 발명하신 겁니까?"

강교민은 그만 헛웃음을 칠 뻔해서 황급히 감정을 수습했다.

"어허, 지금 눈으로 빤히 보고 있으면서도 모르겠소? 저렇게 공개해서 계속 경쟁을 붙이면 서로 자극받고 노력해서 성적이 오르게 되고, 그러다 보면 모두가 상위권에 진입해 SKY 대학에 합격하는 행복을 누리게 되고, 우리 학교는 그야말로 전국 1위의 명문 사립이라는 영예를 누리게 된다 그거요."

교장은 상체를 잦바듬하게 젖히며, '더 할 말 있느냐'는 표정을 짓고 있었다.

"교장 선생님, 그건 현실을 무시한 환상이고 망상입니다. 아이들은 제각기 개성이 다르듯, 공부하는 능력도 다 다릅니다. 그런데 어떻게 그런 단순한 경쟁 자극만으로 모두가 최상위권에 들 수 있다고 생각하시는 겁니까. 노력이란 기본적인 능력의 한계를 극복할 수 없는 것이고, 저런 방법을 계속 쓰게 되면 능력의 한계를 지닌 아이들은 상처 위에 또 상처 입고, 그 위에 또 상처를 입어 한없이 불행하게 될 수밖에 없습니다. 교장 선생님, 애들을 그렇게 만들 수는 없는 일 아닙니까."

"좋아요, 방법은 딱 하나밖에 없소. 우리 학교에서 불행한 자들은 모두 행복 찾아 전학을 가라고 하시오. 석차 공개 안 하는 학교가 얼마든지 있잖소."

교장은 더는 인내해 줄 수 없다는 듯 손사래를 치며 외면 했다.

"아니, 그렇게 말씀하시는 건 교육자로서 무책임이고, 직무 유기입니다. 교장 선생님께서 생각을 바꾸시면 간단히 해결 될 문젠데, 그 많은 학생들보고 전학을 가라니요. 이 말을 학 부모들이 들으면 뭐라고 하겠습니까. 교장 선생님, 제발 좀 생 각을 바꾸십시오."

곧 합장이라도 할 듯이 양쪽 어깨를 움츠린 강교민의 얼굴 은 간절했다.

"하, 매번 어찌 이리 사람을 못살게 구는 거요. 나 강 선생 한테 너무 지치고 질렸소."

교장은 정말 넌더리가 난다는 듯 고개를 절레절레 흔들었다.

"교장 선생님, 이명박 정권에서 일제고사를 부활시키고, 성 적까지 전국적으로 공개하는 바람에 얼마나 비판이 거세게 일고, 원성이 높았습니까. 그리고 그 폐해로 아이들 자살이 급증하고, 어머니를 죽이는 끔찍한 사건까지 일어나고 해서 결국 일제고사는 없어지지 않았습니까. 따라서 모의고사는 자율로 하되, 성적 공개는 공립에서는 전면 금지시켰습니다. 사립학교만 자율에 맡겼는데, 왜 하필 우리 학교가 그것을 선택해 수많은 애들을 이렇게 불행하게 만드냐 그겁니다. 교장 선생님께서 마음만 바꾸시면 그 많은 애들이 다 행복하게 됩니다. 교장 선생님, 제발……."

강교민의 목소리는 또 간절해졌다.

"강 선생이 지치지도 않고 끈질기게 똑같은 말 해대니 나도 똑같은 말로 응답할 수밖에 없소. 애들만큼 학부모들도 불행하다고 나서면 당장 바꾸겠소."

교장은 스트레이트 펀치를 급소에 적중시킨 복서처럼 승리감에 찬 표정으로 강교민을 깔아보고 있었다.

"예, 교장 선생님께서 공부 잘할 수 있는 능력을 타고난 것이 큰 불행입니다. 교육자들이 저지르는 가장 큰 잘못은 자기들이 머리 좋게 타고나 공부를 수월하게 했기 때문에 공부를 잘할 능력이 부족한 학생들의 입장을 전혀 이해하지 못한다는 사실입니다. 아니, 내심에는 이해하려고 하는 마음이 없을 뿐만 아니라, 무시하는 의식까지 도사리고 있습니다. 그래서 공부 잘하는 애들을 무조건 편애하고……, 그건 교육자로서의 바른 양심일 수가 없습니다."

부드럽던 강교민의 얼굴은 전혀 다른 사람처럼 냉정하게

변해 있었다.

"아아니, 그럼 내가 비교육자란 말이오!"

교장의 목소리 균형이 좀 깨졌다.

"그런 말 한 적 없습니다."

"없기는. 그 말이 그 말이지 뭐요."

교장이 불쾌한 기색을 드러냈다.

"그리고 또 강조해 둘 사실이 있습니다." 강교민은 교장의 말을 못 들은 척하고는, "성적을 저렇게 공개하고, 성적표에 등수를 명시하고 하는 건, 이름표를 달게 하는 것과 함께, 일본에게 식민 지배를 당한 그 잔재입니다. 일본에게 식민지로 짓밟힌 것도 씻을 수 없는 치욕인데, 해방 70년이 된 지금까지도 그 제도를 그대로 이어받고 있다니, 이건 식민지로 짓밟힌 것보다 더 큰 치욕이 아니고 무엇입니까. 성적표에 석차를 기록하는 것은 일본이 세계에서 유일한 국가입니다. 사람을 성적순으로 줄 세우는 그 야비한 짓을 우리는 그대로 흉내 내고 있는 것이고요. 이게 도대체 말이 되는 일입니까" 하며 입술을 훔쳤다.

"그럼 내가 친일파라도 된다는 거요!"

교장은 언성만이 아니라 얼굴까지 변했다.

"그러니까 그런 오해 안 받으시려거든 어서 마음을 바꾸시라 그런 말씀입니다. 다음 시간 수업이 있어서 그만 실례하겠습니다."

강교민은 교장이 무슨 말을 하려는 것을 아랑곳하지 않고 몸을 일으켰다. 수업 앞에서는 교장도 물러설 도리밖에 없는 일이었다.

'너 또 전교조 수법 쓰는 거야!' 하는 말이 곧 터져나가려는 것을 교장은 가까스로 참아내고 있었다. 괜히 '긁어 부스럼 만들' 필요가 없었던 것이다. 어쩌다가 무심코 전교조에 대해 좀 거슬리는 소리를 했다가는 영락없이 곤욕을 치르기 마련이었다. 몇 시간이고 논리 정연하게 따지고 드는 데는 당해낼 재간이 없었던 것이다. 그는 가르치는 것에 못지않게 바른 교육에 대한 남다른 열정을 품고 있었다. "직위나 직책 같은 것에 욕심이 있었다면 애초에 전교조 같은 건 안 했겠죠. 평교사로 정년퇴직을 하는 것, 그거 얼마나 좋습니까." 그가 아무런 주저 없이 한 말이었다. 그는 여러모로 박식했고 진실했고 무게가 있었다. 그렇게 줏대가 있어서 전교조를 하게 된 것인지, 전교조를 하다 보니 그렇게 당당해진 것인지 종잡을 수가 없었다. 거기다가 그는 학생들 사이에서 '실력 짱!'인 국어 선생으로 소문나 있었다. 그 소문을 뒷받침하듯 그는 유명 학원의 '1타 강사' 뺨치게 '찍기 짱'이라고 학생들이 엄지

손가락을 세우는가 하면, 어느 학원에서는 학교 월급의 다섯 배나 되는 보수로 스카우트 제의를 했다는 소문이 퍼지기도 했다. 그런데도 조금도 흔들림 없이 학교 '선생 자리'를 꿋꿋하게 지키고 있으니, 입바른 소리를 좀 한다고 해서 미워하거나 멀리할 수도 없었던 것이다. 일류로 꼽히는 고등학교의 실력파 선생들이 돈의 유혹에 홀려 학원가로 빠져나가는 것은 이미 오래전부터 교장들의 고민거리였다. 학원가에서 인기 강사로 몇 년만 고생하면 강남에 빌딩을 갖는 거부가 된다는 말이 떠도는 세상이었다. 그리고 그가 하는 말들이 꼭 입바른 소리만이 아니라는 데 고민이 있기도 했다.

강교민은 교무실로 걸어가며 눈앞에 선명하게 떠오르는 영상을 보고 있었다. 광화문 일대에서 매일 밤 장관을 이루었던 촛불 시위의 출렁임과 함성이었다. 하나의 가녀린 촛불이 수백, 수천, 수만, 수십만으로 늘어나면 어떤 힘으로 변하는지 그 시위는 여실히 보여주고 있었다. 그것은 어둠 속에 펼쳐진 드넓은 불꽃의 바다였다. 그리고 함성과 함께 율동하며 그 무수한 불꽃들이 흔들릴 때, 그 출렁임은 그 어떤 아름다움과도 비교할 수 없는 장엄한 불꽃의 파도였다. 그런데 장엄함을 넘어 숙연하도록 아름다운 그 불꽃의 파도가 콧날 시큰하고, 가슴 뭉클하도록 감동까지 자아내고 있었다. 그 불꽃의 바다는 밤마다 넓어지고 있었는데, 그 촛불 촛불들이 강제로 동원된 것이 아니라 어둠과 함께 자발적으로 모여들어 밤새껏 경건하도록 아름다운 출렁임을 연출하고는 동이 터오는 여명과 함께 사라진다는 사실이었다. 여러 계층의 시민들이 그렇게 자발적으로 모여들고, 쓰레기까지 말끔히 치우고 질서 정연하게 흩어져가는 그런 평화적 시위는 이 나라 현대사에서 처음 목격하는 일이었다.

그런데 그 시위가 한층 더 감동을 자아내는 것은 정치성이 전혀 없이 우리 모두의 청결한 먹거리 선택을 위한 순수한 뜻모음이었기 때문이다. 이름하여 '쇠고기 촛불 시위.'

그 발단은 정권을 새로 맡은 대통령의 '입'이 자초한 것이었다. '미국산 쇠고기를 싼값에 사 먹으면 좋은 일이지 뭐가 문제야'라는 식의 식견 탁월한 말씀을 새 대통령께오서는 한국이 아닌 미국에서 했던 것이다. '뭐어, 싼값? 니 국민을 뭘로알고 그따위 소리 지껄이는 거야.' 국민들의 감정은 이런 모독감으로 순식간에 일치했고, 그 동감은 시위의 불꽃으로 타오르게 된 것이었다.

국민들이 느낀 모독감은 미국산 쇠고기가 '광우병을 일으킬 위험이 있다'는 데 있었다. 한미 FTA 체결과 함께 미국산 쇠고기가 대량으로 수입되어 한국인의 밥상에 오르게 되는

데, 그 고기를 먹고 재수 없으면 소처럼 광우병에 걸릴 수 있다니……, 아 그런 경악이 어디 있는가. 사람보다 몇 배 큰 소들이 네 다리로도 중심을 잡지 못하고 비척비척 더듬거리고, 비틀비틀 흔들리다가 그 큰 덩치를 쿵 내던지며 쓰러져, 네 다리를 제각기 와들와들 바들바들 떨다가 입에 허연 거품을 물고 눈을 홉뜬 채 죽어갔다. 그 참혹하고 허망한 모습을 사람들은 텔레비전 뉴스를 통해서 보고 또 보았으니 그 두려움과 공포감이 어떠할 것인가.

그런 국민들을 향해서 대통령께서 '싼값' 운운하시었으니, 어서 시위하라고 시너 끼얹고 불 붙여준 꼴이 아니고 무엇이었으랴. 물론 대통령은 대통령으로서 처한 입장이 있었을 것이다. 대통령이 되자마자 국민들이 '저 사람 왜 저래?' 할 정도로 허둥지둥 허겁지겁 미국행을 한 것은 미국과의 관계를 더욱 돈독히 하는 것이 나라를 위하는 것이라는 대통령으로서의 충정이 있었을 것이다. 그러자면 미국 대통령의 비위도 살짝 맞춰주는 외교술도 발휘해야 했을 것이다. 그게 '쇠고기 문제'였다. 미국 대통령으로서는 한국을 상대로 풀어야 할 제일 큰 현안이기도 했던 것이다.

그런데 우리의 대통령께서는 회담을 끝내고 나서 거두절미하고 그 고매한 말씀을 국민을 향해 돌팔매질하듯 내던져버린 것이었다. 그 밑도 끝도 없는 한마디는 국민들을 모독한 것만이 아니라 멸시한 것이었다. 대통령의 그 말은 '싸면 됐지 무슨 말이 많아' 하는 뜻으로 국민들의 면상을 후려쳤던 것이다. 그 뜻은 국민들을 일시에 분노케 했고, 그 분노는 삽시간에 광화문으로 모여드는 무서운 힘으로 폭발했던 것이다.

우리의 대통령께서는 대기업에서 한평생 돈벌이만 해서 그런지 사회학적 인식과 소견이 많이 모자랐던 것이다. 그는 돈의 무한 횡포에도 그저 굴종만 하는 사기업 직원들과 국민들이 같은 줄 알았던 모양이다. 그렇지 않고서야 어찌 국민을 상대로 그런 무모한 발언을 서슴지 않았을 것인가.

이제 대한민국 국민은 6·25 직후의 폐허의 가난 속에서 미국의 원조에 그저 감읍하고, 동물 사료용 가루우유마저 서로 많이 받아먹으려고 허겁지겁했던 거지 군상이 아니었다. 40~50년 동안 밤낮없이 뼛골 빠지게 일해서 1인당 GDP 2만 5천 불대의 배부름을 향유하고 있는 자존심 제대로 갖춘 존재들이었다. 그런 대상들에게 '광우병에 걸리든 말든 값싸니까 먹어라' 하는 식으로 말을 해댔으니 그게 통할 수가 있겠는가. 더구나 트라우마(상처)를 열등감으로 심층 깊이 감추고 있는 사람들의 심리는 얼마나 난해하고 복잡한가. 우리 한국 사람들은 거지꼴로 미국의 원조를 받아먹어야 했던 아픈 과거를 공동의 부끄러움과 열등감으로 가지고 있지 않은가. 더구나 미국을 대할 때는 그 부끄러움과 열등감이 미국에 대한 선망과 같은 비중으로 엇갈리는 것이다. 대통령의 경박한 그 말은 바로 그 열등감을 정통으로 찔러버린 것이었다.

대통령은 미국에 대한 대통령으로서의 체모를 살리고, 국민들께 최소한의 예의를 갖추려면 이 정도로는 말했어야 했다.

"우리 한미 양국은 FTA 체결을 계기로 한 가지 난제 앞에 서게 되었습니다. 그건 다름 아닌 미국산 쇠고기의 수출입 건입니다. 그게 문제가 되는 것은 광우병 위험 때문인데, 그것도 양국이 현명하게 대처하면 별 어려움 없이 풀리리라 생각합니다. 그동안 돈독하게 지켜온 한미 양국의 전통적 우호 관계로 보면 그 문제는 사소한 것일 수 있습니다. 그 해결의 지름길은, 미국은 한국인들이 염려하는 건강 안전을 위해서 쇠고기 검역 확대를 실효적으로 실천하는 것이고, 한국 국민들은 미국 소에 대한 우려를 씻어내고 미국과의 깊은 우호를 믿어주시는 것입니다. 저는 국민 건강을 옹호하는 입장에서 최선을 다하겠습니다."

이렇게 했더라면, 국민들은 낮에 일에 시달린 몸으로 다시 초에 불을 붙이고 광화문으로 나오지 않고 얼마나 편안한 잠을 잤을 것인가.

그런데 밤마다 촛불의 바다가 넓어지고 있는 까닭은 무엇이었을까. 그것 또한 대통령의 탓이었다.

그 대통령에게는 이런 에피소드가 생겨났다. 대통령에게는 비서들이 수두룩한데도 그 대통령께서는 역대 대통령들 중에서 유일하게 갈색 가방을 들고 대통령 전용기를 오르내리며 외국 나들이를 하셨다. 그런데 그 가방이 전혀 무게감이 없이 '달랑' 들었다는 느낌을 주는 것이 문제였다. 그래서 어느 초등학생이 텔레비전을 보고 있다가 아빠한테 불쑥 물었다. "아빠, 저 가방 안에 뭐 들었게?" "웅? 아, 그거 저어……." 아빠는 당황해서 어물거리다가 다급하게 대답을 마련했다. "외교에 필요한 서류가 들었겠지." "피이, 치약 칫솔이야."

대통령께서는 아무런 외교적 성과도 없이 빈 가방 들고 오셔서 자신의 그 엄청난 실언에 대해서 사과는커녕 일언반구도 없었다. 그러자 국민들은 다시금 모독감을 느껴 초에 불을 댕길 수밖에 없었던 것이다. 그런데 낮에 일한 피곤을 무릅써가며 야간 시위를 벌이는데도 대통령은 침묵으로 일관했다. 그 침묵은 묵살이었고, 묵살은 무시였고, 무시당한 감정은 새로운 분노를 폭발시켜 갔다. 그 폭발음이 바로 밤마다 늘어나는 촛불들, 밤마다 넓게 출렁이는 촛불의 바다였다.

이 대목에서 사업가 출신의 우리 대통령께서 놓치신 것이 또 한 가지 있었다. 그렇게 묵살해 버리면 모두 제풀에 지쳐서 며칠이 못 가 흐지부지 흩어지리라고 계산한 거였다. 그런 계산이야말로 사회역사학 인식이 미천한 자가 저지를 수밖에 없는 오산이었다.

미안하게도 대한민국 국민의 시위 DNA는 유구한 역사와 전통에 빛나는 것이었다. 저 80년대에 30년 군부 독재를 무너뜨렸던 것은 무엇이었던가. 몇 년에 걸쳐서 지긋지긋하도록 줄기차게 계속된 시위의 위력이었다. 최루탄을 쏘다 쏘다 지쳐버린 전두환 정권은 마침내 '항복 선언'을 하기에 이르지 않았던가. 그 끈질긴 투쟁 정신은 유신 저항을 거쳐 4·19 투쟁으로 이어졌고, 그 뿌리는 다시금 일제강점기의 광주학생사건과 3·1혁명으로 뻗어 있었다.

2002년 월드컵 때 등장한 '붉은 악마'의 거리 응원은 결코 '기상천외한 창작물'이 아니었다. 세계가 놀란 그 거대한 빨간 율동의 역동성과 천둥의 울림 같은 드높은 함성의 박진감과 그 많은 사람들이 흩어졌다 다시 한 덩어리로 모이고 하는 응집력의 모태는 무엇일까. 그건 바로 저 80년대에 전 국민적으로 최루가스에 취해 눈물범벅이 되면서 체험한 시위의 역사 전통이었다. 그 붉은 응원의 감동이 얼마나 컸으면 그다음 월드컵에서 세계 여러 나라들이 그 응원을 그대로 본

떠 이 거리 저 거리로 나섰을 것인가. 그때 로열티 받지 않고 후하게 선심 썼으니 그 덕을 세계시장을 누비는 우리나라 대기업들이 톡톡히 보았을 것은 의심의 여지가 없는 일이다. 이 나라의 시위는 그렇게 사회적 영향력이 전 세계로 뻗치도록 막강하다는 것을 우리 대통령만 모르셨으니, 그 눈뜬장님이 다스리는 나라 꼴은 어떠했으랴. 어떤 신문이 실시한 역대 정권의 평가에서 어느 교수가 탄식하며 말했다. "너무 큰 잘못을 많이 저질러 어떤 것 하나를 가려낼 수가 없다."

날로 심해져가는 촛불 시위에 절정을 이룬 것이 있었다. 유모차 엄마들의 등장이었다. 아이들을 태운 유모차를 밀며 시위대에 앞장선 엄마들. 그 엄마들은 아무런 구호도 외치지 않았다. 종이 구호도 들지 않았다. 그저 침묵이었다. 그런데 그 침묵은 그 어떤 구호나 함성보다도 높고 크게 울려 퍼지고 있었다. 사람들은 그 침묵의 함성을 콧날 시큰하고 가슴 먹먹하게 듣고 있었다.

"우리 아이들에게 병든 쇠고기를 먹일 수 없다."

우리의 시위 전통이 세계의 으뜸이라 할 수 있었지만, '유모차 부대'의 등장은 그야말로 기상천외한 것이었다. 그만큼 미국산 광우병 쇠고기 수입을 국민들은 큰 건강 위협으로 받아들이고 있었다.

그런데 그 '유모차 부대'에게 아쉽게 으뜸 자리를 빼앗겨버린 특이한 부대가 또 하나 있었다. '촛불 소녀들'로 불린 여고생들의 무리였다. 그 여고생들은 보호해야 할 어린애들이 없어서 그런지 저마다 종이 구호를 들고 있었다.

'잠 좀 자자!'

'일제고사 즉각 중단!'

'경쟁 교육, 미친 교육!'

'명바기가 우릴 죽이려고 해요.'

'니나 많이 잡수세요.'

'쥐박아 딴 일이나 잘해.'

'일제고사 부활 결사반대!'

여고생들은 텔레비전 카메라 앞에서 부끄러워하며 그 종이 구호들을 마구 흔들어댔다. 그런 여고생들의 아이디어는 정말 기발했다. 전 국민적 관심이 집중되고 있는 시위 현장에 자신들의 문제까지 들고나옴으로써 이중 효과를 톡톡히 보고 있었던 것이다. 학교 다니는 아이가 없는 사람들까지도 철 지난 일제고사가 되살아났다는 것을 일시에 알게 된 것이었다.

그 화면을 보신 우리의 대통령께서는 얼마나 역정을 내셨을까. 혹시 식사하시던 중은 아니었을까. 나랏일을 보실 귀하신 몸이 급체를 하시면 안 되는데. 자칫 잘못하면 급체할 위험이 너무 컸던 것이다. 아직 미성년자에 불과한 어린것들이 무엄하고 무도하게도 대통령의 이름을 불러대다 못해 별명까지 지어서 놀려대다니.

대통령은 다행히 식사 때가 아니라서 급체의 위험은 피할 수 있었다 하더라도 속상하고 화가 치미는 것은 피할 수 없었을 것이다. 대통령도 대통령이기 이전에 사람이 아닌가. 어린것들한테 그 꼴을 당하고 화를 안 낼 어른이 어디 있을 것인가. 더구나 대통령은 순전히 저희들의 실력을 길러주기 위해 일제고사를 부활시킨 것인데 고마워하기는커녕 뭐라고? 그렇게 성이 나신 대통령께서는 평소보다 더 심하게 혀를 날름거렸고, 그러다 목이 말라 비서는 물컵을 나르느라 정신없이 분주했던 것은 아닐까. 우리 대통령께서는 세계 대통령들 중에서 유일하게 혀를 날름거리는 특이한 개성의 소유자였다.

"저거 좀 이상하잖아?"

"뭐어……?"

"저것……, 저 혀."

"체, 그것 하루 이틀 봤어?"

"그러게. 국내에서는 그저 그런 버릇이 있나 보다 했는데,

외국에 회담 나간다니까 영 이상해지네."

"뭐가 이상한데?"

"거 왜 있잖아. 서양 사람들 까다롭게 격식 차리기 좋아하는 것. 식사할 때 좌빵우물(왼쪽의 빵 접시와 오른쪽의 물컵이 자기 것이다), 와인을 따를 때 잔은 들지 않는 것이다, 고기를 자를 때 나이프가 접시에 부딪치는 소리를 내서는 안 된다, 고기를 씹을 때 입을 벌려 소리가 나게 해서는 안 된다, 식사를 다 마쳤으면 나이프와 포크를 접시에 걸쳐놓아서는 안 된다, 여러 사람 앞에서 이쑤시개로 이를 쑤셔서는 안 된다, 명함을 교환할 때 손끝에 침을 묻혀 명함을 꺼내서는 안 된다, 넥타이를 맬 때 그 길이는 허리띠의 버클을 가리는 정도로 해야 한다, 활동하는 평상시에는 양복 단추를 꿰지 않는다, 뭐 이런 게 수도 없이 많잖아."

"자네 요새 박사 논문 쓰는 거야? 이제 보니 엄청 고상한 교양인이시네. 근데 그게 어쨌다는 거야?"

"이런 답답하긴. 그렇게 까다롭게 격식 차리기 좋아하는 사람들 앞에서 혀를 날름날름하면 어떻게 되겠어. 그것도 대통령이 말야."

"응, 그거 듣고 보니 그렇네. 허나 어쩌겠어. 평생 못이 박여버린 버릇인걸."

"겉으로 표만 내지 않을 뿐이지 속으로는 무시하고 웃음거리 될 걸 생각하면 너무 창피스러워."

"그거야말로 그 사람이 좋아하는 말로 국격 딱 떨어지는 일이네 뭐."

"맞아, 정답이야! 근데 말야, 그 국격이라는 말, 전에는 별로 안 쓰던 말 아니야?"

"응, 나도 이상해서 대학교수 하는 동창한테 물어봤지. 근데 그게 사전에 없는 말이래."

"뭐, 사전에 없어? 그럼 화성에서 왔나?"

"그럼 좋게. 그게 일본 놈들이 쓰는 말이래."

"이런 빌어먹을! 왜 하필 일본 놈들이 쓰는 말을 가져다가 국격, 국격 해대는 거야. 대통령이라는 사람이."

"이봐, 그만 미워해. 혀를 날름거리든 어쩌든 경제는 책임지고 살린대잖아."

새 대통령을 향해 이런 걱정을 하는 사람들이 한둘이 아니었다. 그러나 사람들의 그 진정한 마음이 전해지지 않아서 그랬는지 대통령께서는 임기가 끝나는 날까지 쉼 없이 혀를 날름거렸다.

그 문제는 청와대의 담이 너무 높아 어쩔 수 없이 고칠 기회를 놓쳤다 하더라도, 공개적으로 시위에 나서서 촛불 소녀들이 외쳐댄 항의는 받아들여 일제고사를 바로 중단시켰어야 했다. 그런데 대통령께서는 자기 스스로 자랑스러워하는 별명인 불도저처럼 저돌적인 실행을 감행했다. 그래서 어느교수가 말한 것처럼 너무 많이 저지른 큰 잘못 중의 하나로 꼽히게 되었다.

일제고사 부활은 시행 발표와 함께 즉각적인 반대에 부닥쳤다. 문제는 학생보다 선생들이 먼저 반대하고 나섰다는 데 있었다. 첫째 학생들 실력 향상에 아무런 도움이 안 되고, 둘째 불필요한 경쟁을 과열시켜 학생들을 괴롭히고, 셋째 국가적인 재력 낭비고 정력 소모라는 것이었다. '4대강 살리기' 사업을 국민의 75퍼센트가 계속 반대했는데도 무작정 밀어붙여 22조라는 상상하기 어려운 국민의 혈세를 탕진하고, 수수만년의 생명을 지닌 네 개의 큰 강을 '죽이기에 성공'한 것처럼 일제고사도 전국의 수많은 학생들을 괴롭히고 국가 교육을 망치는 여러 상처를 남기고 막을 내리게 되었다.

일제고사가 야기한 두 가지 큰 문제는 전국적인 경쟁 유발과 성적순 줄 세우기였다. 전국의 학생들이 한날한시에 시험을 보고, 그 결과로 전국 석차를 공개하는 것이었다.

이런 단행이 무슨 획기적 교육 혁명이나 되는 것처럼 대통령께서는 교육과학기술부 장관을 제치고 앞으로 나서서 '무한 경쟁'만이 지속적 국가 발전의 동력이라고 자못 흥분된 어조로 역설해 댔다.

일제고사와 궁합을 잘 맞춰 탄생한 것이 '무한 경쟁'이었다. 인생은 유한할 뿐인데 무한 경쟁이라니……. 유한 경쟁만으로도 자본주의 사회의 삶이란 팍팍하고 지겨운데 뜬금없이 대통령이 나서서 무한 경쟁을 외쳐대니 이 무슨 해괴한 일인가. 평소에도 경쟁에 긴장하고 시달리느라고 쌓이고 쌓이는 스트레스에 지칠 만큼 지쳐 있는데 그것도 모자라 무한 경쟁이라니……, 사람들은 대통령의 외침에 무표정하고 뜨악할 뿐이었다.

그러나 대통령의 그 고견을 선뜻 알아듣지 못하는 건 국민들의 우매함 탓이었다. 대통령의 그 빛나는 네 글자 구호는 분명한 출처가 있었다. 기업은 이윤 추구를 목적으로 한다. 그 목적을 달성하기 위하여 종사자들은 수단과 방법을 가리지 않고 최선을 다해야 한다. 대통령은 사기업 출신답게 그런 경영 논리를 국가의 교육 경영에 도입하면서 '무한 경쟁'이라는 새 말을 신교육의 목표로 내건 것이었다.

그러나 대통령께서 교육에 가한 채찍질은 그것만이 아니었다. 국제 감각이 탁월한 그분께서는 대통령에 취임하기 전인 대통령직인수위원회 시절부터 영어 교육의 중요성을 강조하고 역설하는 가운데 '오뤤쥐' 파동으로 원어 발음의 진가가 무엇인지 전 국민에게 확인시켜 주었다. 그 파동의 효과는 당장 사교육 영역 확대로 나타났다. '세계화 시대'를 외치면서, 영어 조기교육을 위해 초등학교 3, 4학년부터 영어를 가르치게 한 것이 김영삼 대통령이었다. 그러자 내 자식은 잘되게 하겠다는 열정에 불타는 엄마들은 잽싸고도 날쌔게 초등학교 1, 2학년 애들을 사설 학원으로 내몰았다. 경쟁에서 남들보다 한발 앞세우겠다는 뜨겁고도 숭고한 모정의 발동이었다.

그런데 우리 대통령께서 두 번째로 영어 조기교육의 중대성을 '오뤤쥐'로 강조하게 되자 치열한 모정은 이번에도 한발 앞서며 유치원 아이들에게도 영어 교육을 시키고 나섰다. 그것도 원어민 교사가 가르치는 것으로. 원어민 영어유치원이 그야말로 우후죽순으로 창궐하기에 이르렀다. 나라가 사교육을 유도하고 획책한 좋은 본보기였다.

그리고 대통령께서 두 번째 휘두른 채찍이 자사고(자율형 사립고)의 적극적 확대였다. 공부 잘하는 학생들을 골라 뽑고, 등록금도 평균 5배 이상 10배에 이르도록 더 받을 수 있으니 사립학교들은 정부가 억제해도 자사고로의 변신을 꾀할 판이었다. 그런데 대통령이 앞서 나서고 있으니 하늘에서 복이 굴러떨어지는 것이 아니고 무엇인가. 그런데 그 자사고라는 것은 오래 터 닦아온 고교 평준화의 파괴였고, 차별 교육의 표본이었다. 공부를 잘해도 비싼 등록금을 낼 수 없으면 자사고는 열리지 않는 금단의 문이었다. 경제력으로 교육 차별을 아무렇지도 않게 자행하다니, 그보다 잔인한 비교육적 행위는 없었다.

그러나 우리 대통령의 돈 사랑과 금전 존중은 거기서 끝나지 않았다. 미국 항공기 선전도 아니고 '747'이라는 공약을 내걸고, 전 정권이 망쳐버린 경제를 획기적으로 되살려 두 배로 잘사는 부자 나라를 만들겠다고 별로 좋지 않은 목소리가 거의 다 잠길 지경으로 외쳐대 대통령에 당선된 것까지는 좋았다. 그 '747'이라는 게 연 7퍼센트 경제성장, 1인당 GDP 4만 불 달성, 세계 7위 수출 대국을 만들겠다는 뜻이었으니, 어서 선진국 되기를 공동 소망으로 가지고 있는 국민들로서는 그보다 더 황홀한 꿈은 없었던 것이다. 그래서 그는 500만 표라는 역대 최고의 표차로 쉽게 대통령 자리에 오를 수 있었다. 그리고 그는 경제를 부활시킬 수 있는 대통령답게 국민을 상대로 한 어느 자리에서나 "부자 되세요"를 덕담으로 삼았다. 그건 사람들의 속마음에 든 욕망을 자극하고 풀어주는 최고 덕담 같지만, 그 속에 담긴 뜻은 "돈 많이들 버세요", "돈이 최고예요" 하는 게 아닌가. 그런 말을 대통령이 아무 데서나 입에 올린다는 것은 대격(국격 식으로 말한다면)에 어울리지 않는 천박스러움이고 속됨이 아니겠는가.

그런데 "부자 되세요"는 금세 국민적 유행어가 되더니만, 새해가 되자 "새해 복 많이 받으세요" 하는 전통적 품위를 지닌 덕담을 무찌르고 "부자 되세요"가 새 덕담의 자리를 차지하고 말았다. 대통령이란 권세는 단순 소박한 대중들에겐 그처럼 막강한 종교적 힘을 발휘하는 것이었다. 또한 거기에는 돈을 갈구하는 뭇사람들의 야한 욕망이 곁들여져 있기도 했다.

일제고사는 일제 망령의 부활이라는 비판과 함께, 인성이 파괴되도록 아이들을 무작정 무한 경쟁으로 내모는 것은 교육을 훼손시키고 포기하는 비교육적 행위이며, 전국적으로 전체 석차를 공개해 아이들을 줄 세우기 하는 것은 인격 살해를 자행하는 가장 비인간적인 행위라며 항의하고, 어서 빨리 일제고사를 중단하라고 요구하고는 했다. 그러나 그런 소리는 소수의 불평불만으로 가차 없이 묵살될 뿐이었다. 대통령은 '4대강 살리기'를 반대하는 여론이 커질수록 불도저식을 더욱 거세게 몰아대는 것과 똑같이, 일제고사도 기세등등하게 밀어붙여 나갔다. 성적을 비관해 자살하는 아이들이 해마다 늘고 있었지만, 엽기적인 사건이 아닌 한 '사소한 자살'

은 언론에 한 줄도 보도되지 않고 흔적 없이 묻혀버리고는 했다. 한 해 300명 선의 청소년 자살자가 일제고사 실시를 계기로 해마다 증가해 마침내 하루 1.5명인 500명을 넘고 있었다. 그러나 일제고사는 멈출 기미 없이 기세 좋게 치러졌고, 전체 석차는 끄떡없이 공개되고 있었다.

그런데 이상한 일이었다. 아이들이 성적 줄 세우기에 치여 그렇게 많이 죽어가고 있는데도 정작 학부모들이 일제고사를 반대하고 나서는 일은 일어나지 않았다. 언론에 낱낱이 보도되지 않아서 몰라서 그러는 것일까? 예나 지금이나 발 없는 말이 천 리를 가고 있었다. 더구나 요새 세상은 지구 반대쪽에 있는 사람하고 동영상 통화를 하는 시대였다. 그런 속빠른 입들을 타고 소문들은 삽시간에 천 리가 아니라 수수만리로 퍼져 나가는 세상이었다. 다만 사람들이 그런 흉한 소문에는 철저하게 귀를 막고 있었던 것이다. '내 자식만 잘되면된다' 하는 마음으로 돈 아까워하지 않고 사교육을 시켜대듯이 '내 자식만 그런 흉한 일 안 당하면 된다' 하는 마음으로 한곳만을 응시하고 있었다. 사교육 학원 쪽이었다.

자식을 SKY 대학에 보낼 수 있다면 무슨 짓이든 다 할 각오가 되어 있는 엄마들에게 일제고사 상위 1퍼센트 이내에 드는 것은 곧 SKY 대학 합격을 보증하는 것으로 받아들여졌다.

'내 자식만큼은 1퍼센트 안에 들게 해야 한다!'

이런 결의로 충만된 엄마들이 이 앙다물고 눈 부릅뜨며 내달아간 곳이 있었다. 사교육 시장이었다. 정부의 시책보다 앞서 달리기에 능한 엄마들은 이번에도 사교육 시장을 급팽창시키며 학원가에 '지화자 얼싸 좋다' 풍년가가 흐드러지게 울려 퍼지도록 해주었다.

엄마들이 일으키는 사교육 무한 경쟁의 광풍은 '할아버지의 경제력, 엄마의 정보력, 아빠의 무관심'이라는 삼박자가 잘 맞아야 아이의 입시 경쟁에서 승리할 수 있다는 경탄스러운 금언까지 만들어내며 해가 바뀌고 바뀌어도 기세가 꺾일 줄을 몰랐다. 그런 상황 속에서 마침내 그 끔찍한 사건은 터졌다.

일제고사를 볼 때마다 아들의 등수가 떨어진다고 아들을 때려오던 엄마가 매를 견디지 못한 아들 손에 맞아 숨진 것이었다. 아들을 매질해 댄 엄마의 학대는 일제고사가 처음 치러진 다음부터 시작되어 3년 넘게 지속된 것이었다. 아들은 첫 일제고사에서 4천 등까지 했다. 그건 SKY 대학에 너끈히 들어갈 수 있는 성적이었다. 그러나 그것으로 만족할 수는 없다. 조금만 더 애쓰면……, 엄마의 욕심은 동하기 시작했다. 서울대학교! 아아, 내 아들이 서울대 학생이 될 수 있다! 그런 '가문의 영광'을 놓칠 수 없는 일이었다. 일가친척들 앞에서……, 친구 동창들 앞에서 그보다 더 폼 나고, 광나는 일이 어디 있을 것인가. 아들아, 등수를 조금만 더 올려. 그럼 서울대학교는 네 것이야. 네가 서울대 학생이 되는 거라구. 어때, 기막히지? 그보다 더 신나는 일이 어딨니. 하자, 함께 하자. 이 엄마가 뒤를 팍팍 밀어줄게. 힘내! 조금만 더 힘내! 엄마는 황홀경에 취해 아들을 독려하기 시작했다. 그런데 다음 일제고사에서 아들의 성적은 오히려 뒷걸음질 쳤다. 어머, 어머, 이게, 이게 웬일이니! 너 왜 이래. 이게 무슨 일이야. 시험 볼 때 어디 아팠니? 아니 졸았니? 얘가 왜 이래, 얘가 왜 이러는 거야. 아니야, 아니야, 한 번 실수는 괜찮아. 얘, 정신 차려! 완전히 복구해야 하니까 정신 차리라구! 엄마의 독려는 닦달로, 관심은 간섭으로 변해갔다. 세 번째 일제고사 성적이 발표되었다. 엄마는 신음 소리를 내며 비틀거렸다. 아들의 성적은 지난번보다 더 미끄러져 내려가 있었다. 얘, 너 미쳤어? 미치지 않고서야 이게 뭐하는 짓거리야. 최고액 과외로 밀고, 보약으로 받치고 했는데 왜 요 꼴이냐구! 너 담번에 완전 복구하지 않으면 끝장인 줄 알아! 그런데 네 번째에도 미끄럼을 탔다. 요런, 미친놈아! 이 넋 빠진 새끼야! 너도 사람이냐! 눈을 부릅뜬 엄마는 욕을 퍼부어대며 아들의 따귀를 후려갈겼다. 한

번이 아니었다. 때리고 또 때렸다. 그런데 아들을 때릴수록 엄마의 화는 더 불붙어 올랐다. 눈에 띄는 대로 막대기를 집어들었다. 등산길에서 임시변통으로 장만했던 지팡이였다. 분함이 터져 오르고 또 터져 올라 막대기를 마구 휘둘러댔다. 아들이 서서 맞다가 견디지 못하고 거실 바닥에 고꾸라졌다. 그래도 화는 풀리지 않았다. 아들은 비명을 질러대며 거실 바닥을 굴렀고, 막대기가 부러졌다. 그제야 매질을 멈추었다. 한 시간이 지나 있었다. 그런데 다음 시험에서 아들의 성적은 더욱 내리막길이었다. 엄마는 분함을 넘어 배신감에 떨었다. 남편의 골프채가 눈에 띄었다. 마구 휘둘러댔다. 아들이 거실 바닥을 기지도 못하게 되어서야 휘어진 골프채를 내던졌다. 두 시간이 다 되어가고 있었다. 그것으로 끝나지 않았다. 저녁밥을 굶겼다. 아들은 눈물을 뚝뚝 떨구며 다음번을 약속했다. 그러나 아들의 성적은 한층 더 곤두박질쳐 있었다. 엄마는 제정신이 아닌 것처럼 눈이 뒤집혔다. 아들의 야구방망이를 휘둘러댔다. 두 시간이 넘도록 매타작을 당한 아들은 피투성이가 되어 제대로 말도 하지 못했다. 그러나 엄마의 통분함은 풀리지 않았다. 그래서 사흘 동안 학교에 보내지 않았고, 밥을 굶겼고, 잠도 재우지 않았다. 정신을 차리게 할 수 있다면 그보다 더 심하게, 더 강하게 해야 된다고 생각했다.

공부를 방해하는 악귀 같은 잡생각을 몰아내려면 더 독하게, 더 무섭게 하는 수밖에 없었다. 그렇게 마음을 굳게 다지고 있는 엄마에게 어느 순간 아들은 괴물로 돌변해 덤벼들었다. 고3인 괴물의 힘을 엄마는 당해낼 도리가 없었다.

"자기가 왜 그랬는지 전혀 알 수가 없다고 합니다. 전문의 말로는 피의자가 장시간 구타를 당하고, 사흘 동안이나 밥을 굶은 데다 잠까지 자지 못한 극한상황에서 일시적 정신착란 상태에 빠진 것이 아닌가 하는 견해를 밝혔습니다. 피의자는 계속 울면서 차라리 자신이 자살을 해야 하는데, 왜 그랬는지 모르겠다고 진심으로 후회하고 있습니다."

기자들 질문에 대한 수사과장의 응답이었다.

모든 언론의 시선은 그 사건에 집중되었다. 그만큼 끔찍하고, 뜻밖이고, 충격적이고, 패륜적이었기 때문이다. 그런 존속살해는 한국에서나 일어날 수 있는 가장 한국적인 사건이었다. OECD 회원국들 중에서 공부 시간이 가장 길고, 학업 성취도가 가장 낮고, 사교육이 가장 심한 나라가 한국이었다. OECD에서는 한국 교육의 위기 상황을 벌써 오래전부터 망원경을 들이대고 보여주고 있었다. 그런데도 그 위기를 자각하지 못하는 사회에서 그런 기막힌 존속살해의 비극은 당연히 일어날 수밖에 없었다.

'어디 이번에는 어떻게 하나 보자' 하고 강교민은 날마다 여론의 흐름을 응시하고 있었다. 그런데 일제고사의 문제점은 전혀 언급되지도 지적되지도 않았다. 사건의 원인 제공 대상은 회피된 채 여론은 범인의 극악한 패륜 쪽으로 쏠려 있었다. 그 전과 똑같은 사건 처리의 방법이었다. 그런 비극이 다시는 되풀이되지 않게 하기 위해서는 철저하게 객관적으로 원인을 규명하고, 그걸 근거로 사회적인 논의를 냉정하게 진행해서, 원인을 제공한 제도를 과감하게 혁파하게 하는 것이 정도였다. 그러나 역시 한국은 한국적인 방법으로 도덕 감정을 자극해 범인을 패륜아로 매도하면서 사건의 본질을 엉뚱한 방향으로 돌려버렸다.

강교민은 그런 식의 대응을 지켜보면서 실망하지도 않았고, 속상하지도 않았다. 오래전부터 그런 무책임과 기만을 꽤나 많이 보아오면서 그런대로 단련이 된 덕이었다.

언론에서 이번 사건을 계기로 일제고사의 문제점에 대해서 총점검하고, 그 존속 여부를 철저하게 검토하고 논의해야 한다는 식의 정면 대응을 하지 않은 것은 두 가지 이유가 있었다. 하나는 권력 핵심과 부딪쳐야 하는 문제였고, 다른 하나는 학부모들이 '내 자식만 안 그러면 된다'는 식으로 생각하며 SKY 대학을 향한 점수 올리기에만 혈안이 되어 있었기 때문이다. 그러니까 그 문제를 거론하면 권력에 밉보이고, 독자들의 호응도 못 받는, 겹치기 손해만 보는 일이었던 것이다.

남의 일은 사흘이면 잊어버리더라고 그 패륜아도 며칠이 못 가 사람들의 뇌리에서 사라져갔다. 하고많은 일들이 날이면 날마다 일어나는 이 넓고 복잡한 세상에서 그 슬프고 가슴 아픈 사건은 드넓은 바다에서 일어났다 꺼지는 하나의 물방울 같은 것이었는지도 모른다. 그러나 벌써 5년여가 지난 사건인데도 일제고사를 생각하면 강교민은 그 사건을 잊지 못하고 있었다.

이 세상에 문제아는 없다. 문제 가정, 문제 학교, 문제 사회가 있을 뿐이다.

교과서를 챙겨 드는데 교육가 닐의 말이 떠올랐다. 강교민은 씁쓰레하게 웃었다. 언제 뇌어도 올바르고 깊은 통찰을 담고 있는 말이었다.

그 고3 학생은 문제아가 아니었다. 무작정 제도를 따르면서 아들이 점수를 많이 따게 하려고 몸부림쳤던 엄마가 문제 가정을 만들었고, 상부에서 지시하니까 무조건 굴종한 학교가 문제 학교였고, 비교육적인 무한 경쟁과 비인간적인 석차 공개로 수많은 학생들에게 상처를 주면서도 일제고사를 강행

46

한 정부가 문제 사회를 만든 것이었다. 결국 부모, 학교, 사회가 삼위일체를 이뤄 그 학생을 살인자로 몰아간 것이었다.

강교민은 기분을 수습하기 위해 교실로 들어가기 전에 서너 번 심호흡을 했다.

"오늘 또 여러분들의 기분이 어떨지 잘 알고 있다. 긴 말 하지 않겠다. 단, 성적보다는 인간의 가치를 더 소중하게 여기며 살아야 한다는 것을 잊지 않기 바란다."

강교민은 엄한 얼굴, 강렬한 눈빛으로 서른다섯 명의 학생들을 창문 쪽에서부터 복도 쪽으로 천천히 훑어가며 이 말을 한 마디 한 마디 또렷하게 했다. 누가 들으면 고등학교 2학년들한테 그 무슨 알아듣기 어려운 말을 그리 하느냐고 할수도 있었다. 그러나 자신이 맡고 있는 학생들은 그 정도의 말은 충분히 소화할 수 있도록 가르쳐왔다고 자신하고 있었다.

학생들도 누구 하나 흐트러짐 없이 똑바르게 앉아 있었다.

강교민은 느릿한 동작으로 칠판으로 돌아섰다.

〈필요한 사람은 적어두도록〉

그는 평소보다 훨씬 더 정성 들여 이렇게 썼다.

그것을 읽은 학생들이 일제히 노트를 펼쳤다.

인간의 가장 큰 어리석음 중에 하나는 나와 남을 비교해 가며 불행을 키우는 것이다.

강교민은 학생들이 다 적기를 기다리며 창밖 멀리로 눈길을 던지고 있었다. 운동장가의 나무들이 푸르른 잎들을 풍성하게 달고 싱그러운 생명감을 뿜내고 있었다. 이 애들이 저렇게 싱싱하고 생동해야 하는데 다들 얼마나 지치고 시들어 있는가. 강교민은 안쓰러운 마음으로 학생들을 한 번 훑어보고는 다시 칠판으로 돌아섰다.

공부하는 능력은 인간의 수많은 능력 중 하나에 지나지 않는다.

하늘은 그 누구에게나 한 가지 이상의 능력을 부여했다.

모든 인간이 평등하듯이 인간의 모든 능력도 평등하고 공평하다.

학교 교육의 가장 큰 잘못은 시험 점수만으로 학생의 능력을 규정하고 속단하는 것이다.

학교를 다니는 것은 지식을 쌓는 것만이 아니라 한평생 신명 나게 할 수 있는 일을 발견해 내기 위해서다.

이 세상에 귀하고 천한 직업은 없다. 도둑질과 사기가 아닌 한 그 어떤 직업이든 소중하고 존귀하다.

성공한 인생이란 자기가 가장 하고 싶은 일을 찾아내고, 그 일을 한평생 열심히 즐겁게 해나가고, 그리고 사는 보람과 행복을 느끼며 노년을 맞는 것이다.

인생은 연극이다. 그런데 그 연극은 극작가도, 연출가도, 주인공도 자기 자신이면서, 단 1회의 공연일 뿐이다.

이 세상에 문제아는 없다. 문제 가정, 문제 학교, 문제 사회가 있을 뿐이다.

—교육가 닐

강교민은 분필을 놓고 손을 가볍게 털었다. 그는 학생들이 다 쓰기를 기다리며 책상들 사이를 천천히 걸었다.

"이 시간 수업은 여기까지. 나머지 시간은 저 글들을 다시 읽으며 각자 명상하기 바란다. 여러분들이 심하게 떠들어 내가 교장실에 불려가면 더욱 좋고."

몇몇 학생들이 손으로 입을 가리며 웃었다.

"저어, 교육가 닐은 어느 나라 사람입니까?"

"아! 그걸 깜빡했군."

강교민은 교육가 앞에다가 '영국'이라고 적어 넣었다.

"그럼 나머지 것은 전부 누구 말입니까?"

"야 요런 찐찌버거야(찐따, 찌질이, 버러지, 거지야), 당연히 우리의 강 짱 쌤 말씀이시지. 그쵸, 강쌤?"

강교민은 그 학생에게 V 자를 그려 보이며 눈을 찡긋했다. 그리고 교실을 나섰다.

"우와 역시 강 짱 쌤이다아!"

"완전 대박!"

학생들의 환성이 활짝 피어났다가 이내 잠잠해졌다.

강교민은 한 학기에 한두 번쯤 그런 식의 수업을 했다. 어느 봄날에는 학교 뒷동산 숲으로 학생들을 데려가 돌아가면서 시 한 편씩을 낭송하게 했다. 또 어느 가을날에는 낙엽 떨어지는 속에서 시를 한 편씩 짓게 했다. 그 수행평가 점수는 누구나 만점이었다. 학생들은 그런 수업을 졸업하고 나서도 오래도록 기억했다.

나는 나 혼자일 뿐이다

선도위원회는 사흘째 열리고 있었다. 그 분위기는 마치 중죄인을 심판하는 법정처럼 무겁고 긴장되어 있었다. 자리 잡고 앉은 다섯 교사의 얼굴이 서로를 경계하거나 공격하는 빛으로 싸늘했다.

"강 선생은 자꾸 선처를 주장하시지만 이 학생은 벌써 두 번째 범행입니다. 이게 선처가 안 되는 이유입니다."

생활지도부장이 잔뜩 찡그린 얼굴만큼 강한 어조로 말했다.

"두 번째라서 엄벌해야 한다는 것은 좀 타당하지 않습니다. 횟수만 문제 삼아서는 올바른 처벌이 될 수 없습니다."

강교민은 감정을 드러내지 않으려고 애쓰며 목소리를 부드럽게 내고 있었다.

"그게 무슨 말입니까. 사회에서도 초범일 때는 정상참작도 해서 관대하게 해주려 하지만 재범 때부터는 엄벌을 합니다. 배동기 이놈도 처음에 관대하게 했더니 정신 못 차리고 또 범행을 한 겁니다. 강 선생이 책임지겠다고 사정사정했고, 강 선생 체면 봐서 선처했던 게 아주 잘못한 것이었어요. 이놈은 상습범이에요. 엄벌해야 해요."

말이 길어지면서 생활지도부장의 어조에 흥분기가 묻어났다.

'학생 애보고 상습범이 뭡니까' 하는 말이 곧 튀어 나가려는 것을 강교민은 황급히 삼켰다.

"예, 또 말썽을 부린 건 정말 잘못된 겁니다. 그러나, 그렇게 할 수밖에 없었던 이유와 상황을 무시해서는 안 될 것입니다. 배동기는 무조건 주먹을 휘두른 것이 아닙니다."

"강 선생은 자꾸 이유니 상황이니 하는데, 그럼 어떤 타당성만 있으면 모든 폭행은 무죄라 그겁니까! 강 선생 식으로 했다간 이 세상은 전부 폭력범들 차지가 되고, 이 학교도 폭력 쓰는 놈들이 왕 노릇 하게 되고 말아요."

"그건 너무 비약입니다. 이상규가 배동기한테서 냄새 난다고 놀린 것도, 또 더해 침을 뱉은 것도 따지고 보면 일종의 폭력입니다."

"아니, 그게 무슨 소리요? 냄새 나니까 냄새 난다고 했고, 더럽게 느껴지니까 침을 뱉은 건데, 그게 어떻게 폭력이 됩니까? 참 희한한 말도 다 있군요."

생활지도부장이 어처구니없다는 듯 코웃음을 쳤다.

"예, 언어폭력이라는 말 못 들어보셨습니까? 상대방의 자존심을 훼손하고, 인격을 모독하는 말을 함부로 내뱉는 것은 폭력과 다름없는 상처를 입히게 됩니다. 영혼에 입히는 상처는 육체에 입히는 상처보다 피해가 훨씬 더 크고 고통이 오래갈 수 있습니다. 육체에 입은 상처는 의학적 치료로 완치될 수 있지만 영혼에 입은 상처는 머릿속에 트라우마로 아로새겨져 평생토록 고통이 될 수 있습니다. 어쩌면 이상규가 배동기보다 더 큰 벌을 받아야 될지도 모릅니다."

"아, 그래요? 아주 멋진 심판을 내리시는군요." 생활지도부장은 또 코웃음을 치며 입가에 비웃음을 물더니, "나 당장 부장 자리 내놓을 테니 그리 잘나신 강 선생이 맡으시오" 하며 서류를 손끝으로 내쳤다.

"어허, 학생들 생활지도를 잘하자는 건데, 서로 감정 다치는 말씀들은 삼가도록 하세요. 서로 무슨 사감 있는 것도 아닌데……."

선도위원회를 대표하는 교감이 두 선생을 번갈아 보며 부드럽게 말했다.

"하 그 짜식 참, 세상이 어떤 세상인데 몸에서 냄새가 풀풀 나도록 샤워를 안 하고 다녀 이리 말썽인가 그래."

생활지도부장이 마구 혀를 찼다.

"그 애가 큰 마트 창고에서 짐 나르는 알바를 합니다. 편의점 같은 데보다 시급을 더 많이 받아 일당이 높아지니까요. 그런데 무거운 짐을 나르다 보니 매일 땀이 나고, 집이 가난해 날마다 샤워할 형편은 못 되고, 그러다 보니 어쩔 수 없이 그리된 것이지요."

강교민이 침울하게 말했다.

"이런……, 그게 그리된 거로군요. 얼마나 가난하기에 샤워도 제대로 못하고……."

교감의 얼굴이 찌푸러지며 고개를 저었다.

"예에, 부모님이 이혼하고 아버지와 단둘이 사는데, 아버지가 알코올중독 상태로 폐인이나 다름없습니다."

강교민이 더 가라앉은 소리로 말했다.

"그리 가난하게 살면 잘 먹지도 못할 텐데 무슨 기운으로 코뼈는 부러뜨리고 그래요, 글쎄."

생활지도부장이 짜증스럽게 손등으로 코밑을 문질러댔다.

"무거운 짐 나르는 알바 했대잖아요. 그리고 코뼈가 워낙 약해서 잘 부러지고, 잘 붙고 그래요. 복싱 선수들 거의가 코 내려앉아 있잖아요."

교감이 딱하다는 듯 말했다.

"아 글쎄, 남자도 여자 못잖게 인물을 보는 세상에 하필 얼굴 중심인 코뼈를 부러뜨려놨으니 학부모가 노발대발 난리법석 아닙니까. 당장 경찰에 고발해 깜빵에 보내겠다고 펄펄 뛰는 것을 학교 위신 생각해 겨우겨우 이만큼이라도 붙들어 앉혀놓은 거라니까요. 퇴학 처분을 내리자는 건 내 생각이 아니라 그 학부모가 주장하는 거예요. 자기 애가 그런 놈 얼굴 또 보며 학교에 다니게 할 수 없다는 거지요. 그거 부모 마음으로 당연한 것 아닙니까?"

생활지도부장이 더 할 말 없겠지 하는 눈빛을 강교민에게 보내고 있었다.

"예, 당연합니다. 그러니까 제가 그 부모님을 만나보겠습니다. 저는 두 아이의 담임입니다. 두 아이 다 건져서 상처받지 않게 해야 할 의무와 책임이 있습니다."

강교민은 간곡한 어조로 말하며 생활지도부장에게 머리를 조아렸다.

"그건 불가능해요. 헛수고일 뿐이오."

생활지도부장은 단호하게 고개를 내저었다.

"예, 안 되면 제가 무릎이라도 꿇겠습니다."

"아니, 선생이 학부모 앞에 무릎을? 강 선생은 왜 그리 배동기한테 집착하는 거요?"

"집착이 아니라, 만약 배동기가 퇴학을 당하면 그 인생이 영원히 끝장나버리기 때문입니다."

"끝장나……? 그게 무슨 소리요?"

교감이 의아하게 강교민을 쳐다보았다.

"예, 이 험한 학벌 세상에서 고등학교 졸업장이나마 없다면 어찌 되겠습니까. 도처에서 외면당하고 배척받으며 그 애가 어디서 밥벌이를 할 수 있겠습니까. 그 가엾은 아이를 우리 손으로 버려서는 안 되는 것 아니겠습니까."

강교민은 눈물을 머금은 듯한 눈으로 교감을 바라보았다.

"……." 양쪽 아랫볼에 어금니를 맞무는 이뿌리 자리가 드러나더니, "부장님, 오늘로 꼭 결정을 내리려고 하지 말고 하루 더 생각해 보도록 합시다. 강 선생 말마따나 우리는 판검사가 아니라 아이들을 열 번이고 스무 번이고 용서하고 보호하고 사랑해야 하는 교육자요", 교감이 생활지도부장의 손등을 감싸 잡으며 말했다.

"예, 알겠습니다." 생활지도부장은 즉각적으로 반응하고는,

"참, 강 선생은 알다가도 모르겠어요. 아이들에게 엄청 엄한 것 같으면서도 관대하고, 사소한 것을 어기면 꼬치꼬치 따지면서도 이런 큰 사건의 처벌은 기를 쓰고 반대하고, 도대체 왜 그러는 겁니까?"

생활지도부장이 강교민을 건너다보며 이해할 수 없다는 표정을 지었다.

"예, 몇 년 전에 어떤 여성 잡지에서 한 여성의 인터뷰를 읽었습니다. 계모 아래서 살아야 했던 그 여자는 날로 갈등과 괴로움이 심해지는 집안 상황을 견디지 못해 가출을 할 수밖에 없었습니다. 아버지도 고자질하는 계모 편을 들며 손찌검까지 해대기 시작했으니까요. 그때가 고1이었습니다. 이미 가출 생활을 하고 있었던 두 아이와 합류해서 가출팸(가출 패밀리)을 만들었는데, 얼마 가지 않아 곧 생활고가 닥쳤습니다. 대형 마트 시식 코너에서 배를 채우는 것도 하루 이틀이지, 될 일이 아니었습니다. 생활비를 벌기 위해 알바를 할 것이냐, 학생 애들을 상대로 삥 뜯기(돈 뺏기)를 할 것이냐, 멍한 아저씨들을 골라 원조 교제를 할 것이냐 의논했습니다. 알바는 고생스러웠고, 원조 교제는 두려웠습니다. 그래서 하굣길의 여학생들을 노려 삥 뜯기에 나섰습니다. 한두 여학생을 셋이서 인상 험하게 위협을 해대면 금방 지갑을 내놓고는 했습니다. 생활이 풀려 기분이 느긋해진 어느 날 삥 뜯기 현장을 형사에게 잡히고 말았습니다. 조사 과정에서 집으로 학교로 연락이 갔습니다. 집에서는 와보지도 않았고, 학교에서는 퇴학 처분을 당했습니다. 소년원을 거쳐서 6개월 만에 풀려나니 아무 데도 갈 곳이 없었습니다. 기다리고 있던 검은손이 비밀 성매매 업소였습니다. 한번 얽혀들고 나니 10년 넘도록 발을 뺄 수가 없었습니다. 지금도 원망스러운 것은 자신을 찾아오지 않은 아버지가 아니라, 자신을 퇴학시킨 학교라고 말하는 것이었습니다. 왜냐하면 경찰서에서 조사를 받는 동안 이상하게도 학교가 그리웠고, 마음 잡고 공부를 하고 싶었답니다. 계모 때문에 가출을 한 것이지, 공부가 싫어서 가출을 한 것이 아니기 때문입니다. 진짜 마음잡고 공부하려고 했다고 합니다. 가출 생활은 사람이 사는 것이 아니었습니다. 그 얘기를 듣고 나서 얼마나 충격이 컸는지 모릅니다. 왜 교육이란 한 명의 낙오자도 만들어서는 안 된다고 했는지 절실히 깨달았습니다. 그 여자를 퇴학시킨 것은 교육이 저지른 살인입니다. 그 어떤 경우에도 교육은 처벌이 아니라 용서고 보살핌이고 사랑입니다. 교육자는 제2의 성직자여야 한다는 페스탈로치 선생의 말씀은 역시 불변의 진리입니다."

강교민이 물컵을 들어 올렸다.

"그래요. 동감이오."

교감이 아랫입술이 접혀 안 보이도록 입을 꾹 다물며 고개를 끄덕였다.

"강 선생의 승리요."

생활지도부의 사건 담당 교사 두 명 중에 한 선생이 복도로 나서며 나직이 말했다.

"무슨 소리요?"

강교민은 고개를 돌렸다.

"시치미를 떼기는. 강 선생 최후 변론에, 애들 말로 교감 선생님이 뻥 갔어요. 동감이랬는데 더 말할 것 없잖아요."

다른 선생이 말했다.

"담임선생으로서 변론이 완전 대박이었어요. 나도 그 얘기 들으며 가슴이 찌르르했고, 죄 지은 기분이었어요. 그런 잘못 아무나 쉽게 저지를 수 있잖아요."

첫 번째 선생이 말했다.

"고맙습니다. 그렇게 이해해 주셔서."

강교민은 두 선생에게 다정한 눈인사를 보냈다.

의자를 끌어당겨 앉으며 꺼놓았던 핸드폰을 켜자 곧바로 신호음이 울렸다.

"왜 그리 통화가 안 돼. 수업 다 끝나지 않았어?"

다짜고짜 쏟아져 나온 소리였다. 유현우라는 것을 금방 알아차렸다.

"뭐가 그리 다급해? 아주 중요한 긴급회의가 있었어."

"아니 무풍지대 학교에서도 긴급회의 할 게 있나?"

"이거 왜 이래. 글로벌 기업에만 긴급 사항이 발생하는 줄 아는 모양이지? 기업은 생명 없는 상품들을 사고팔 뿐이지만 학교는 싱싱한 생명들이 약동하고 있어서 긴급 사태는 언제나 돌발할 수 있다는 것 몰라?"

"어, 어, 말 듣고 보니 그러네. 그래, 한둘만 키우는데도 속 터지고, 골 때리는 사태가 발생하는데, 수백 명씩 와글거리는 학교에서는 더 말할 게 없겠지. 아휴……."

유현우는 입김이 후끈하게 느껴질 지경으로 진한 한숨을 토해냈다.

"웬 한숨이 그래?"

강교민은 무슨 일이 생겼음을 감지했다.

"자네 나 좀 빨리 만나."

"오늘?"

"선약 있으면 취소해. 나야말로 긴급 사태 돌발이니까."

"무슨 일이야?"

"만나서 얘기해. 어서 출발해."

"혹시 애들한테 무슨 일 있어?"

글로벌 기업에서 생긴 긴급 사태로 학교 선생의 힘을 필요로 할 리 없었던 것이다.

"응, 아주 골 터져!"

"누구야?"

"지원이 놈이 큰 탈 났어."

"아니, 걔 착하잖아."

"착한 줄 알았지, 빌어먹을!"

"무슨 일인데?"

"아, 빨리 오라니까. 전화로는 안 돼."

유현우는 벌컥 소리쳤다.

"알았어. 어디로 가?"

"우선 회사로. 회사 옆 그 커피집에 와서 전화 걸어."

"알았어."

"버스 타지 말고 택시 타고 오라구."

"그래, 지금 출발해."

강교민은 아무것도 짚이는 게 없었다. 대학 1학년의 딸 하나, 중학교 3학년의 아들 하나. 그런데 그 아들이 '긴급 사태'를 발생시켰다는 것이다. 중3짜리가 긴급 사태? 그게 무엇일지……, 교육 경력 15년이 넘은 사람도 중3짜리가 일으킨 긴급 사태가 어떤 것일지 어림짐작을 하기도 어려웠다. 고등학교 시절에 한 그룹을 이루며 지냈던 유현우는 자식 교육 문제에 대해 가끔씩 묻고는 했었다. 그러나 대기업의 부장님 품위는 잘 지켰지 오늘처럼 허둥거리며 흔들리는 모습을 보인 적은 없었다.

택시에 몸을 부리며 강교민은 눈을 내리감았다. 피곤함과 함께 끄응 된 숨을 내쉬었다. 일단 배동기를 구하게 된 것은 다행이지만, 반면에 이상규 부모를 설득해야 할 일이 큰 바위처럼 가슴을 누르고 있었다.

이상규라는 놈, 냄새 난다고 놀렸으면 됐지 침까지 왜 뱉어. 그 대목이 공략할 약점이었다. 그리고 학년이 끝날 때까지는 막강한 영향력을 행사할 수 있는 '담임'이라는 것도 상대방을 압박할 수 있는 무기였다.

유현우의 아들 문제는 더 추측하거나 추리하지 않기로 했다. 교육 문제인 것이 분명한 이상 그다지 큰일은 아닐 거라 생각했다. 학생을 둔 집집마다 한두 가지 교육 문제가 없는 집이 없다시피 했고, 그 아이는 고등학생도 아니고 이제 겨우 중3일 뿐이었다.

"무슨 일인데 그리 숨이 넘어가?"

강교민은 먼저 말문을 열었다.

"그놈이 글쎄 자살……."

"뭐라구?"

강교민의 엉덩이가 들썩 솟았다.

"요행히 직전에 막아낼 수가 있었어."

유현우가 어깨가 축 처져 내리는 한숨을 토해냈다.

"아, 다행이야, 천만다행." 강교민도 길게 한숨을 내쉬고는, "어떻게 된 일인지 어서 말해 봐", 그는 자세를 고쳐 앉았다. 정색을 한 얼굴에 단단한 앉음새를 한 그의 모습은 전혀 다른 사람처럼 보였다. 교육자다운 진지함과 무게가 느껴졌다. 그는 뒤늦게 진정으로 안도의 숨을 내쉬고 있었다. 초등학생도 공부에 시달리다 못해 아파트 15층에서 몸을 던지는 시대였다. 그러니 공부 스트레스가 훨씬 더 심한 중3이라면 얼마든지 자살을 계획할 수 있었다.

"그러니까 며칠 전에 말야, 아들놈의 친구 엄마한테서 집사람이 전화를 받은 거야. 댁의 아들이 큰일 저지를지 모르니 대책을 세우라고. 그게 무슨 말인고 하니, 우리 아들놈이 그 친구한테 자꾸 학교 다니기 싫다, 살고 싶지 않다, 그런 소리를 한다는 거야. 아무래도 이상하니 걔네 엄마한테 빨리 알리라고 했다는 거야. 그래서 그날로 아들놈 몰래 대대적인 수색 작전이 펼쳐졌어. 이모를 시켜 아들놈 뒤를 꼭 따라다니게 하고. 그런데 책장 한 장 한 장을 넘기는 식으로 샅샅이 다 뒤졌지만 자살을 할 것 같은 어떤 단서도 찾을 수가 없었어. 그래서 집사람이 마지막으로 지목한 것이 책상 위의 노트북이었어. 그러나 파일은 열리지 않았어. 당연하게도 비밀번호를 설정해 놓은 거야. 집사람의 솜씨로는 그걸 풀 방법이 없었고, 내가 대들어도 공염불이었지. 그래서 회사에서 전문가를 불러왔어. 거기서 자살 직전의 아들이 쏟아져 나왔어."

유현우가 피 냄새가 풍기는 것 같은 한숨을 토해냈다.

"무슨 글이 나온 모양이군."

강교민은 유현우에게 눈길을 고정시킨 채 커피를 한 모금 넘겼다.

"말도 마. 죽고 싶은 심정을 적은 글이 나오는데, 얼마나 오랫동안 쓴 것인지 꼭 소설처럼 길더라구."

"그건 좀 고약한데. 근데, 주로 뭐에 대해 쓴 거야?"

"즈이 엄마."

"엄마!"

예상이 적중해 강교민은 이맛살을 찌푸렸다.

"온통 엄마에 대한 불평불만으로 가득 차 있었어."

"응, 문제가 생긴 다른 애들도 다 그래. 엄마들이 애들 공부를 도맡고 있으니까."

"그렇겠지. 근데 문제가 겹쳤어."

유현우가 커피를 한 모금 마시고는 짜증스럽게 고개를 내저었다.

"무슨……?"

"집사람이 자기는 오로지 최선을 다하며 희생을 했는데 그 고마움은 모르고 자식놈이 에미를 원수 대하듯 하고 있다고, 이렇게 억울하고 분할 노릇이 어디 있느냐고 또 딴판이 벌어졌어. 나는 집사람을 달랠 수도 없고 나무랄 수도 없고, 너무 골치 아파."

유현우는 머리칼을 쥐어뜯듯이 움켜잡았다.

"그것도 어느 집에서나 똑같이 일어나는 현상이야. 아들은 아들 입장, 엄마는 엄마 입장만 말하게 되어 있는 거니까."

"그게 인간이니까."

"그러니까 부인한테는 아무 신경 쓸 거 없고, 문제는 아들이야." 강교민은 느리게 커피잔을 기울이고는, "지금 어떻게 하고 있어?" 본격적인 상담 시작이라는 듯 다시 앉음새를 고쳤다.

"그 일이 터지자 아들놈이 즈이 엄마를 딱 안 보려고 하는 거야. 집사람도 똑같이 분해하며, '나도 너 꼴도 보기 싫다'고 소리 질러대고. 그래서 할머니 할아버지 댁으로 보내 그분들이 끼고 있게 했어."

"응, 그건 참 잘했군. 그보다 더 좋은 피난처는 없으니까. 할머니 할아버지는 그저 손자를 이뻐하기만 했지 공부하라고 닦달하지 않거든."

"그렇더라니까. 지원이 놈이 큰 덩치에 어울리지 않게 할머니 품에 안겨 어리광을 부려대는데, 그렇게 행복해하는 얼굴은 처음 보았어."

"맞아. 애들은 그렇게 키워야 하는 거야."

"글쎄 말이야. 근데 할머니도 손자만큼 행복해하면서, 얘 그놈의 공부 기를 쓰면서 할 것 없다, 사람은 다 타고난 팔자대로 살게 돼 있다, 팬시리 에미들이 극성 떨고 설치고 야단법석인 게지, 하며 손자 놈 기를 살리는 거야."

"그래, 할머니가 명의 노릇 하시는군. 헌데, 언제까지 그렇게 둘 수는 없잖은가?"

"응, 그래서 괜찮다는 신경정신과도 알아보고, 전문 상담소도 알아보고 했는데, 아들놈도 집사람도 그런 데 안 간다고 펄펄 뛴다니까. 그래 생각다 못해 자네 얘길 꺼냈더니 둘 다 좋다는 거야. 자네가 왜 인기인지 모르겠어, 제길."

"모르긴. 모자가 인물 알아볼 줄 아는 거지."

한시름 놓은 강교민은 이런 여유를 갖게 되었다.

"별수 없어. 자네가 바쁘더라도 애부터 만나고, 집사람도 어떻게 좀 해줘야 되겠어."

"그런데, 자넨 애가 그런 상황에 처할 때까지 몰랐다 그건가?"

"당연하지. 난 그저 한 푼이라도 더 벌어다 주려고 밤낮없이 죽을 둥 살 둥 뛰어다녔잖아."

"현금지급기 노릇 충실히 했으니 나는 아무 죄도 없다, 그런 투로군."

강교민은 유현우를 잔뜩 째려보았다.

"왜 그렇게 째려? 난 당연히 무혐의지."

유현우가 큼큼 헛기침을 했다.

"자넨 아들하고 하루에 몇 시간, 아니 몇 분이나 대화하나?"

"하루에……, 대화……?"

무슨 소리냐는 듯 유현우가 강교민을 멀뚱히 쳐다보았다.

"어쩌면 자네가 죄가 젤 클 수도 있으니까 솔직히 말해 보라구."

강교민은 어느새 정색한 얼굴로 돌아가 있었다.

"이런 제길……, 나부터 상담 시작인가?" 유현우는 혀를 차고는, "대화는 무슨……. 난 마냥 늦게 들어갔다가 아침 일찍 출근해 버리고……, 주말에나 겨우 얼굴을 대하는데, 특별히 뭐 할 말이 있지도 않고……" 하며 자기 죄를 다 아는 혐의자처럼 기가 죽고 있었다.

"이런 제길. 그렇게 살다 보면 한 달이고, 두 달이고 부자지간에 얘기 한번 나눈 적도 없이 지나가기도 했겠네?"

"……."

유현우는 머쓱한 얼굴로 눈대답을 했다.

"그게 말이 되는 소린가? 아들의 글에서 엄마하고는 반대로 아빠의 잘못에 대해선 언급이 전혀 없으니까 자넨 무혐의라고 자신 있게 말했지? 사실은 그 반대야. 자네 죄가 제일 커!"

"그게 무슨 소리야……?"

"자넨 애를 내다 버린 거나 마찬가지였고, 아이에게도 자넨 무존재의 투명인간이었어. 잘못이 없어서가 아니라 아예 없는 인간이니 글에 안 나오는 것이 당연한 거지. 죄가 없어서가 아니고 말이야."

"글쎄……, 그게……, 그리되나……?"

유현우는 굳어진 얼굴로 어물어물했다.

"이보게, 이 세상의 모든 짐승들은 새끼가 성장해 독립할 때까지 새끼들을 품에 끼고 다독이고 뽀뽀하고 긁어주고 하면서 키워. 짐승도 그러는데 사람도 그래야 하는 건 당연한 거 아닌가. 보게, 이런 실험을 했어. 원숭이 두 마리를 같은 공간에서 각기 우리에 가둬놓고 먹이를 줄 때마다 한 마리에게는 예쁘다, 예쁘다 하며 쓰다듬어주고, 눈을 맞추며 웃어주고 그랬어. 반대로 다른 한 마리에게는 그냥 무표정하게 먹이만 주고 돌아섰어. 근데 그 결과가 어찌 되었겠나? 얘기를 나누고 정을 표시해 준 원숭이는 건강했는데, 다른 원숭이는 먹이를 잘 먹지도 않고 시름시름 생기를 잃어가더니 서너 달 만에 죽고 말았어. 사람과 원숭이 사이인데도 그랬어. 그럼 사람과 사람 사이에서는 어떻겠나!"

강교민의 매운 눈길은 화살이 되어 유현우의 눈에 박히고 있었다.

"차암……, 그게 그 정도인가……."

유현우가 슬그머니 눈길을 떨구었다.

"좋아, 대한민국의 자본주의 노동이 인정사정없고, 피도 눈물도 없이 가혹한 것 잘 알아. 특히 대기업일수록 출근 시간은 있고 퇴근 시간은 없는 야만적 경영이라는 것도 잘 알아. 거기다가 대기업 간부가 되려면 그 길이 얼마나 치열한 경쟁이고 고달픔인지도 잘 알아. 그렇더라도 그것으로 아들에게 아무런 정을 주지 않고 내다 버린 것처럼 해버린 애비로서의 무책임이 합리화되는 건 아니야. 자식 가진 이 세상의 남자들에게는 두 가지 임무가 똑같이 주어져 있어. 하나는 가장으로서의 밥벌이 임무고, 다른 하나는 애비로서의 사랑 베풀기 임무야. 좋아, 자네가 매일 격무에 시달리다 보면 애비로서의 임무가 소홀해질 수 있다는 걸 인정해. 그럼 주말 이틀이 있잖아. 그 이틀을 다 자식 사랑에 바치라는 것도 아니야. 그중에 하루만이라도 아이를 위해 써야 해. 일요일 아침 일찍 아들을 데리고 공중목욕탕에 가는 거야. 발가벗은 몸으로 탕 안에서 물장난도 치고, 아이를 끌어안고, 얼굴도 맞부비고 하는 거야. 그보다 더 좋은 스킨십, 깊고 뜨거운 정 나누기가 어디 있겠는가. 거리를 두고 사랑한다는 말 백번 하는 것보다 훨씬 더 효과가 크지. 그리고 아빠의 등을 밀게 하고, 아들의 등을 밀어주고 하면서 얘기를 나누는 거야. 우리 아들이 쑥쑥 잘 크네. 아빠는 매일 너랑 재미있게 살고 싶은데 회사 일이 바빠서 그렇게 못하는 것 알지? 아빠가 늘 미안하게 생각하고 있으니까 우리 아들이 잘 이해할 수 있지? 그런 말 한마디로 아이는 아빠의 속마음을 이해하게 되고, 그동안의 불만이나 서운함도 싹 씻겨나가는 거야. 그리고 떡볶이 내기 배드민턴도 치고, 아이스크림 내기 축구도 하고, 피자 내기 농구도 하는 거야. 서로 몸 부딪치고, 땀 흘리고 하면서 아빠와 아들의 정이 얼마나 깊어지고 두터워지겠어. 그리고 가끔 사회적 관심거리가 되는 영화도 함께 보는 거야. 그런 다음 카페에 마주 앉아 차를 마시면서 영화에 대한 감상을 편하게 얘기 나누는 거지. 그러면 자연스럽게 아이의 관찰력, 분석력, 논리력도 커지고 발표력도 신장되거든. 그리고 사회 인식, 가치관 같은 것도 확립되어 가는 훌륭한 인문학 교육이 되는 거지. 그런데 거의 모든 아빠들은 별로 어렵지도 않은 그 아빠 노릇을 유기하면서 아들들을 내다 버리고 있어. 그런데 그걸 뒤집어서 보면 아빠들이 오히려 아들들에게 버림받았다는 뜻이라는 걸 명백히 알아야 해. 내 말 듣기 싫어도 어쩔 수 없어. 상담을 먼저 청한 건 자네니까."

"아니야, 내 죄가 무엇인지 조금 알 것 같아. 좌우간 이 일을 어째야 좋을지 알 수가 없네."

유현우는 입맛을 다시며 입술을 훔쳤다.

"너무 걱정 말어. 미리 막았으니까 좋게 풀어갈 방법은 얼마든지 있어."

강교민은 커피잔을 다 비웠다.

"가. 저녁 먹으면서 얘기하게."

유현우는 시름 깊은 한숨을 쉬면서 몸을 일으켰다. '자넨 아빠 노릇 그렇게 하고 있어?' 이 말을 물을까 말까 생각이 엇갈리고 있었다. 교육자로서 예비해 놓고 하는 말인지, 자기가 실천하고 있는 것인지 아리송해서 답답했다. 그러나 유현우는 묻기를 단념했다. 만약 자기가 실천하고 있는 거라고 한다면 자신의 죄가 두 배로 커질 것 같은 두려움 때문이었다.

"허! 요런 고급 왜식집은 내 족보에 없는데. 괜히 배가 경기일으켜 설사한다구."

일본 냄새 진하게 꾸며놓은 음식점을 강교민이 휘둘러보며 떫은 입맛을 다셨다.

"왜식집?"

"응, 왜식집. 왜?"

"마땅찮으면 딴 데로 갈까?"

"아니, 괜찮아. 왜놈들 싸가지 없는 행투에 비해서 음식은 괜찮은 편이니까. 짜고 맵지 않은 게, 한 끼는 먹을 만해."

강교민이 일본색으로 맥질된 실내를 다시 둘러보았다.

"왜놈들 행투가 싸가지 없어서 일식집이 아니라 왜식집이라 부른다 그건가?"

"눈치 빨라 좋군."

"흥, 자네한테 일식집이란 말 듣기는 영영 틀린 것 같네."

"허, 그 눈치는 더 빨라 좋고. 왜놈들 그 뻔뻔하고 교활한 것은 한편으로 고맙기도 해."

"고마워?"

"고맙지. 우리의 민족 감정을 계속 자극해 역사의식을 촉발시키고 강화시켜 주고 있잖은가."

"거참 묘한 논법이군. 자넨 언제 봐도 색다른 교육자야. 요새 애들이 쓰는 말로 까칠한 교육자."

"그런가? 그 까칠함이 얼이 살아 있는 교육이고, 자존심이 살아 있는 참교육이야."

유현우는 '참교육'이란 말을 곱씹었다. 그러면서 아까 강교민이 힘주어 말했던 올바른 아빠 노릇은 그 참교육의 핵심 가르침이 아닐까 생각했다. 그렇다면 강교민은 아들을 그렇게 사랑 넘치게 키우고 있음이 확실했다. 공중목욕탕에서 서로 알몸을 부벼대고, 축구를 하면서 함께 나뒹굴고, 사회성 있는 영화를 나란히 보고 나서 감상을 나누고, 주말 여행을 떠나 낮에는 어떤 낯선 시골길을 걸으며 맘껏 경치를 구경하고, 밤에는 함께 별을 바라보며 합창도 하고……, 아, 아, 그런 것이 얼마나 정겹고, 생기 나고, 멋들어지게 사는 것인가. 그랬더라면, 그렇게 깊게 사랑하고 따뜻하게 보듬었더라면 아들이 그 절망적인 글을, 유서와 다름없는 그 슬픈 글을 그렇게도 길게 썼을 것인가. 다 내 잘못이다, 강교민의 말마따나 내 죄가 가장 크다……. 유현우는 침을 삼켰다. 목에 가득 찬 울음으로 목이 찢어지게 아팠다.

"자넨 부인이 애한테 그리 심하게 스트레스 주는 걸 전혀 몰랐나?"

강교민이 엽차잔을 들며 물었다.

"남들한테 뒤지지 않게 하려고 공부를 닦달하고 있다는 건 알았지만, 애가 그 지경이 되도록 몰아낸 줄은 몰랐지."

유현우는 또 긴 한숨을 물었다.

"그게 이 나라 엄마들의 공통된 문젯거리야. 내 자식만은! 내 자식만은! 그런 경쟁의식으로 서로 앞서가려고 기를 써대니 애들이 다치고 상하고 병들고……, 그 정도가 너무 심해서 나라고 사회고 큰 탈 나게 생겼어. 모두 그 터무니없는 욕심 버리고 정신들 차려야 하는데, 큰일이야. 이건 교육열이 아니라 끝없는 이기주의가 뒤엉켜 벌이는 난투극이고, 자식들 정신병자 만들고, 죽여가는 어리석기 짝이 없는 광태야. 이런 사회적 비극은 우리나라가 세계에서 유일해."

"그래, 교육 문제가 심각하다는 말은 자주 들었지만 내가 당하고 보니 이건 정말 큰일 나게 생겼어. 교육계에선 무슨 대책이 없는 건가? 이걸 도대체 어떻게 해야 돼?"

유현우는 자신의 잘못을 뒤늦게 깨달은 안타까움을 드러내고 있었다.

"그게 글쎄, 논의는 많지만 뚜렷한 해결책이 아직 없는

데……, 그걸 해결하지 않으면 안 된다는 인식이 사회적으로 확산되고 있는 것이 희망적이고 고무적이라고 할 수 있지. 그런데 무엇보다 중요한 것은 이런 문제가 야기된 집안의 부모들부터 의식을 180도로 싹 바꾸는 일이야."

"의식을 180도로……?"

유현우가 고개를 갸웃했다.

"응, 부모가 자식에 대한 과욕을 버리고 바르고 참된 사람이 되게 도와주는 진정한 동반자가 되는 일이야. 그 길을 잘 보여주는 시가 있어. 잠깐만 기다려."

강교민은 스마트폰을 꺼내 재빠른 손놀림으로 저장된 것을 찾기 시작했다.

"응, 여기 있군. 자네 박노해 시인 알지?"

"알지, 「노동의 새벽」*."

"그렇지. 우리 대학교 때 그 시 안 읽은 사람이 없었지."

"우릴 의식화시켜서 용감무쌍하게 시위에 나서게 했으니까. '전쟁 같은 밤일을 마치고 난/ 새벽 쓰린 가슴 위로/ 차거운 소주를 붓는다.' 그 구절을 읽었을 때 가슴을 타고 내리던 싸아한 기분을 지금도 잊을 수가 없어. 근데, 박노해 시인은 왜?"

"응, 그분의 시가 여기 있어. 이것 좀 읽어봐."

76

"체, 선생님이라 역시 다르군. 스마트폰에 시까지 저장해 가지고 다니고. 나하곤 사는 세상이 완전히 다르니 원."

유현우는 혀를 차며 스마트폰을 받아 들었다.

"시니까 소리 내서 읽어."

"소리 내서?"

"시는 원래 읊는 거잖아. 그래서 시를 노래한다고 하는 거고."

"제길, 꼭 고등학교 국어 시간 같군."

유현우가 자세를 바르게 고치며 목청을 다듬었다.

부모로서 해줄 단 세 가지*

박노해

내가 부모로서 해줄 것은 단 세 가지였다

첫째는 내 아이가 자연의 대지를 딛고
동무들과 마음껏 뛰놀고 맘껏 잠자고 맘껏 해보며
그 속에서 고유한 자기 개성을 찾아갈 수 있도록
자유로운 공기 속에 놓아두는 일이다

둘째는 '안 되는 건 안 된다'를 새겨주는 일이다

살생을 해서는 안 되고
약자를 괴롭혀서는 안 되고
물자를 낭비해서는 안 되고
거짓에 침묵동조해서는 안 된다
안 되는 건 안 된다! 는 것을
뼛속 깊이 새겨주는 일이다

셋째는 평생 가는 좋은 습관을 물려주는 일이다
자기 앞가림을 자기 스스로 해나가는 습관과
채식 위주로 뭐든 잘 먹고 많이 걷는 몸생활과
늘 정돈된 몸가짐으로 예의를 지키는 습관과
아름다움을 가려보고 감동할 줄 아는 능력과
책을 읽고 일기를 쓰고 홀로 고요히 머무는 습관과
우애와 환대로 많이 웃는 습관을 물려주는 일이다.

"어떠셔……?"
강교민은 유현우를 지그시 쳐다보았다.
"이분 시가 많이 변했네……?"
유현우는 눈으로 시를 다시 읽어 내려가며 낮게 중얼거렸다.
"당연하지. 그분도 결혼하고, 나이 들어가고 하니까. 내 생각에 이 시가 값지고 소중한 것은 일반 부모들이라면 누구나 똑같이 떠받들고 욕심내는 두 가지가 깨끗하게 흔적도 없기 때문이야."

강교민이 다정한 눈길로 유현우를 바라보며 말했다.

"한 가지는 공부라는 걸 금방 느꼈는데, 또 하나는 뭐지······?"

유현우가 엷게 웃으며 눈을 꿈벅였다.

"허, 머리 빨리 도는 건 여전하네. 다른 하나는 이 세상 사람들이 가장 갖고 싶어 하는 것. 가질수록 허기져 더 갖고 싶어지는 것. 그것이면 안 되는 게 없어서 흉물인 것."

"돈!"

"대박!"

둘은 마주 보고 웃었다.

"공부라는 것, 그건 각자가 선택한 직업에 알맞게만 적당히 하면 되는 것이고, 돈이라는 것도 하루 세 끼 먹으면서 누추하지 않게 사람 품격 유지할 수 있을 정도로 가지면 되는 것 아닐까. 시인은 이 시에서 그걸 사람들에게 일깨우고자 했던 게 아닌가 싶어. 시에서 말하고 있는 것들이 우리가 이 세상을 평화롭게 만들면서 행복하게 살 수 있는 가장 소중한 것들이잖아."

"그렇군. 이런 시나 글들을 가끔 볼 때마다 마냥 돈벌이에 혈안이 되어 헉헉대며 살아가는 내가 얼마나 속물인지 한심스럽기도 해."

입을 꾹 다물자 약간 비틀려 돌아가는 유현우의 입술에 쓴웃음이 어렸다.

"그건 아니지. 왕성한 기업 활동 없이는 우리 사회가 안 돌아가니까 기업 종사자들은 최선을 다해 뛰어야지. 단, 시나 책들을 꾸준히 읽어 인간성을 고양시켜 가면서 말이지."

"차암, 교육자다운 지당한 말씀이신데 날마다 시달리다 보면 그것처럼 어려운 일이 없어."

"그래, 잘 알아. 논산훈련소에서만 소변 보고 그것 내려다볼 시간이 없는 게 아니야. 날마다 일에 쫓기며 허둥지둥 사는 인생살이라는 것도 여유 없기는 매한가지지."

"그러고 보면 자네 직업이 부러워. 이렇게 폰에 시도 저장해 가지고 다니며 애들한테 가르치고, 그러면서 존경도 받고."

"존경? 공교육 무너진 지가 오래라네."

강교민이 쓰디쓰게 웃었다.

"공교육은 왜 그리된 거야? 사설 학원들 앞에서 맥을 못 쓰니. 그 책임이 도대체 누구한테 있어?"

"글쎄……, 그걸 굳이 따지자면 정부, 학교, 학부모가 삼분의 일씩 책임이 있는 거지."

"그거 공평해서 좋군. 근데 그걸 어떻게 확 좀 고칠 방법은 없는 건가? 학원비는 학원비대로 무지막지하게 들고, 아이들은 사교육에 쓴 물을 내며 우리 애처럼 골치 아프게 병들고……, 뭐 이런 미친 나라가 다 있는지 모르겠어, 빌어먹을."

유현우는 무슨 쓴 것을 씹기라도 하는 듯 얼굴이 잔뜩 구겨졌다.

"그래, 미친 나라……, 미친 나라지……."

강교민이 면목이 없다는 듯 혼잣말을 하며 고개를 주억거렸다.

"이거 말이야, 내 아들 노트북에서 꺼낸 거야. 애 만나기 전에 미리 좀 읽어보면 걔의 속을 알게 될 거야. 집사람은 자기 망신이라고 못 보여주게 펄펄 뛰었지만, 그건 말도 아닌 자기 입장일 뿐이고. 이걸 읽어보면 집사람에 대해서도 환히 알게 될 테니까 자네 일이 좀 수월해질 거야."

유현우가 양복 속주머니에서 편지 봉투를 꺼내 강교민에게 내밀었다.

강교민은 봉투에서 얼른 내용물을 꺼냈다. 손끝에 잡히는 종이 두께가 두툼했다.

"양이 꽤 많은데?"

"글쎄, 그렇다니까. 그놈이 소설 쓰듯 지 에미 잘못을 줄줄이 엮어내고 있는 거야. 엄마한테는 직접 말 못하고 흰 종이 위에다가 제 속을 다 토해 내놓은 거지. 아니, 흰 종이가 아니지. 제 놈 노트북에다 마구 하소연을 해댄 거지. 그러니 지 에미가, 에미 공 털끝만큼도 모르는 천하에 둘도 없는 불효자식이라고 펄펄 뛰고."

"알았어. 이건 아주 중요한 핵심 정보야. 근데, 자네 아들이 아주 똑똑한 녀석 같은데. 중3이 이렇게 긴 글을 쓴다는 건 쉽잖은 일이거든."

강교민은 A4 용지를 한 장씩 넘기며 말했다. 그건 모두 네 장이었다.

"글쎄, 잘 모르겠어. 책 읽기는 좋아하고 그러는데 공부가 체질이거나, 공부 쪽으로 머리가 열려 있는 것 같진 않아."

"글쎄, 중3밖에 안 됐는데 그런 판단 내리기는 좀 그런 것 같고, 어쨌거나 이렇게 글을 길게 쓰려면 매일같이 공부에 시달리는 속에서 잠깐씩 시간을 냈어야 했을 테니 꽤나 오래 걸렸을 것 아닌가?"

"그랬을 테지."

"그 글쓰기 행위가 바로 자네 아들을 위기로 치닫지 않도록 막아내고 보호해 준 거라구."

"……?"

"자네 공감력이라는 거 알잖아. 어떤 암담하고 절망적인 일을 당했을 때 누군가에게 그 속마음을 맘껏 털어놓고 하소연하면 그래도 좀 살 기운을 차리게 된다는 거."

"그렇지. 그래서 내 속상한 얘기 진정으로 들어줄 사람만 있어도 친구 갖기에 성공한 인생이라고 흔히들 말하잖은가."

"그래. 그런 식의 가장 효과 큰 치유 방법이 천주교의 고해성사 아닌가. 그저 가까운 보통 사람이 아닌 신부님께, 그것도 비밀이 완전 보장된다는 확신 속에서 자기 속마음을 후련하도록 다 토해내는 거야. 그것으로도 속이 시원하고 살 것 같을 텐데 또 하나의 큰 선물이 주어지는 거지. 어린 양이여, 괴로워하지 말라. 너의 죄를 거룩하신 하느님의 이름으로 사하노라. 어쩌면 이보다 더 기막힌 정신 치료는 없지 않을까 싶어. 만약 말이야. 천주교에서 고해성사를 없애버리면 어떻게될까?"

"……? 그러면……, 그거…… 교인이 확 줄어버리지 않을까?"

"정답이야. 모르면 몰라도 천주교의 위기가 닥치겠지. 아무리 생각해도 그 고해성사란 제도는 어떤 탁월한 천재의 발명품이야. 다시 말하면 자네 아들은 노트북에다 오랫동안 긴 글을 써나가는 것으로 고해성사를 대신하고, 자기에게 공감해 주는 누군가에게 속마음을 하소연하면서 자기 스스로를 구해낸 것이라구. 그러니 얼마나 똑똑해."

"그게 그런가……. 그래, 자네 말 듣고 보니 그런 것 같기도 해. 근데, 자네 시간은 좀 어떤가?"

유현우는 미안해하는 기색으로 물었다.

"응, 금년엔 고3 담당은 한 해 쉬고 있어서 언제든지 괜찮아."

"고마워. 그럼 집에 가서 아들놈 준비시키고 바로 연락할게."

"그래, 시간 끌 일이 아니니까."

강교민은 친구와 헤어져 혼자 걸었다. 헤어지면서 '너무 걱정하지 말라'고 하려다가 그만두었다. 그 말을 하고 싶어질 만큼 친구는 침울해 보였고, 기운이 빠져 보였다. 그런 친구에게 그 말이 오히려 더 슬픔을 키우고, 고통을 키우게 할 것만 같았던 것이다. 전에 전혀 보지 못했던 친구의 모습이었다. 자신은 학교에서 수없이 보고 겪은 사건이었지만, 친구는 처음 당하는 일이었던 것이다. 그것도 하나밖에 없는 아들이었다. 잘 자라가리라 믿으며 일에만 온 힘을 다하고 있었는데 아들이 자살 직전에 가 있었다니……. 그 충격의 크기가 얼마였을 것인가. 자신의 인생이 끝장나버리는 것 같은 절망이고 어둠이었을 것이다. 더구나 그 친구는 고등학교 때 공부 잘하기로 손꼽히지 않았던가. 특히 수학 실력이 빼어나서 주변 친구들의 무료 가정교사이기도 했다. 언제나 활달하고 사교적이기도 해서 그가 상대를 거쳐 대기업에 근무하게 된 것은 몸에 착 어울리는 제복을 입은 것처럼 제격이었다. 그렇게 건강하고 구김살 없이 인생 노정을 걸어온 그에게 아들 사건은 얼마나 큰 충격이었을까.

강교민은 못내 궁금했지만 집에서는 그 아이의 글을 꺼내 보지 않기로 했다. 자연히 아내가 알게 되는 것이 싫었던 것이다. 의사가 환자의 병력에 대해 비밀을 지키는 것은 기본 의무이듯이 상담원도 상담 의뢰인의 상담 내용을 비밀에 부쳐야 하는 건 기본이었다. 더구나 절친한 친구의 집안에 일어난 불행을 아내에게마저 발설하고 싶지 않았다. 그게 친구에 대한 진정한 우정일 것 같았다.

"왜식집에서 오랜만에 포식했어."

강교민은 양복저고리를 아내한테 건네주며 대꾸했다.

"잘하셨네요. 왜식이 비싼데, 회사에서 선생한테 무슨 부탁할 일도 있는가요?"

"응, 자기네 사내보에서 사원들 글을 현상 모집했는데 심사를 좀 해달라고."

강교민은 태연하게 꾸며댔다. 그러면서 자신은 역시 스토리

텔링에 소질이 있는 거라며 속웃음을 키들키들 웃고 있었다.

"심사비는 얼마를 주는데요?"

심사비……? 이건 예기치 못했던 아내의 질문이었다. 가슴이 뜨끔했다.

"심사비는 무슨, 친구네 회사에 그냥 우정 출연이지 뭐."

이렇게 둘러대며 강교민은 자신의 능력에 또 만족하고 있었다.

"치이, 친구가 직접 하는 회사도 아닌데 우정 출연은 무슨. 세상에 소문난 대기업이 짜기는."

"그렇게 짜게 굴었으니까 대기업이 된 거지. 호준이는 뭐 하나?"

강교민은 얼른 말머리를 돌렸다. 아들 얘기라야 아내가 가장 생기 나는 화제이기 때문이었다.

"인강(인터넷 강의) 듣죠 뭐."

아내가 금세 꽃웃음을 피워냈다.

"제대로 소화가 되고 있나?"

"그럼요. 미심쩍은 게 있으면 꼭 다음 날 학교에 가서 해결하곤 하니까요."

"참 녀석, 생각할수록 기특하고, 고마워."

"그럼요. 말썽 피우는 애들이 수도 없이 많은 이런 세상에

서 자기주도학습을 척척 해내는 우리 호준이는 정말 하늘이
내려주신 복덩어리예요."

"다 당신 닮아서 그렇지."

"어머, 당신……."

강교민의 아내는 남편의 팔을 살짝 꼬집으며 곱게 눈을 흘
겼다.

강교민은 아들 호준이가 오늘따라 더욱 사랑스럽고 자랑스
러웠다. 고2가 될 때까지 수학 한 과목을 빼놓고는 과외를 한
일이 없었다. 수학도 학원에 다니고 싶어 하지 않았지만 아내
가 살살 달래서 보냈던 것이다. 아내의 판단으로는 아무래도
수학 능력이 약하니까 초반에 기초를 튼튼히 다져야 한다는
것이었다. 아내의 그런 판단은 주효했다. 수학 기본 능력을 확
보한 호준이는 중학교, 고등학교를 거치면서 수학도 어렵게
생각하지 않았다.

영어는 초등학교 3학년 때 배우기 시작할 때부터 아내와
함께 놀이하듯이 배워나갔다. 아내는 지난날 영어 교사였기
때문에 영어를 어떻게 재미있고 효과적으로 가르칠 수 있는
지 잘 알고 있었다. 교직 생활을 통해서 사귀게 된 아내는 결
혼하고도 맞벌이 교사를 했다. 그러다가 엄마가 되자 단호하
게 교직을 버렸다. 아내는 교직 생활을 하는 동안 외벌이 가

정의 아이들보다 맞벌이 가정의 아이들이 훨씬 더 문제아가 많이 된다는 것을 잘 알고 있었기 때문이다. 한창 자라나는 나이의 아이들이 가장 싫어하는 것이 두 가지였다. 수치심을 느끼는 일과 혼자 밥 먹는 것이었다. 아이들이 느끼는 수치심의 극치는 일제고사를 보고 나서 석차를 공개하는 것이었고, 맞벌이 가정의 아이들이 으레 혼자 다 식어빠진 반찬을 놓고 꾸역꾸역 밥을 먹는 것이었다. 그건 밥이 아니고 눈물이고 외로움이고 고통이었다. 아이들은 그 독에 시달리다가 병들고, 끝내는 가정을 파괴하는 문제아가 되는 거였다.

아내는 돈 때문에 그 빤히 보이는 불행을 향해 걸어가기를 거부했다. 고정 수입이 있는 한 돈은 아끼면 모아갈 수 있는 것이었다. 돈을 아껴 쓰며 아이를 제대로 키우고자 했던 것이다.

아내는 자신만 노력하는 현모가 되려 하지 않았다. 남편에게도 현부가 될 노력을 바치라고 요구했다. 자신은 아내의 그 요구에 기꺼이 응했다. 그건 어려울 것 하나도 없는 일이었다. 날마다 조금씩 짬을 내어 아들과 친하게 놀아주기였다. 그래서 아들이 젖먹이였을 때부터 안고 뒹굴고, 업고 뛰고 하며 아들이 한없이 깔깔 웃게 해주었다.

그렇게 친하게 노는 것은 아이만 즐겁고 건강해지는 것이 아니었다. 어른도 그지없이 기쁘고 행복이 용솟음쳤다. 아이가 커가면서 놀이도 변하고, 거의 하루도 빠짐없이 몸 부딪고 지내다 보니 으레 있게 마련인 아빠와 아들 사이의 간격이 없어지고 마치 친구 사이처럼 못 하는 얘기가 없었다. 아내는 그런 절친한 부자 관계를 몹시나 좋아했다. 아빠의 그런 역할이 아들을 건강한 남자로 키우는 최고의 특효약이라고 믿고 있었다.

그런 효과 때문이었는지 어떤지 아들은 정말 건강하고 쾌활하게 자라나면서 공부도 재미있어하며 해나갔다. 그런 아들 옆에서 아내는 엄마들이 그 흔히 하는 '공부하라'는 말을 한 번도 하지 않았다. 자연스럽게 공부하는 분위기를 만들었고, 늘 함께 공부하는 태도를 취했다.

그런데 강교민은 어딘가 허전하고 아쉬운 마음을 떼칠 수가 없었다. 아이를 하나쯤 더 갖고 싶은 욕심이 마음 한구석에 도사리고 있었다.

"당신 혼자만 월급 두 배로 올려준다는 보장받았어요?"

정색을 한 아내는 눈을 치떠 흘겼다.

"……!"

그 싸늘함이라니……, 결혼 전에 몸을 요구하자 가차 없이 내쳤던 때와 똑같았다.

세월이 갈수록 그 냉정한 선택이 옳았다는 것을 실감했고, 고마움까지 느꼈다. 월급 인상은 물가 상승을 따라잡지 못했고, 교육비 부담 앞에 더없이 초라했던 것이다.

"두 몫을 하게 키우면 돼요."

아내가 보내는 위안이었고 자신감이었다. 아이는 그 기대에 흡족함을 느끼게끔 실하게 자라고 공부도 잘했다. 다만 미안한 것은 세월이 흘러도 아내가 벗어날 수 없는 내핍 생활이었다.

"궁핍은 불행이고 초라하지만 내핍은 긍지고 자랑이에요."

유행하는 새 옷을 입어본 적이 없으면서도 아내는 꽃보다 더 곱게 웃고는 했다.

그런데 아내가 모르고 있는 아들의 깊은 속마음이 있었다.

초등학교 3학년 때였던가 그랬다. 한바탕 농구를 하고 땀을 흘리며 스탠드에 앉아 쉬고 있었다. 그런데 느낌이 이상해 얼른 고개를 돌렸다. 아들은 옆볼에 흘러내리는 땀을 닦을 생각도 하지 않고 운동장 저쪽을 물끄러미 바라보고 있었다. 아들의 눈길이 머물러 있는 그곳의 놀이 기구에서는 아들 또래의 두 아이가 신바람 나게 얼크러지며 놀고 있었다. 그 모습을 흔들림 없이 바라보고 있는 아들의 얼굴에는 두 아이를 더없이 부러워하는 것 같은 외로움이 드러나고 있었다. 두 아이는 더 말할 것 없이 형제였다.

"호준아, 너도 저렇게 동생이 있었으면 좋겠지?"

강교민은 아들의 어깨를 손가락 끝으로 콕 찍었다.

"아니, 괜찮아."

아들은 고개를 돌리지 않은 채 대구했다. 그런데 그 음성에 슬픔이 섞여 있었다.

"안 괜찮은데 뭘. 저렇게 동생이 없어서 호준이가 외롭고 부럽고 그렇구나? 호준이한테 동생을 하나 낳아줬어야 하는데, 엄마 아빠가 영 잘못한 모양이네."

"아빠, 아니에요. 엄마한테 이런 말 하지 마세요."

호준이는 갑자기 '존칭'을 썼다. 화가 날 때, 기분이 상할 때, 제 주장을 펼 때 존칭을 쓰고는 했다. 아들은 그 일이 이미 불가능하고, 괜히 엄마 마음만 상하게 되리라는 것을 다 알고 있었다. 아들은 어느덧 그렇게 속 깊게 자라 있었다. 그리고 오랜 날에 걸쳐서 그 외로움과 부러움을 감추고 혼자 앓아온 것이었다.

아내의 완벽주의도 그렇게 허술한 구석이 있었다. 아내는 지금까지도 아들의 마음속 깊이에 드리워져 있는 외로움의 그림자를 보지 못하고 있었다.

비가 부슬거리는 어느 날 길을 걷다가 장의차를 보았다. 그때 문득 아들이 혼자서 엄마 아빠의 시체를 치우며 얼마나 외로워할까 하는 생각이 떠올랐다. 슬픔이 울컥 치밀어 아들에게 너무 큰 죄를 진 것 같았고, 그 미안함이 속이 쓰리도록 사무쳤던 것이다. 물론 그런 감정도 아내에게는 비밀로 묻었다. 그러나 어쩌면 아내도 자신과 똑같은 감정을 가슴에 묻고 사는지도 모를 일이었다. 아내는 감성도 지성도 남달리 예리한 사람이었던 것이다.

강교민은 다음 날 학교에 가서 일부러 도서관 구석 자리에 앉았다. 옆자리 선생에게도 그 아이의 글이 보여지게 되는 것이 싫었다. 자살 직전까지 다다른 한 아이의 절박한 고독과 고통이 다른 사람의 입에 쉽게 오르내리게 하고 싶지 않았던 것이다.

나는 오늘도 자살 사이트에 들어갔다. 나는 이 시간이 무지 겁나고 무시무시하다. 날마다 죽고 싶은 사람들의 글이 계속 올라오고 있기 때문이다. 그 글들은 그냥 글이 아니다. 고통스러운 신음 소리도 나고 피 냄새도 난다. 그리고 귀신 울음소리도 들린다. 그렇게 끔찍스러운데도 매일 안 들어오고는 견딜수가 없다. 나도 죽고 싶기 때문이다. 여기 들어오면 꽉 막히고 꽉 눌린 것 같은 답답함과 갑갑함이 좀 풀리는 것 같다. 그리고 그 캄캄한 기분에서 벗어날 수 있는 길이 좀 보이는 것 같은 기분이 든다. 그렇다. 엄마 지옥에서 벗어나는 길이 여기 있다. 여기 보이는 사람들이 가고 싶어 하는 길이 바로 그 길이다. 엄마는 죽어도 자기 생각을 바꾸지 않는다. 그러니 내가 죽을 수밖에 없다. 여기서 맘에 맞는 사람 몇을 구하게 되면 그날이 내가 떠나는 날이다.

그런데 나는 아직 글을 올리지 못했다. 문구는 와따로 멋지게 짜놓았는데 자판을 두드릴 수가 없는 것이다. 용기만 없기 때문이 아니다. 마음 한쪽에는 죽고 싶은 마음과 똑같이 살고 싶은 마음이 있어서다. 그렇다. 정말이지 죽고 싶은 만큼 살고 싶다. 내가 죽으려고 하는 것은 나 때문이 아니라 엄마 때문이다.

엄마는 무서운 독재자다. 히틀러처럼 인정사정없는 독재자다. 엄마는 나를 서울대학교에 넣기 위해 목숨을 건 사람이다. 그래서 나를 꼼짝달싹 못하게 묶어놓고 눈만 뜨면 공부! 공부! 공부!를 외치며 윽박지르고 몰아댄다.

엄마는 나를 보기만 하면 쉴 새 없이 하는 말이 공부다. 엄마는 공부라는 말밖에 할 줄 모르는 사람 같다. 빨리빨리 공부해! 더 공부해! 정신 바짝 차리고 공부해! 딴생각하지 말고 공부해! 벌써 공부 다 했다구? 지금 공부하니? 공부밖에 믿을 게 없어. 공부 안 하면 찌질이 쪼다 돼! 그러다 언제 공부할 거니!

이 똑같은 말이 너무너무 지겹고 지긋지긋해 이제 미쳐버릴 것만 같다. 나는 그 미치고 환장할 것 같은 말을 초등학교에 들어가면서부터 듣기 시작했다. 그 소리는 학년이 바뀌는 것에 따라 점점 심해져 갔다. 그리고 중학생이 되면서 훨씬 더 심해지자 나는 엄마가 내 엄마 같지 않았고, 싫어지기 시작했다. 엄마에게 덤벼들고 싶었고, 마구 소리 질러대고 싶었고, 무엇이든 내던져 박살 내고 싶었다. 그러나 그럴 수가 없었다. 아빠는 무지 기운이 셌다. 그리고 언제나 엄마 편이라서 무서웠다. 아빠는 팔씨름을 할 때 둘째 손가락과 셋째 손가락 두 개만으로 나를 거뜬히 이겨버렸다. 그런 주먹에 한 대 얻어걸리면 골로 갈 게 뻔한 일이었다.

엄마가 그다음으로 신나서 하고 또 하는 말이 있었다. 어쨌든 서울대학교에 붙어야 한다. 그래야 인생길이 고속도로가 된다. 서울대학교만 나와봐라. 세상 사람 모두가 기죽고, 척척 알아준다. 서울대학교를 나와야 큰소리 떵떵 치며 부자로 편케 산다. 암, 무슨 수를 써서든 서울대학교를 나와야지. 그래야 쉽게 출세하고 큰 권세 잡는다. 엄마가 이런 말을 하고 또 하면서 내가 갈 대학을 서울대학교 법대로 딱 정해버린 것은 내가 중학교 1학년 때였다.

그때부터 나는 엄마한테 목 조이며 빡세게 공부해야만 했다. 엄마는 판검사가 되어야 한다고 했다. 아빠는 서울대를 나와 대기업에 근무하니까 돈벌이는 잘하는데 너무 기업주 앞에 기죽고, 세상이 알아주는 권력이 없다는 것이었다. 그러니 넌 판검사가 되면 누구 앞에서나 뻐길 수 있는 권력을 갖게 되고, 부잣집 딸들이 줄을 서니까 저절로 부자가 되니 얼마나 좋으냐는 거였다.

엄마 말은 아주 듣기 좋았다. 나도 그렇게 되고 싶었다. 그러나 아주 중대한 문제가 하나 있었다. 나는 서울대학교를 갈 머리가 못 되었다. 엄마는 그 중요한 것을 모르고 혼자 신나서 헛꿈을 꾸고 있었다.

서울대학교는 머리가 최상급인 애들만, 전두엽이 금수저인 애들만 갈 수 있는 대학이었다. 키가 좀 작아도 달리기를 유난히 잘하는 애가 있고, 말소리는 별로인데 노래를 기똥차게 잘하는 애가 있다. 아무리 애를 써도 그런 애들을 당할 수는 없다. 공부도 그렇다. 공부가 그냥 저절로 되는 애들이 있다. 영어 단어를 종이에 두 번, 세 번 쓰지 않고 그냥 똑바로 쳐다보고 있기만 해도 머리에 쏙쏙 들어가는 애들이 있다. 그런 애들이 머리 좋게 타고 나서 공부를 쉽게 잘하는 애들이다. 공부가 재미있어서 한다는 그런 애들은 한 반에 한두 명 정도씩 있다. 그 A급 애들이 서울대학교를 가는 것이다. 그 아래 영어 단어를 두 번, 세 번 써봐야 머리에 들어가는 B급이 있고, 네 번, 다섯 번 써야 하는 C급이 있고, 여섯 번, 일곱 번 써야 하는 D급이 있다.

나는 B급 정도일 뿐이다. 그런데 엄마는 그걸 모른다. 내가 A급이라고 딱 믿고 있다. 그러고는 날마다 학원 뺑뺑이를 돌려댔다. 그러나 그건 아까운 돈만 없애는 헛수고고 바보짓이다. 내가 한숨도 안 자고 매일 24시간씩 공부를 해도 저절로 공부가 되는 A급 애들은 영원히 따라갈 수 없다. 왜냐하면 그 애들도 고액 과외를 빡세게 해대기 때문이다. 엄마는 그걸 모른다. 그 차이를 모르고 자기 아들이 머리 좋다고 생각하고 서울대학교, 서울대학교만 외쳐댄다.

엄마한테 그 사실을 알려줄 수도 없다. 엄마는 믿지 않을 것이고, 공부하기 싫으니까 쌩깐다고 들입다 쿠사리나 먹을 것이다.

그리고 판검사라는 것도 그렇다. 나는 그게 싫다. 엄마가 보여준 '법전'이라는 건 국어대사전만큼 크고 두꺼웠는데, 그 안에 가득 찬 법들을 달달 외워야만 사법 고시에 합격한다는 것이었다. 아아, 나는 그게 가위눌린다. 질린다. 나는 외우는 게 완전 싫다. 그래서 꼬박꼬박 단어를 외워야 하는 영어도 짜증 나고 성적도 잘 안 오르는 것이다.

엄마는 그런 것 하나도 모르면서 나한테는 한마디도 물어 보지 않고 엄마 마음대로 이것저것 다 정해버린 것이다. 그게 말이 되냔 말이다. 그런데 더 웃기는 건 아빠다. 무조건 엄마 말에 좋아좋아 찬성을 해버리는 것이다. "좋지, 좋아! 우리 아들이 서울대학교 나와서 판검사 나으리 되시면 가문의 영광 되고, 이 아빠 체면 쫘악 서고, 그보다 더 좋은 일이 없지. 그래, 우리 아들 힘내서 열심히 해라. 아빠와 아들이 서울대학교 출신 동문이 되는 거, 그것 참 폼 나고 낯 서는 일이다. 지원아, 가문의 영광을 만들어라." 아빠가 술 취해 이렇게 외쳐댈 때면 더 죽고 싶어진다.

그런데 또 하나 신경질 나는 게 있다. 누나 얘기다. "딸은 이대에 척 합격시켜 부잣집에 시집가 편히 살게 내 할 일 절반은 성공시켰다. 너도 누나처럼 고분고분 말 잘 듣고 열심히 해. 서울대학교는 문제없으니까. 아빠 서울대학교, 아들 서울대학교! 이보다 더 보기 좋고 멋진 그림이 어딨냐. 넌 아빠 머리 닮았으니까 서울대학교 합격은 틀림없어." 엄마는 이런 말을 할 때는 너무나 신바람이 난다.

그러나 엄마는 이것도 잘못 알고 있다. 나는 아빠 머리를 닮은 게 아니라 보통 대학을 나온 엄마를 닮은 것이었다. 그러니까 영어 단어를 두세 번씩 써야 하는 B급 아닌가.

나는 판검사가 되기 싫은 대신 딱 되고 싶다는 게 없다. 나만 그러는 게 아니다. 다른 아이들도 거의 다 마찬가지다. 우리는 아직 중3일 뿐이다. 나는 기막히게 멋진 영화를 보면 영화감독이 되고 싶기도 하고, 전혀 미남으로 생기지 않고 평범한 얼굴인데 눈물 나게 연기를 잘하는 배우를 보면 배우가 되고 싶기도 하고, 환장하게 갖고 싶은 멋진 자동차들을 보고 있으면 자동차 디자이너가 되고 싶기도 하고, 스릴이 기막힌 컴퓨터 게임에 취하다 보면 게임 설계자가 되고 싶기도 하고, 여행비를 벌어가며 세계 일주 여행을 한 얘기를 텔레비전에서 보다 보면 그런 여행가가 되고 싶기도 했다. 내 마음을 나도 모를 만큼 하고 싶은 것이 많았다. 그러나 엄마 앞에서는 그런 마음을 꽁꽁 숨겼다. 엄마가 알면 죽이려고 할 테니까.

내가 끔찍스럽고 무서운 건 중3인 지금도 숨 막히게 하는데 앞으로 고등학생이 되면 얼마나 더 심해질까 하는 걱정이다. 생각만 해도 몸이 오그라들고 부들부들 떨린다. 나는 지금보다 더 심하게 당하면서 살아갈 자신이 없다. 지금보다 더 심한 고통을 당하지 않으려면 죽을 수밖에 없다.

엄마는 오래전부터 나를 감시해 왔다. 딴짓하지 못하게 하려고. 한밤중에 공부를 하다가 뒤가 이상해서 돌아보면 소리 없이 열린 문 사이에 엄마의 얼굴이 끼어 있곤 했다. 그럴 때 얼마나 심하게 놀라는지 모른다. 그럴 때 엄마의 얼굴은 엄마가 아니었다. 무슨 무서운 괴물 같기만 했다. 앞으로 엄마가 점점 더 무섭게 변해가면 어떻게 살 것인가. 그러니 고등학생이 되기 전에 나는 죽어야 한다.

그러나 죽으려고 생각하면 이 나이에 죽는 게 너무 억울하기도 하다. 내가 하고 싶은 걸 해보지도 못하고 죽는 게 정말 억울하다. 나는 내가 하고 싶은 걸 하면서 행복하게 살아보고 싶다. 그러나 독재자 엄마가 그걸 허락할 리 없다. 그러니까 죽어야 한다.

나는 죽는 게 무서워서, 살고 싶어서 오늘도 사이트에 내 글을 달지 못하고 물러난다. 나는 살고 싶다. 근데 엄마가 사자처럼, 악마처럼 무섭게 버티고 있다. 그러니 죽어야 한다. 나를 도와줄 사람은 이 세상에 아무도 없다. 아빠는 돈만 열심히 벌어 엄마한테 바치는 찌질이일 뿐이고, 누나는 남이나 다름없다. 나는 이 세상에 나 혼자일 뿐이다.

엄마가 없는 곳으로

"안녕하세요. 유지원입니다."

소년은 고개를 푹 숙여 인사했다. 몸집은 큰 편이고, 발육이 좋아 보였다. 그런데 숙였던 고개를 완전히 들지 않았고, 눈길도 떨구고 있었다. 그런 몸가짐이 몸에 밴 것임을 설명하는 듯 양쪽 어깨가 표 나게 움츠러들어 있었다. 늘 주눅 들고, 기죽어온 애들의 전형적인 모습이었다. 문득 글에서 만난 아이 어머니가 떠올랐다. 자기의 욕망에 사로잡혀 아이를 들볶아온 어머니가 만들어낸 전형적인 자식의 모습이었다.

"그래, 난 네 아버지 친구 강교민이다. 만나서 반갑구나."

강교민은 친밀감을 한껏 드러내며 악수를 청했다.

"······."

아이는 멈칫했다. 손을 내밀지 못했다. 그 당황하는 모습에서 강교민은 이번엔 아이의 아버지 유현우를 떠올렸다. 생활 속에서 악수 한 번 다정하게 나눈 적이 없는 유현우의 무관심의 표본이 앞에 서 있었다.

피할 수 없음을 안 아이는 쭈뼛거리며 손을 내밀었다.

"그래, 앉자."

강교민은 아이의 손을 지그시 눌러 잡으며 왼손으로 그 손등을 다독거렸다.

"너 남자답게 아주 건장하구나. 남자는 우선 뼈대가 잘 빠져야지. 너 아주 멋지다."

강교민은 일부러 아이들이 쓰는 말투를 흉내 냈다.

"······."

아이는 지극히 미세하게 반응했을 뿐 여전히 고개를 들지 못하고 있었다.

"너 말이다, 날 선생으로 생각하지 말고 아버지 친구라고만 생각해라. 그러니까 꼭 선생님이라고 부를 것 없이 아저씨라고 불러도 좋아. 원래 아버지 친구는 아저씨인 거고, 절친한 친구 아버지보고 아버지라고 불러도 좋은 것처럼 친구의 자식도 내 자식이나 마찬가지니까." 강교민은 잠시 말을 끊었다가, "지원아, 아저씨하고 정답게 말을 하려면 고개를 들어야 하지 않겠니? 서로 얼굴을 쳐다보고, 눈을 맞추고 해야 감정이 통하고 마음이 이해가 되고 하는 법이니까. 하나도 어려워하지 말고 맘 편히 먹고 고개를 들어, 지원아", 그는 더없이 포근하고 정답게 말했다.

"……."

아이는 어깨를 더 움츠리며 가까스로 고개를 들었다.

"호오, 아빠를 아주 많이 닮았구나. 그렇게 듬직하게 잘생긴 얼굴인데 왜 자꾸 숙여. 앞으로는 당당하게 들고 살도록 해. 알았어?"

강교민은 일부러 '알았어?'에 힘을 주며 목청을 돋우었다.

"예에……."

아이의 목소리는 들릴 듯 말 듯 했다.

"그래, 나는 나야. 나는 이 세상에 오직 하나밖에 없는 귀한 존재니까 어깨 쫘악 펴고 자신만만하게 살아야 돼." 강교민은 시범을 보이듯 허리를 곧추세우며 양쪽 어깨를 쫙 펴고는, "네가 쓴 글 아빠한테 받아서 잘 읽었다" 하며 눈을 맞추었다.

"그것……."

아이는 얼굴이 새빨개지며 굳어졌다.

"지원아, 그렇게 당황하거나 창피해할 것 없어. 이 아저씨가, 내 자식의 문제거니 생각하고 찬찬히 읽고 또 읽었다. 헌데 말이다, 네 고민 문제는 좀 덮어두고, 이 아저씨는 국어 선생이라 그런지 어쩐지 무슨 글이든 보면 점수를 매겨보는 버릇이 있거든. 네 그 글도 점수를 매겼는데, 넌 몇 점이나 맞았을 것 같으냐?"

강교민은 아까보다 더 환하게 웃어 보였다.

"그건……."

아이는 얼굴이 싹 변하더니 입술이 부들부들 떨리기 시작했다. 전형적인 틱 증상이었다. 대부분의 학생들이 그렇듯 이 아이도 점수 매기는 것에 심한 스트레스를 받는 체질이었다.

"지원아, 그렇게 당황하고 스트레스 받을 것 없어. 글을 뜻밖에도 아주 잘 써서 칭찬하려고 하는 말이지 학교에서 점수 매기는 것처럼 하려는 게 아니니까."

강교민은 딱해하는 얼굴로 빠르게 고개를 내저었다.

"저, 정, 말, 이, 세요……?"

아이는 더듬거리듯이 말했다. 얼굴에는 '믿지 못하겠다'는 말이 뚜렷이 드러나 있었다.

"그러어엄. 이 아저씨는 선생이면서도 학생들을 성적만으로 우수하다 아니다 하고 평가하고 가르고 하는 걸 젤 싫어한다."

"……."

아이의 눈이 문득 커졌다. 그 눈은 '정말이세요?' 하는 말을 큰 소리로 담고 있었다.

"왜, 믿어지지 않는 모양이지? 좀 생각해 봐. 네 아버지가 이 중요한 일을 왜 하필 나한테 맡겼겠니? 친구라서 그랬을까? 친구면 자랑거리가 못 되는 이런 일은 소문날까 봐 창피해서도 못 맡기는 법이야. 그런데 이 아저씨는 이런 일을 흉거리라고도 생각하지 않고, 또 성적만 중시하는 다른 선생들하고는 뭔가 좀 다르다는 걸 알고 믿기 때문에 맡긴 것 아니겠니?"

아이는 강교민을 깊은 눈길로 이윽히 쳐다보았다. 어느새 의혹과 경계가 사라진 그 눈길에는 신뢰의 빛이 서리고 있었다.

"이 아저씨가 국어 선생으로서 평가한 바로는 제일 잘 쓴 A+다!"

강교민은 주먹으로 허공에다 도장 찍는 시늉을 했다.

"아니에요, 너무 답답하고 죽을 것 같아서 그냥 막 쓴 거예요. 너무 창피하고 쪽팔려서 그만……."

아이는 고개를 푹 떨구었다.

"아니야, 지원아, 그렇지 않아. 글이란 자기 속에 든 생각을 아무런 꾸밈 없이 진실하게 쓸 때 가장 좋은 글이 되는 법이야. 넌 너 혼자만 아는 비밀의 세계에서 네 속마음을 있는 그대로 써냈기 때문에 읽는 사람의 마음을 네 마음과 똑같이 만든 거야. 글 읽는 사람의 마음이 글 쓴 사람의 마음과 똑같이 되어 같이 슬퍼하고, 같이 괴로워하고, 같이 가슴 아파하고 하는 것, 그걸 감동이라고 하잖니. 넌 이 아저씨를 감동시킨 거야. 이 아저씨를 네 편을 만든 거라구. 그러니 A+를 안 줄 수가 없었단다."

강교민은 허리를 앞으로 기울이고 팔을 길게 뻗쳐 아이의 머리를 쓰다듬었다. 아이는 부끄러운 듯 그러나 한결 편안해진 얼굴로 엷게 웃었다.

그래 '칭찬은 고래도 춤추게 한다'고 하지 않았더냐. 보일 듯 말 듯 열리고 있는 아이의 마음을 보며 강교민은 한결 안심이 되고 있었다. 상담이라는 것처럼 부담스럽고 조심스러운 일은 없었던 것이다.

"저어……, 정말……, 아, 저, 씨라고……."

아이는 다시 얼굴이 빨개지며 더 말을 잇지 못했다.

"그럼, 그럼, 너 편한 대로 아저씨라고 불러. 넌 내 가장 친한 친구의 아들이니까 날 그렇게 부를 자격이 있어. 우린 그렇게 가까운 사이라고."

강교민은 아이에게 눈을 찡긋했다. 아이의 얼굴에 한결 밝은 웃음이 피어났다.

"저어……, 저어……, 아저씬 누구 편이세요?"

아이가 살살 눈치를 살피며 내놓은 첫 물음이었다.

"당연히 네 편이지."

강교민은 예상하지 못했던 처음 열린 말문에 확실한 믿음을 주려고 두 주먹까지 쥐어 보이며 힘차게 말했다.

"왜요?"

"엄마 아빠가 널 그렇게 불행하게 만들었으니까."

"아빠는 아니에요."

"아니야, 네가 겉만 보아서 그래. 반반은 아니더라도 네 아빠한테도 삼분의 일의 책임은 있어."

"왜요?"

"내가 네 아빠한테 얘길 다 들었거든. 너 아빠하고 공중목욕탕에 가서 목욕 한 번 못 해보고, 같이 외국 여행도 한 번 못 해보고, 야구 구경도 같이 한 번도 못 가봤다면서? 그게 다 아빠 노릇 엉터리로 한 잘못이고, 죄야."

"아빠한테도 그게 죄라고 말씀하셨어요?"

"했지!"

"뭐라셨어요?"

"자기 잘못이라고 시인하셨지."

아이는 믿을 수 없다는 기색으로 고개를 갸웃했다.

"저어……, 그럼 아저씨는 아들하고 그런 걸 다 하시는 거예요?"

"그렇지."

대답이 나가는 순간 강교민은 아차 싶었다. 아이에게 상처가 될 수 있었던 것이다.

"이상하다……, 그게 왜 그렇지……?"

아이는 혼잣말을 하며 무슨 생각엔가 골똘하게 빠져드는 표정이었다.

"무슨 생각을 하지?"

강교민은 아이가 딴생각에 빠져들어 대화가 단절되는 것을 막으려고 했다. 상담에서 대화 단절은 상담 실패로 이어지게 마련이었다.

"저어……, 아저씨와 저희 아빠가 왜 그런 차이가 나는 건지 잘 모르겠어요. 그게 직업의 차이 때문인지, 사람의 차이 때문인지……, 얼른 알 수가 없어요."

강교민은 적이 놀라고 있었다. 머리 회전이 무척 빠른 아이였다. 그러나 그 글 엮어내는 것을 보면 새삼 놀랄 것도 없는 일이었다.

"그야 물론 직업의 차이 때문이지. 시도 때도 없이 급한 일들이 터지는 대기업 근무와, 미리 정해놓은 시간에 따라 가르치기만 하면 되는 학교생활과는 완전히 다르지. 아빠는 늘 바쁘니 어쩔 수 없었을 거야."

"……." 아이는 눈길을 떨구고 한동안 앉아 있다가는, "주말에 토요일, 일요일은 회사도 놀잖아요", 아이는 변호사가 결정적인 반대신문을 하듯이 정곡을 찌르고 들었다.

강교민은 친구를 옹호해 주고 싶었던 의도가 일거에 박살나는 것에 야릇한 쾌감을 느끼고 있었다. 그것은 아이의 총명함을 발견하는 기쁨이었다.

"그래, 네 말이 옳다. 그래서 이 아저씨도 네 아빠한테 주말이틀은 뭐 했느냐고 따져 물었다. 그랬더니 자기 잘못을 시인하며 앞으로는 아들과 함께 주말을 즐겁게 보내겠다고 약속했다."

"소용없어요. 아빠는 저한테 아무 관심도 없고, 절 사랑하지도 않아요."

아이가 마치 준비라도 하고 있었던 것처럼 막힘없이 주르르 말해 버렸다. 냉정할 만큼 무표정한 얼굴은 자기도 아버지한테 아무 관심도 없고, 사랑하지도 않는다는 말을 담고 있었다.

"그래, 아빠가 앞으로 어떻게 하는지 두고 보자."

강교민은 아이에게 아빠를 이해시키려는 어떠한 말도 해서는 안 된다고 생각했다. 아이가 그동안 아빠로부터 입어온 상처는 그만큼 깊었고, 상처가 깊을수록 불변하는 아빠의 사랑에 대한 얘기는 오히려 역효과만 날 뿐이었다.

"그 글을 보니 우리 지원이는 평소에 글을 많이 읽는 모양이지?"

강교민은 슬쩍 말머리를 돌렸다.

"아니요."

아이는 퉁명스러웠다.

"아니라고?"

"못 읽게 하니까요."

"누가?"

"엄마요."

"왜?"

"있잖아요, 공부에 방해된다는 거."

"그렇지. 엄마들이 다 그렇지."

"웃겨요, 무식하게."

"무식해?"

"예에, 영수국 외에는 아무 책도 못 읽게 하잖아요. 영수국에서 배울 수 없는 것을 배우는 좋은 책이 얼마나 많은데. 그 재미를 모르고 무조건 못 읽게 하니 얼마나 무식한 거예요."

아이는 두 번씩이나 '영수국'이라고 말했다. 그 무심결에 흘러나온 말에 첫 번째 자리를 빼앗기고 세 번째로 밀린 국어의 딱한 현실이 있었다. 그 어찌할 수 없는 현실의 반영을 강교민은 서글픈 마음으로 인정할 수밖에 없었다.

"그래, 네 말이 옳다. 여러 가지 책을 많이 읽어야 진짜 공부를 하는 건데 말이다. 그래도 네 글을 보니까 글을 많이 읽었다는 표가 확 나던데?"

"도둑 읽기를 해요."

"도둑 읽기?"

"엄마 몰래 읽기요."

"엄마 감시가 마치 이동하는 CCTV 같던데?"

"푸후……, 아무리 이동하는 CCTV 같아도 말짱 꽝이에요. 학교에서 읽고 사물함에 넣어두고 하는데 어떻게 당해요. 엄마가 아무리 발버둥 쳐도 말짱 헛거예요."

선생이 느닷없이 '이동하는 CCTV' 같은 말을 하는 바람에 아이는 웃음이 푹 터져 얼른 입을 가렸던 것이다. 아이를 웃게 한 것에 강교민은 일단 성공하고 있음을 확인했다.

"글을 읽어보니 우리 지원이는 하고 싶은 게 많던데, 그중에서 그래도 제일 마음에 끌리는 건 뭐야?"

"아직 모르겠어요. 근데 아저씨, 하고 싶은 게 많은 건 개성이 없기 때문이라고도 하고, 꿈이 많아 좋은 거라고도 하는데, 어떤 것이 맞나요?"

"응, 그건 나이에 따라서 다른데, 지금 중3 정도에서는 많은 게 좋은 거지. 고2까지도 그러면 좀 곤란하지만."

"그럼 아저씨도 중3 때 하고 싶은 게 그렇게 많으셨어요?"

"그럼, 너만큼 많았지. 파일럿, 운동선수, 화가, 과학자, 건축가 등등 되고 싶은 게 너무 많았지. 그 나이 땐 하고 싶은 게 많은 게 좋은 거야. 그게 그 나이 때의 특권이니까."

"근데 언제 국어 선생님이 되기로 결정하셨어요?"

"고2 때였지. 교내 연극을 했는데, 셰익스피어의 『베니스의 상인』이었지. 난 그 희곡에 완전히 반해버렸어. 너무 좋아서 며칠 밤을 새워가며 다 외우다시피 해버렸어. 그때 아저씨는 내 머리가 나쁘지 않다는 걸 확인했지. 그리고 자기가 좋아하는 걸 정신을 집중해서 하면 안 될 일이 없다는 걸 처음으로 깨달았어. 그때 나는 나 자신에 대해서 큰 자신감을 갖게 됐지. 그리고 그 깨달음은 지금까지도 변함없이 나를 이끌어주는 교훈이고 등불이 되고 있지. 있잖냐, 연극 대본을 다 외워버린 난 어떻게 했을까? 딴 애들이 대사가 막힐 때마다 대사를 대줬지. 그랬더니 떡하니 받은 선물이 뭐였을까? 천재! 지원아, 이런 때 천재란 무슨 뜻인지 알아? '천하에 재수 없는 놈!'"

아이는 그만 까르르 웃음을 터뜨렸다. '그래, 웃어라. 참 고맙구나.' 강교민도 아이의 웃음에 맞추어 흔쾌하게 웃어댔다.

"맞아요, 그런 건 왕재수예요."

아이는 기분 좋게 감정의 교류를 이루고 있었다.

"그래, 연극이 끝나자 아저씨는 희곡작가가 되기로 마음을 딱 굳혔어. 나도 그런 멋진 희곡을 쓰고 싶었고, 곧 쓸 수 있을 것 같은 자신감이 전신에서 솟구치고 있었거든. 그래서 희망에 벅차 자신만만하게 국문과를 선택했지. 그런데 아무리 기를 써도 희곡작가가 될 수 없었어. 외우는 건 집중적으로 노력하면 되지만 창작이라는 것은 제아무리 노력해도 안 된다는 걸 또 깨달았어. 아저씨는 예술가로서 타고난 재능이 모자랐던 거야. 그래서 눈물을 머금고 희곡작가 되기를 포기했지. 그 대신 노력으로 할 수 있는 국어 공부를 피나게 해서 누구에게나 실력을 인정받는 국어 선생이 되자 하고 결심한 거야."

"아, 그래서 짱 쌤으로 소문나신 거군요?"

"너 그 별명을 어떻게 알아?"

"저를 상담해 주실 쌤인데 그 정도 정보는 확보하는 게 기본이잖아요."

아이의 기분은 완전히 풀려 있었다.

"지원아, 아저씨가 보기엔 말이다. 지원이 너하고는 상담할 게 별로 없어. 넌 잘못한 게 없으니까 고쳐야 할 것도 없거든. 아빠도 앞으로는 너하고 친구처럼 친하게 지내기로 이 아저씨와 단단히 약속을 했으니까 잘될 거고. 문제는 엄마 아니겠니? 엄마가 고쳐야 하는데 말이지……."

"안 돼요. 헛수고하지 마세요."

아이는 금세 얼굴이 굳어지며 강하게 고개를 내둘렀다. 뜨거운 것을 손에 잘못 잡은 것 같은 강한 조건반사였다. 엄마한테서 받아온 스트레스가 얼마나 겹겹이 두껍게 쌓였는지를 여실하게 보여주고 있었다.

"그래, 단번에 될 일은 아니지. 그래도 불가능한 일은 아니란다."

"……"

의아해하는 표정 속에서 아이의 눈은 무슨 소리냐고 묻고 있었다. 그 물음은 그냥 물음이 아니라 '불가능한 일은 아니라'고 한 자신의 기대를 부정하는 뜻을 담고 있었다.

엄마에 대한 부정과 거부를 앞세운 아이는 어느새 또 긴장하고 있었다. 그동안 해온 노력이 허사가 될 위기였다.

"지원아, 넌 엄마의 하나밖에 없는 아들이야. 그래서 널 잘 되게 하려고 욕심을 부리다 보니까 그렇게 된 것뿐이야. 그런데 그 반대로 생각하면, 하나밖에 없는 귀한 아들이 자기 때문에 그런 위기에 처한 것이니까 바로 마음을 돌릴 수도 있는 일이다. 그러니까 속단해서는 안 되는 거야."

"아니에요. 아저씨는 엄마를 몰라서 하시는 말씀이에요. 우리 엄마 고집 아무도 못 말려요. 완전 통고집, 왕고집이라 이길 사람이 아무도 없어요. 아빠 서울대 나왔으면 뭘해요. 허접한 대학 나온 엄마한테 판판이 깨지는걸요. 백전백패할 때마다 아빠는 얼마나 한심하고 찌질한지 기막혀요. 엄만 절대로 생각 안 바꿔요."

아이는 아주 확신에 차서 말했다. 그것이 아이의 마음 깊이 아로새겨져 있는 트라우마였다.

"그래, 지원이 네가 태어나서부터 지금까지 엄마를 겪어왔으니까 그렇게 말하는 건 당연해. 그런데 말이다, 너 엄마의 마음, 그러니까 엄마들이 자식을 얼마나 사랑하는가 하는 그 엄마의 마음을 아니?"

"엄마들 사랑? 그거 자식들 죽이는 독약이에요."

밥 안 먹으면? 배고파! 하는 식의 문답놀이를 하는 것처럼 한순간도 지체하지 않고 아이의 입에서 튀어나온 소리였다.

"허 참……, 그런 대답을 어떻게 그렇게 순식간에 재빨리 할 수 있지?"

강교민은 하도 어이가 없어서 아이를 물끄러미 쳐다보았다.

"네에, 그건 우리들끼리 가끔 하는 말이에요."

아이는 태연하게 말했다.

아이들이 저희들끼리 핸드폰으로 문자를 주고받을 때 엄마 아빠를 '미친년', '개새끼'는 예사고 그보다 훨씬 더 심한 욕으로 불러댄다는 건 이미 알고 있었다. 그러나 저희들에 대한 엄마의 사랑을 '독약'으로 인식하고 있다는 건 처음 아는 사실이었다.

강교민은 풍선에서 바람이 빠지듯 전신의 맥이 풀리는 것을 느꼈다. 이렇게 엄마에 대한 불신과 적대감이 큰 아이에게 무슨 말로 엄마의 사랑이며 엄마의 마음을 이해시킬 것인가……, 강교민은 그지없이 막막하고 난감하기만 했다. 그러나 상담이라는 것은 어차피 이런 난관을 헤쳐가야 하는 길이었다.

"그래, 엄마들이 놀지도 못하게 하고, 운동도 못하게 하고, 읽고 싶은 책도 못 읽게 하고 자나 깨나 얼굴만 대하면 그저 공부, 공부, 공부, 노래를 불러대면 그게 너무 지겹고 끔찍스러워 사랑이 아니라 독약이라고 생각될 수도 있지. 느네들 맘 이해해. 그런데 말이다, 이 얘기 좀 들어볼래? 어떤 과학자가 이런 실험을 했어. 원숭이 암놈과 수놈에게 새끼를 딸려 각기 다른 방에 넣었어. 그리고 아래서 불을 때기 시작했지. 그러자 아래 철판이 차츰차츰 뜨거워지기 시작했지. 자꾸 뜨거워져 참기 어렵게 되자 어떤 일이 벌어졌을까? 수놈은 얼른 새끼의 머리 위로 올라탔어. 그럼 암놈은? 새끼를 얼른 안아서 자기의 머리 위로 올렸어."

아이는 눈을 깜박깜박하며 이야기에 귀를 기울이고 있었다. 강교민은 다시 말할 기운을 얻었다. 아이는 청취력도 집중력도 제대로 갖추고 있는 아무 문제 없는 정상적인 학생이었다.

"그런데 말이다, 원숭이 암놈만 그런 게 아니야. 사람도 그래. 6·25 때 폭탄이 터지는데 엄마들이 아이들을 품고 엎드려 죽어 그 밑에서 살아 나온 애들 얘기가 아주 많았어. 그런데 아빠 밑에서 살아 나왔다는 얘기는 없었어. 헌데 말이다, 전쟁 때만 그런 게 아니야. 요새 세상에서도 그런 일은 계속 벌어지고 있어. 어떤 엄마는 불길 속에서 아이를 품고 죽어 아이가 살아났고, 또 어떤 엄마는 차에 치이면서 아이를 품에 안아 자기는 죽고 아이는 살려냈어. 지원아, 자식에 대한 엄마의 사랑이란 이런 거란다."

아이는 입을 꾹 다문 채 묵묵히 앉아 있었다.

"이 세상 모든 엄마들의 마음이 그래서 온갖 문제들이 생기는 거고, 지원이 네 문제도 그중의 하나야. 엄마는 네가 잘되기를 바라는 마음으로 욕심을 부리다 보니까 널 그렇게 힘들게 만든 거야. 그런데 이번에 네 글을 보고 엄마는 자기 자신이 얼마나 잘못했는지 안 거야. 봐라, 하나밖에 없는 아들이 자기 때문에 자살하겠다고 하는 판이야. 이때, 자식을 살리기 위해 자기 목숨을 아낌없이 버리는 엄마의 사랑, 엄마의 마음은 어찌 되겠니? 전처럼 계속 밀어붙이겠니, 아니면 마음을 고쳐먹겠니?"

"⋯⋯." 아이는 강교민의 마음을 헤집듯 깊이 쳐다보다가 눈길을 떨구며 말했다. "잘 모르겠어요." 아이의 목소리는 침울하고 낮았다.

강교민은 아이의 상처가 그토록 깊다는 것을 다시 확인하고 있었다. 이야기의 진행에 따라 아이는 분명 엄마가 마음을 고쳐먹을 거라고 대답하고 싶었을지도 모른다. 그러나 그 순간 아이는 트라우마의 벽이 우뚝 앞을 막는 것을 느꼈을 것이다. 엄마를 믿을 수 없는 그 트라우마.

그러나 강교민은 한숨을 돌렸다. 아이가 아까처럼 "엄만 절대로 생각 안 바꿔요" 하지 않은 것만으로도 천만다행이었다. "잘 모르겠어요" 한 그 대답이 절반은 성공했음을 입증해 주고 있었다.

"그래, 잘 모르겠다고 한 네 마음 잘 알아. 엄마의 마음을 확인하지 않았으니 지금으로서는 네가 판단 정확히 한 거야. 하지만 지원아, 이것 한 가지를 생각해 보자. 네가 이 아저씨를 만나려고 한 것은 이 일을 좋게 해결하려고 했기 때문이지?"

"네에……."

왜 그런 걸 묻느냐는 얼굴로 아이는 고개를 끄덕였다.

"근데 엄마도 이 아저씨를 만나겠다고 했거든? 왜 그랬을까? 엄마 맘이 지원이 맘하고 같을까, 반대일까?"

"……."

아이는 눈만 껌벅껌벅하며 강교민을 쳐다보고 있었다. 대답을 생략하는 것으로 대답을 대신할 줄 아는 영리함도 지닌 아이였다.

"그래, 엄마도 일을 잘 해결하고 싶어서 이 아저씨를 만나려고 하는 거야. 그러니까 오늘 네가 꼭 해야 할 일은 이 아저씨한테 문제 해결을 위해 네가 무엇을 원하는지 그걸 말해 주는 거야."

잠시 아무 반응 없이 앉아 있던 아이가 도리질을 했다.

"아니 왜?"

예상하지 않은 반응이라 강교민은 상체까지 아이 쪽으로 쑥 내밀었다.

"엄마도 엄마가 원하는 걸 아저씨한테 말할 거잖아요. 그럼 이 문젠 해결 안 되니까요."

강교민은 순간적으로 어리둥절했다. 무슨 소리인지 언뜻 잡히지를 않았다. 그렇다고 아이에게 되물을 수도 없었다. 말귀를 못 알아듣는 상담사……, 그 체면이 말이 아니었다. 강교민은 재빨리 아이의 말을 곱씹어보았다.

'아하! 요런 맹랑한 놈이 있나.'

강교민은 마음속으로 무릎을 쳤다. 아이는 자기 요구만을 해결책으로 내세워야 한다는 말을 하고 있는 것이었다.

"그래, 엄마가 원하는 건 들을 필요가 없다 그거지?"

"네에! 아저씨도 말씀하셨잖아요. 이 일은 엄마가 잘못해서 생긴 거라구요."

아이는 그 글에서 보여주었던 예리함을 다시금 드러내고 있었다.

"그래, 그랬지." 강교민은 한 방 얻어맞은 기분으로 쩝 입맛을 다시고는, "그래, 말하는 걸 보니 네가 원하는 걸 생각해 둔 것 같은데?" 그는 어서 말해 보라고 턱짓을 했다.

"에이, 싫어요."

아이는 대뜸 거절했다.

"아니 왜?"

"우리 엄마는 안 들어요. 절대 안 들어요."

아이는 '안 들어요'에 맞추어 고개를 세게 내저었다.

"그럴 리가 없어. 내 말 들어."

"아저씬 우리 엄말 모르시잖아요. 독해요, 무지 독해요."

"지원아, 아까 말한 것 잊었니? 엄마의 사랑, 엄마의 마음 말야. 이 사건이 있기 전까지의 네 엄마는 독했지. 그치만 이 사건이 생기고 나서는 그 반대로 약해졌어. 하나밖에 없는 아들이 자살을 하겠다는데 어떻게 계속 독하겠냐. 네 엄마는 지금 널 품에 안을 생각밖에 없는 거야. 널 살려내야 한다는 생각뿐이라구. 그러니까 네가 무슨 말을 하든, 무엇을 원하든 무조건 다 듣게 돼 있단 말야."

"……."

아이는 무엇을 탐지하듯이 다시 강교민을 빤히 쳐다보았다.

"자신할 수 있으세요?"

"그럼."

"책임질 수 있으세요?"

"지지."

"믿어도 돼요?"

"암, 믿어."

"엄마가 말 안 들어주면 어떻게 되는지 아시죠?"

"……."

"아파트 15층에서 뛰어내리는 것처럼 한 방에 틀림없이 갈 수 있는 방법을 이미 다 준비 끝 했다구요."

"아이구 이놈아, 그게 무슨 소리야."

강교민은 가슴이 컥 막히는 것 같았다. 중3일 뿐인 아이가 담담하고 태연하게 죽음을 맞이하고 서 있었던 것이다. 무엇을 위한 공부인데 이 지경까지 되었는지 말문이 막힐 뿐이었다.

"아저씨 믿고 말할게요." 아이는 강교민을 똑바로 쳐다보며 침을 삼키고는, "엄마 없는 데로 떠나게 해주세요", 아이의 눈초리는 더 날카롭게 강교민을 쏘아보고 있었다. 처음 만났을 때의 그 기죽고 졸아들던 모습은 간 곳이 없었다.

"뭐……, 엄마 없는 데로?"

전혀 예상하지 못했던 말이라 강교민은 어리뼁뼁했다.

"네에, 엄마 없는 데로요."

"글쎄에……."

"금세 자신감 꽝 된 거지요?"

아이는 비웃음을 물었다.

"자신감 꽝이 아니라 네 말뜻을 모르겠다 그거다. 좀 더 자세히 말해 봐라. 외국으로 보내달라 그거냐?"

"아니요."

"그럼 뭐냐니까?"

"아저씨 머리 좋으시잖아요. 우리 아빠만큼. 그럼 생각해 보세요. 엄마 없는 데서, 엄마 간섭 안 받고 공부할 수 있는데!"

"아, 알았다!" 강교민은 이번에는 소리 나게 무릎을 치며, "대안학교지!" 자신 있게 소리쳤다.

"완전 대박!"

아이도 강교민의 외침에 박자를 맞추며 만개한 꽃의 환호처럼 밝게 웃었다.

"근데 말이다, 엄마하고 멀리 있으려는 건 좋은데, 학교까지 옮겨버리면 어쩌냐. 친구들도 그렇고."

"학교도 엄마랑 똑같아서 질렸어요."

"엄마랑 똑같아……?"

"네에, 학교에서도 하라는 건 딱 하나, 그저 공부, 공부, 공부 타령이잖아요."

"흐음, 친구들은?"

"진짜 친구는 없어요. 서로 등수 다투는 경쟁 하느라고 책도 노트도 안 보여주고, 안 빌려주고, 아주 웃기지도 않는 것 아저씨도 너무나 잘 아시잖아요. 저는 그런 학교가 엄마만큼 싫어요."

"그래, 그게 그렇구나……."

앞에 앉아 있는 아이가 새삼스럽게 똘똘하고 똑똑해 보여 강교민은 연방 고개를 끄덕이고 있었다.

"아저씨, 자신 있으세요?"

속을 다 털어놓아 살 것 같다는 듯 아이가 생기 있는 목소리로 물었다.

"그래, 자신 있다."

"근데 왜 얼굴은 자신 없어 보이세요?"

"이 아저씨가 쉽게 해결할 수 있다."

그런데 강교민의 목소리에는 힘이 없었다.

"아저씨 힘 없는 게, 믿을 수 없어요."

"이 녀석아, 날 믿지 말고 네 엄마를 믿어. 널 살리려면 엄마는 항복할 수밖에 없으니까."

강교민은 힘없이 중얼거렸다.

친구 유현우의 아내 김희경은 줄곧 울기만 했다. 이해할 수 있었다. 그건 자식에 대한 모성의 크기고, 절망의 크기고, 원망의 크기고, 자신의 인생에 대한 낙담의 크기고, 회한의 크기고……, 그리고 이런저런 감정이 보태지고 얽혀서 나타나는 피할 수 없는 현상이었다. 그러나 사람들의 눈길 많은 카페에서 언제까지나 그러고 있을 수는 없는 일이었다. 두 사람이 신록같이 싱그러운 청춘은 아니었지만, 연방 우는 여자와 묵묵히 앉아 있는 남자, 그 모습은 오해 사기 딱 좋은 중년의 모습이었다. 더구나 자신을 아는 어느 학부모라도 본다면 영락없이 의심받을 장면이었다. 교직자의 불륜처럼 이목 끌기 좋은 것이 또 있을까.

"지원이 엄마, 그만 감정 정리하시고 얘기 시작하시죠. 남들 보기에 좀……."

강교민은 다른 학부모를 대할 때처럼 '지원이 엄마'라고 꼭 박아서 말했다. 친구 아내이기 때문에 호칭에 더 신경이 쓰였던 것이다. 사장이나 회장처럼 흔해빠진 '사모님'은 아예 안 되고, 그렇다고 '부인'도 마땅찮고, '여사'도 어색하기는 마찬가지였다. 그래서 학부모의 통칭인 '누구 엄마'로 정한 것이었다.

"네에……, 죄송합니다. 안 그러려고 하는데 선생님을 뵈니 또……."

김희경은 얼른 앉음새를 고치며 손수건으로 눈물을 훔쳤다.

"네, 그 심정 잘 압니다. 엄마 마음이 얼마나 괴롭고 아프시

124

겠어요. 그렇지만 가장 좋은 해결책은 빠른 수습입니다."

강교민의 목소리는 교사답게 침착하면서도 무게감이 실려 있었다.

"네에, 그래야지요. 이 일을 어째야 좋습니까, 선생님."

김희경은 눈물을 훔치며 빠르게 말했다.

'엄마가 다 포기하셔야 합니다.'

정답은 명확하게 나와 있었다. 그러나 강교민은 그 말을 할 수가 없었다. 그것은 결론이었고, 자연스럽게 거기에 이르기 위해서는 건너뛰어서는 안 되는, 차근차근 밟아 나아가야 하는 경과가 있었다. 아이를 그런 막다른 벼랑까지 몰아간 모성의 시행착오 과정을 착실히 밟으며 엄마가 자신의 잘못을 이성의 힘으로 납득하고 시인했을 때에만 비로소 다다를 수 있는 지난한 길이 '다 포기하는 것'이었다. 모성이 강할수록 자식에 대한 욕망은 커지고, 욕망이 클수록 집착하게 되고, 집착이 클수록 시행착오를 많이 범하게 되고, 시행착오가 많을수록 자기 아집이 강해져 '다 포기'는 불가능할 수밖에 없었다. 그 연쇄적 회오리 속에서 아이들의 자살은 끊임없는 행렬을 이어오고 있었다.

"지원이 글 많이 읽어보셨습니까?"

"아니요."

김희경의 대답은 빠르고, 짧았다. 그 세 음절에서는 얼음처럼 차가운 냉기가 끼쳤다.

"왜 그러셨나요?"

강교민은 일부러 웃음을 띠우며 부드럽게 물었다. 그러나 속으로는, '이 상담이 꽤나 빽빽하고 애먹이게 생겼구나' 하고 생각했다.

"그렇잖아요. 그게 무슨 잘난 명문이라고 읽고 또 읽겠어요. 읽을수록 속 터지고 분하기만 한걸요."

그 여자는 남편하고는 달랐다. 남편은 여러 번 읽었다고 했었다. 그 차이는 무엇일까…….

"그러셨군요. 많이 서운하고 속상하고 그러셨던 모양이지요?"

"네에, 그럼요. 그 심정을 어찌 말로 다 하겠어요." 김희경은 첫 대구 때의 냉기를 확 걷어내며, "역시 선생님은 다르시군요. 첫 번에 제 심정을 콕 찍어내시다니. 제 남편하고 동창이시면서도 어찌 그렇게 다르세요. 제 남편은 글쎄 분하고 기막힌 내 심정은 털끝만큼도 생각해 주지 않고 무조건 소리 지르고 깨부수고 난장판이에요", 숨도 안 쉬는 듯 무서운 속도로 이런 말을 쏟아냈다.

일방적 자식 사랑이 과잉인 욕망 덩어리의 전형적인 한국

어머니시군. 강교민은 앞에 앉은 여인을 진단했다. 짙은 화장발처럼 속물근성을 전신에 맥질하고 있는 한국의 흔한 대졸 여성. 친구 유현우의 아내는 그런 여성 중의 하나였다. 지원이의 글에서 대충 그런 여자일 거라고 짐작은 하고 있었지만 너무 쉽게 그 실체가 잡혀 적이 실망스럽기도 했다. 어쩌면 그건 유현우에 대한 안쓰러운 동정일 수도 있었다. 그러나 속물근성에 푹푹 절은 평균 인간들이 넘쳐나는 속에서 평균 이상의 인간을 기대하는 것 자체가 난센스거나 어리석음일 수 있었다.

"남편이 무조건 소리 지르고 깨부수고 그런다고요?"

강교민은 딱해하는 얼굴로 여자를 유심히 쳐다보며 여자의 말을 한 마디 한 마디 되씹었다. 여자의 가슴에서 들끓고 있는 분함과 억울함을 다 털어놓게 하는 유도작전이었다. 실컷 털어놓게 하면 여자는 속이 후련할 것이고, 자기가 토해놓은 말들이 전부 자기의 잘못이라는 것을 뒤늦게 알게 될 거였다.

"네에, 말도 못해요. 평소에는 애가 있는지 없는지, 공부를 하는지 마는지, 털끝만큼도 관심이 없었던 사람이 이 사건 터지자 글쎄 갑자기 일등 아빠로 둔갑한 거예요. 그래서 모든 걸 내가 잘못했다고, 왜 똑바로 못했느냐고, 왜 애를 그 꼴을 만들었냐고 날마다 화내고 소리 질러대고 말도 못해요."

여자의 목소리만 떨리는 것이 아니었다. 손도 어깨도 떨리고 있었다.

"그것 참 곤란하네요. 부인이 죄인도 아니고, 문제를 잘 해결하려면 이성을 찾아야 하는데 그렇게 감정을 앞세워서는 일만 더 꼬이지요."

'당신도 감정 앞세우지 말라'는 뜻으로 강교민은 이렇게 말했다.

"그렇지요? 역시 선생님은 다르시군요. 그 말 우리 그이한테 좀 해주세요. 제가 무섭고 숨 막혀 못 살겠어요."

"지난번에 이미 했습니다, 몇 번씩."

"어머나, 그런 말 듣고도 그 인간이 어쩜…… 혼자 잘난 척하는 그 얌체 버릇 못 고치고 날 또 쥐 잡듯 해서 쏙 발뺌하려고. 인간이 못돼먹기는……."

여자는 성깔 돋은 소리로 빠르게 중얼거렸다. 남편에 대한 감정 때문에 부끄러움도 수치심도 안중에 없는 것 같았다.

강교민은 여자의 그 절제 없이 노출된 감정에서 그들 부부의 관계가 평소부터 원만하지 못했음을 쉽게 짐작하고 있었다.

"예, 두 분이 서로 어려운 입장에 있는 걸 잘 압니다. 그렇다고 그렇게 충돌하며 서로 감정이 폭발해서는 이 일은 해결되지 않고, 결국 그 피해는 아이를 덮쳐, 아이는 결국 자살할 수밖에 없게 됩니다."

강교민은 일부러 '자살'이라는 말을 끌어다 쓰며 잔뜩 힘을 넣어 말했다. 겁주어 해결하는 극약 처방이었다.

"아유 안 돼요. 다 돼도 그건 안 돼요. 아유 선생님, 제가 뭘 어떻게 해야 하나요. 제발 빨리 좀 가르쳐주세요. 뭐든 다 할게요."

두 귀를 손바닥으로 막은 여자는 눈물이 뚝뚝 떨어질 듯한 우는 얼굴로 빠른 엉덩방아까지 찧고 있었다. 그 다급하고 당황스런 모습은 한 점 꾸밈이 없이 표출되고 있는, 위기 앞에서 자식을 지키고자 하는 순정한 '엄마의 마음' 그대로였다.

"예, 해결 방법은 딱 하나고, 아주 간단합니다. 부부가 솔직하고 진실되게 서로의 잘못을 인정하고 그리고 그걸 싹 고치는 것입니다. 그 외에는 아무 방법도 없습니다."

강교민은 여자에게 자신의 말을 각인시키려는 것처럼 응시한 채 엄하고 단호하게 말했다.

"선생님, 그 사람은 저 혼자 다 잘못했다고 한다니까요. 자기도 아빠 노릇 한 것 아무것도 없으면서 모든 잘못을 다 저한테 떠넘기는 거예요. 아들놈이 저만을 원망하는 것도 억울한데 남편까지 그러니까 저는 정말 억울해서 못 살겠어요. 이러다간 제가 자살하게 생겼어요."

여자는 퍽 소리가 나게 자기 가슴을 쳤다.

"예, 지원이 엄마 억울함 잘 이해합니다. 이 일은 지원이 엄마만 잘못해서 생긴 게 아닙니다."

"네에……?"

여자는 상체를 발딱 세우는 반가움을 드러냈다.

"지난번에 유 형을 만났을 때 유 형의 잘못이 삼분의 일이라고, 그 잘못이 무엇인지까지도 자세히 말해 주었습니다."

"어머나 그랬는데도……, 그 잘못이 뭔가요?"

"할 얘기가 많으니까 그 얘기까지 다 할 수는 없습니다. 댁에 가서서 남편한테 차분하게 물어보시죠."

"네, 알겠어요. 그럼 제 잘못은……."

여자는 불안한 기색으로 말끝을 흐렸다.

강교민은 비로소 소리 없이 긴 숨을 내쉬며 긴장을 풀었다. 여자가 자기 입으로 그 말을 하게 하기까지 신경은 날카롭게 곤두서 있었다. 그건 상대방에게 결정타를 입히는 포위 공격을 하기 위해 바둑 한 점, 한 점을 빈틈없이 놓아가는 기사의 긴장과 다를 게 없었다.

"예, 아까 제가 아들의 글을 많이 읽어봤느냐고 물었죠? 왜 그런지 아십니까?"

"저어······, 그러니까······, 제가 잘못한 거 똑똑히 알라고······."

김희경은 강교민의 눈치를 살피며 무척 어렵게 말했다.

"예, 그것만이 아닙니다. 거기에는 그보다 더 중요한, 그러니까 이 일에 대한 해결책이 들어 있습니다."

"해, 해결책이요······?"

"예, 여러 번 자세히 읽지 않으셔서 놓치신 거지요." 강교민은 양복 안주머니에서 지원이의 편지를 꺼내 펼치고는 "영어 단어 외우는 머리에 대한 얘기 말입니다. 거기서 지원이 자기는 B급이라고 했습니다. 그리고 그다음에 중요한 얘기가 나옵니다. 자기가 한숨도 안 자고 매일 24시간씩 공부를 해도 A급 애들은 영원히 따라갈 수 없다. 왜냐하면 A급 애들도 고액 과외를 빡세게 해대기 때문이다 하는 이 대목입니다. 이 말을 어떻게 생각하십니까?" 하며 그는 여자 앞에 놓은 글의 한 대목을 짚었다.

"아니 저어······, 우리 지원이는 B급이 아니에요. 아빠 닮아서 분명히 A급이에요. 걔가 괜히 공부하기 싫어해 그딴 소리 하는 거지요. 그 앤 제가 잘 알아요. 예에, A급이고말고요."

여자는 단호한 목소리에 어울리도록 고개를 완강하게 저어 댔다. 조금 전과는 완전히 다른 돌변이고 표변이었다.

"자아, 지원이 엄마, 감정을 억제하고 이성을 찾으세요. 그렇지 않으면 아들이 자살하게 된다니까요." 사정없이 각성제 주사를 찌르는 의사처럼 강교민은 여자를 쏘아보며 싸늘하게 말하고는, "지원이 엄마가 무작정 지원이 머리가 A급이라고 믿고, 억지로 밀어붙이고, 강제로 과외시키고 한 게 다 잘못된 것입니다. 보십시오, 자기는 자기 스스로가 제일 잘 안다는 유명한 말이 있습니다. 지원이는 학교생활을 통해서 친구들과 자기를 끝없이 비교 대조해 왔습니다. 그 결과 자기가 B급이라고 점수를 매긴 것입니다. 그렇게 점수를 매길 때 지원이의 자존심은 얼마나 상했겠습니까. 그리고 이 점을 심각하게 생각해야 합니다. 이 글은 누구에게 자랑하거나, 보이려고 쓰여진 게 아닙니다. 지원이가 외따로 떨어져 고민하고 고통을 당하며 쓴 것입니다. 이번 사건이 사전에 드러나지 않고 지원이가 그만 떠났더라면 이 글은 그대로 유서가 되었을 것입니다. 죽음 앞에서 쓴 글이 가장 진실하다는 말 아시겠지요? 이것은 거짓 하나 없는 지원이의 진심 그대로입니다. 인정하시겠습니까?" 그의 매서운 눈초리는 여자의 흔들리고 있는 눈을 꿰뚫고 들어가고 있었다.

"네에……, 제가 잘못했어요. 지원이가 그렇게 생각하고 있는 줄도 모르고……."

여자의 눈에서 주루룩 눈물이 흘러내렸다.

강교민은 눈길을 돌렸다. 부모 없이 굶주리는 아이들의 모습이 쓰라린 슬픔이듯이 혼자 눈물 흘리는 여인의 모습도 가련한 슬픔이었다. 강교민은 그 눈물에서 오랫동안 잃었던 자식을 찾은 '엄마의 마음'을 보고 있었다.

"예, 그런 잘못은 지원이 엄마만 저지른 것이 아닙니다. 청소년 학생을 자식으로 둔 거의 모든 부모들이 '내 자식은 앞서야 한다', '내 자식만은 뒤처지게 해서는 안 된다', '남들 다 하는데 나만 안 해서야 되나' 하는 욕심을 부려 똑같은 잘못을 저지르는 겁니다. 그런 욕망과 경쟁의식 앞에서 애들의 개성이나 적성, 능력과 의견 같은 것은 무시되거나 묵살되기 예사입니다."

"안 그러면 그럼 어쩌나요. 수능 1점에 인생이 양지에서 음지로, 음지에서 양지로 엎어졌다 뒤집어졌다 하는데요."

눈물기가 그대로 어린 여자의 눈은 목소리처럼 도전적이었다.

"예, 무슨 말인지 잘 압니다. 그게 엄연한 현실이지요. 그러나 그 1점의 경쟁은 같은 수준에 있는 애들끼리 해야 하는 겁니다. 그런데 문제는, 그 수준에 도달할 수 없는 수많은 아이들까지 동원되어 괜히 고통당해 가며 체력을 소모하고, 막대한 재력을 탕진해 댄다는 사실입니다. 쓸데없이 그런 어리석은 짓을 해서는 안 된다는 점을 지원이는 아까 말한 대목에서 명쾌하게 지적하고 있는 것입니다. 얼마나 똑똑하고 장한 일입니까."

"그치만 지원이가 쓴 게 다 맞는 건 아니에요. B급 애들 중에서도 엄마가 A급 사교육을 잘 시키고, 아이가 고분고분 A급 노력을 잘하면 A급 애들이 가는 대학에 들어가기도 해요."

여자는 사교육 세계에 달통한 경력을 과시하기라도 하듯이 자신감 넘치게 말했다.

"예, 그럴 수도 있습니다. 그러나 그건 아이가 A급 노력을 하기로 작심하고 사생결단 이를 악물었을 때나 가능할까 말까한 일입니다. 지원이처럼 엄마 아빠가 일방적으로, 억지로 정한 법학 공부에 전혀 관심이 없고, 적성에 맞지 않으면 절대이룰 수 없는, 불가능한 망상일 뿐입니다. 그런 과욕과 망상 때문에 지원이 집안에 이런 근심 걱정이 닥친 것이구요."

"네, 선생님의 말씀 다 옳고, 저도 그 정도는 압니다. 허나 자식 문제 앞에서는 그런 공자님 말씀이 다 소용없게 됩니다. 선생님도 남자시라 자식 둔 엄마의 마음이 무엇인지 잘 몰라서 그런 말씀 쉽게 하실 수 있다는 걸 이해해요. 근데 엄마 맘이란 자식이라는 게 한발 건너에 있는 존재가 아니라 나와

134

한 덩어리가 되어 있는, 또 하나의 나 자신인 거예요. 그런 소중한 자식이 자칫 잘못되어 담에 사회에 나가 좋은 직장도 못 얻고 가난에 찌들며 평생 고생고생하고 살 거라는 생각을 하면 정신이 하나도 없고, 가슴이 떨리고, 몸 달고, 숨이 막혀 견딜 수가 없어요. 그래서 공부를 닦달하게 되고, 돈 아까운 줄 모르고 사교육을 시키는 거예요. 저만 그러는 게 아니라 모든 엄마들이 다 똑같은 마음이에요."

"예, 그 마음 잘 알고 있습니다. 엄마들 마음이 그렇기 때문에 '돈 많이 벌어 남부럽지 않게 살아야 한다'는 걸 인생의 목표로 내걸고 있고, 그 고상하지 못한 말을 아이들에게도 귀에 못이 박이도록 되풀이하지요. 그리고 그 목표를 이루기 위해서는 일류 직장이나 일류 직업을 가져야 한다. 그러려면 일류 대학을 가야 한다. 그러기 위해서는 공부를 열심히 하는 수밖에 없다. 이런 정연한 논리로 아이들을 채찍질해 대는 거 아닙니까. 그러나, 그것이 가장 옳은 방법 같지만 가장 틀린 방법입니다. 그 증거가 자살 앞에 서게 된 지원이 아닙니까!"

강교민은 지원이 엄마의 머릿속을 가득 채우고 있는 그 잘못된 생각을 산산조각 내고 말겠다는 듯 강력한 눈빛을 내쏘고 있었다.

"아유, 몰라. 사내자식이 어찌 그리 약해빠져 가지구……."

여자는 두 손으로 머리를 감싸 잡으며 곧 울음을 터뜨릴 것 같은 음성이었다.

"지원이의 그 글이 중요한 것은, 거기에 자기의 진로를 밝히고 있다는 사실입니다. 지원이는 거기에 적힌 여러 가지 하고 싶은 일들 중에 하나를 고르게 될 것입니다. 그게 법관이 아닐 뿐 그 어떤 것을 택하든 엄마가 걱정하는 것처럼 가난에 찌들어 평생 고생하며 살지는 않을 것입니다. 그러니 제발 엄마 욕심을 앞세우지 말고 생각을 바꾸십시오. 그게 유일한 해결책입니다."

"아니에요, 평생 겨우겨우 사는 것하고, 풍족하고 넉넉하게 사는 것하고는 하늘과 땅 차이잖아요. 일류와 삼류는 삶의 질이 달라요. 일류가 느끼는 행복을 삼류는 느낄 수 없으니까요."

평소에 그런 생각으로 많이 단련되어 있었던 것처럼 여자는 당찬 기세로 말했다.

"예, 돈이라는 놈이 삶의 질을 좌우하는 세상이기는 하죠. 그런데 안 그럴 수도 있는 게 우리네 인생살이이기도 합니다. 유현우와 저는 같은 고등학교, 같은 대학을 졸업했습니다. 그런데 서로 진로 선택이 달라 지금 수입이 그야말로 하늘과 땅 차이가 됐습니다. 저는 15년쯤 교직에 있었는데 월급이 300만 원 정도고, 이런저런 수당을 합해 50만 원쯤 더 받아봐야 각종 세금 떼고 나면 도로 그 타령이 됩니다. 그런데유 형은 잘은 몰라도 저의 세 배 이상 받을 겁니다. 거기다 대기업이 주는 성과급까지 합치면 평균 다섯 배 이상이 될 수도 있습니다. 그렇다고 제가 가난할까요? 유 형보다 다섯 배이상 불행할까요? 아닙니다, 전혀 아닙니다. 천하는 마음먹기에 달렸다는 속담이 있습니다. 제가 받는 그 월급으로 살아오면서 우리 세 식구는 한 번도 가난하다고 느낀 적이 없고, 한 번도 불행하다고 느낀 적이 없습니다. 아내는 그 돈 알뜰하게 아끼며 살고, 적지만 매달 저금도 해 1년에 두 번씩, 방학 때면 가족 여행을 떠나고는 합니다. 주로 국내 여행을 하다가 어떤 때는 세계 여행을 하기도 합니다. 뭐, 놀라실 것 없습니다. 여행은 돈으로 하는 게 아니라 요령으로 하는 것입니다. 가장 알찬 여행이란 최소의 비용으로 최고의 추억을 만드는 것이죠. 우리 가족은 세계 기록을 세울 정도로 싼 비용으로 한 달 동안 유럽 전역을 도는 여행을 했습니다. 그게 바로배낭여행입니다. 비행기 표는 외국 항공사에 1년 전부터 예약을 해서 제일 싸게 사고, 숙소는 인터넷을 통해 가장 싼 민박을 찾아내고, 교통비는 한 번 끊으면 유럽 전역을 돌 수 있는유로 패스로 하고, 그런 식이니 돈은 얼마 안 들이고 추억은

산더미로 얻게 되는 거지요."

그 추억이 지금 눈앞을 스치고 지나가는 듯 강교민의 얼굴은 그지없이 행복해 보였다.

"어머나……."

입을 못 다무는 지원이 엄마를 보면서 강교민은 유현우를 떠올리고 있었다. 자신이 무심코 꺼낸 여행담이 유현우에게 결정타를 가하는 모함이었던 것이다.

"역시 선생님은 교육자시라 확실히 다르시군요. 선생님은 완전 백 점짜리고, 우리 지원이 아빤 완전 빵점짜리예요. 그런 희한한 여행 꿈도 못 꿔본 우리 지원이가 참 불쌍하네요. 엄마라는 건 그저 공부하라고 못살게 굴기나 하고……."

여자의 한숨은 길고도 어두웠다.

"지금이라도 늦지 않았습니다. 지원이가 이제 겨우 중3이니까 그럴 기회는 얼마든지 있습니다. 먼저 엄마가 생각을 싹 바꾸시고, 그담에 아빠가 나서도록 가족이 함께 계획을 짜면 됩니다."

"선생님 말씀은 머리로는 다 알아듣겠는데 마음이……, 마음이 따라 움직이질 않습니다. 애가 하고 싶다는 대로 내버려두었다가 많지도 않고 딱 하나뿐인 아들이 우리 떠나고 없는 세상에서 평생 지지리 고생하며 살지도 모른다고 생각하면 앞이 캄캄해지는 게 도저히 그냥 내버려둘 수가 없어요. 제 맘을 제가 맘대로 할 수가 없으니, 선생님, 이걸 어쩌면 좋지요?"

여자는 한 치도 나아지지 않고 그 자리에 그대로 붙박여 있었다.

본성을 이기는 이성은 없다. 강교민은 이 말을 떠올리며 고개를 끄덕였다. 이성의 힘으로 성욕과 식욕을 이기고 다스릴 수 없듯이 모성도 그만큼 질기고 강한 것이다.

"예, 모성이 자기희생적이고 헌신성이 강하다는 것을 잘 알고 있습니다. 그래서 위대하고 숭고하다고 칭송되어 왔습니다. 그러나 그렇기 때문에 모성은 맹목적이고 저돌적이라는 문제점도 내포하고 있는 것입니다. 그리고 그것은 또 지나친 집착과 편협함을 보이는 약점도 있습니다. 안정된 미래를 위해 아이들에게 무작정 공부시키려고 몰두하고 집중하는 것, 그것이 바로 그 증거입니다. 이런 말 바로 하긴 좀 뭐합니다만, 얘기가 나왔으니 굳이 피할 것은 없을 것 같습니다. 엄마들의 그 과도한 집착과 무절제한 몰두가 아이들을 벼랑 끝으로 몰아 자살의 위기를 초래하고 있습니다. 듣기 거북하시겠지만 지원이 엄마가 그중 한 사람이고, 그런 엄마들이 이 땅에 얼마나 많은지 아십니까?"

강교민의 눈초리는 엄하고도 매웠다.

"……."

여자는 그 눈길에 밀리듯 고개를 수그렸다.

"놀라지 마십시오. 공부 때문에, 성적을 비관해 자살하는 애들이 1년에 얼만지 아십니까?"

"……."

"연간 500명을 넘어 하루 평균 1.5명이 죽어가고 있습니다. 그 애들을 죽게 한 게 누굽니까?"

"……."

"그 위대하고 거룩한 모성입니다. 그러나 문제는 또 있습니다. 죽는 애들만 그렇지 지금 죽음으로 내몰리고 있는 애들의 수는 얼마이겠습니까. 그보다 몇 배 많은 애들이 엄마들의 극성스런 성화 속에서 죽음을 향한 행진을 계속하고 있습니다. 이런데도 자식의 행복한 미래를 위해서 희생하는 엄마의 사랑이라고 말할 수 있습니까."

"……."

"그 심각한 사태를 '사교육걱정없는세상'의 윤지희 공동대표가 어떤 강연에서 정확히 밝혔습니다. 지난 15년 동안 성적 비관으로 자살한 학생이 8천여 명이었습니다. 연평균 533명인데, 지난 베트남전에서 전사한 우리 군인들이 5,099명으로 추산된다고 비교하고 있었습니다. 앞으로 또 15년 동안 그보다 숫자가 줄어들까요, 늘어날까요? 사교육비가 해마다 늘어나고 있는 건 경쟁이 그만큼 치열해지고 있다는 증거니까 더 말할 필요도 없겠죠. 하마터면 우리 지원이도 그 숫자에 낄 뻔했다는 사실입니다."

"……."

"그리고 또 한 분, 속칭 일류 대학교 철학 교수를 하다가 농사꾼으로 돌아서 '변산공동체학교'를 열어 아이들과 함께 낙원을 꾸미고자 하고 있는 윤구병 선생도 어느 강연에서 아이들을 구속, 속박해서 죽음의 상황으로 몰고 가는 우리나라의 비인간적인 교육에 대해 신랄하게 비판했습니다. '손발을 묶어놓고 몸을 묶어놓으면 사람은 죽습니다. 예수님이 살던 시절에 로마 교황청이 반란군들을 잡아다가 손발을 묶어놨어요. 그렇게 죽인 것이었죠. 우리 아이들이 지금 교실에서 열 시간, 열두 시간 동안 묶여 십자가 처형을 받고 있는 거예요. 어머니들은 사랑의 이름으로, 교육자들은 교육의 이름으로 그런 짓을 저지르고 있습니다. 이건 유대인의 집단 학살보다 훨씬 더 큰 범죄입니다.' 우리의 교육은 이 정도로 심각한 상황에 처해 있습니다. 그런데도 엄마들은 '내 자식만 탈 나지 않으면 상관없다', '내 자식에게 무슨 일이 날 리 없다' 하는 무모함으로 무한 경쟁의 질주에 열을 올리느라고 딴것은 거들떠보지도 않습니다. 참 대단들 하십니다."

강교민은 물을 한 모금 마셨다.

"그럼 저어……, 선생님의 부인께서는 선생님이 말씀하시는 대로, 아이가 하고 싶어 하는 대로, 아이의 뜻대로 따라가고 있나요?"

여자는 지친 기색으로 물었다. 여자가 무슨 대답을 기대하는지 강교민은 전혀 종잡을 수가 없었다.

"예, 집사람은 아들이 고2가 된 지금까지 공부를 억지로 시키거나, 먼저 공부하라고 한 적이 없습니다. 언제나 공부하고 싶게 분위기를 만들었고, 어렸을 때부터 재미있는 놀이하듯이 함께 공부하고는 했습니다. 아내는 아이의 지배자나 통솔자가 아니라 협조자나 보조자의 역할을 충실히 해냈습니다. 아내는 학교에서 교사 노릇을 할 때와 똑같은 태도를 취했습니다. 특히 초등학교 때부터 책을 많이 읽혔는데, 언제나 아내도 함께 읽었지요. 그리고 반드시 독후감을 토론했습니다. 그런 때는 저도 참석하려고 최대한 노력했습니다. 그 토론 시간이야말로 복합적인 교육 효과를 내는 최고의 방법이었습니다. 그 작품에 대한 이해력을 확대하고, 독해력을 증진시키며, 상상력을 자극시키고, 논리력을 구축해 가고, 언어 구사력이 신장되고, 발표력이 강화되고, 글쓰기 욕구가 강력해지는 등 그 효과는 예상 이상이었습니다. 국어 공부는 굳이 따로 할 필요가 없었고, 영어 선생이었던 엄마 덕으로 초등학교 때부터 엄마하고 영어 소설을 같이 읽었으니 영어 공부도 자연스럽게 해결됐고, 독서의 복합적 효과는 수학 공부에도 직접적 영향을 미쳤습니다. '책을 많이 읽은 사람이 공부도 잘한다'는 말을 직접 실감할 수 있었습니다 그렇게 하다 보니 아이는 초등학생 때부터 자기주도학습을 몸에 완전히 익히게 되었고요."

"세상에……, 세상에나……."

여자는 멍한 눈길로 헛소리하듯 중얼거리고 있었다.

강교민은 시계를 들여다보며 물컵을 들었다.

"우리하고는……, 우리하고는 정반대였군요." 여자는 핸드백을 마구 구겨대는 듯한 손짓을 하며 빠르게 중얼거리고는, "우리 지원이가 엄마 흉 많이 봤지요?" 하며 옹색스럽게 웃음 지었다.

"아닙니다. 주로 자기의 답답한 심정에 대한 토로가 많았습니다." 강교민은 태연하게 말을 둘러댔다.

"지원이가 지가 원하는 걸, 뭘 말하는 게 있던가요?"

마침내 여자는 여지껏 눌러왔던 속내를 드러냈다.

"아닙니다. 아직 그 단계까지는 진전되지 못했습니다. 너무 급히 서둘렀다가는 마음의 문을 닫아버릴 위험이 있어서 속도 조절을 하고 있습니다. 다음번에 만나면 자연히 그 얘길 하게 되겠지요."

강교민은 미리 준비했던 응답을 미끈하게 내놓았다.

'엄마 없는 곳으로 가고 싶다'는 지원이의 말은 너무 충격적이어서 아예 오늘 꺼내지 않기로 마음먹었었다. 그러니 '대안학교행'은 더 말할 것도 없었다.

"오늘 숙제 하나를 드리고자 합니다. 다음번에 만날 때는 이 숙제가 마음속에서 완전히 풀려 있기를 바랍니다. 이 숙제가 지원이 문제도 순조롭게 풀리게 되는 열쇠입니다."

강교민은 양복 주머니에서 종이를 꺼내 천천히 펼쳤다. 그 종이에는 큼직큼직하게 쓴 손글씨 몇 줄이 적혀 있었다.

어린 자식이 있다면 최선의 능력을 다해 돕고 지도하고 보호해야 하지만, 그보다 더 중요한 것은 아이에게 공간을 허용하는 일이다. 존재할 공간을. 아이는 당신을 통해 이 세상에 왔지만 '당신의 것'이 아니다.

—에크하르트 톨레*

당신의 소유물이 아니다

"어머나, 어쩜 좋아! 얼마나 속이 상하니 그래. 어쩐지 전화 받을 때부터 목소리가 우울한 게 뭔가 심상찮다 싶더니만."

최미혜는 화들짝 놀라움을 나타내며 김희경의 손까지 덥석 잡았다. 그 표정과 함께 수다스러운 목소리에는 과장기가 다분했다. 그러나 김희경은 친구의 그런 적극적인 반응이 좋았다. 꽉 막히고 답답한 속을 풀겠다고 하소연을 했는데 그 반응이 뜨뜻미지근하거나 뜨악한 것처럼 신경질 나는 것도 없었다. 뭘 해결해 달라는 것도 아니고, 무슨 거북한 부탁을 하는 것도 아니었다. 그저 얘기 듣고 속 좀 확 풀어달라는 것이었다. 그러나 세상살이 하다 보면 그런 상대 한둘 갖기도 여간 어려운 게 아니었다. 김희경은 역시 최미혜를 잘 만났다고 생각했다. 뭐니 뭐니 해도 친구는 역시 고등학교 동창이다 싶었다.

같은 아파트 단지에는 가까이 오가고 자주 만나는 얼굴들이 많았다. 특히 아들 학년의 학부모들은 정기 모임을 가질 정도로 친숙하고 화기애애했다. 그러나 그 친숙과 화기애애에는 늘 투명한 막이 가로막혀 있는 것 같은 느낌이고는 했다. 애들이 한 반에서 친한 듯 함께 공부를 하면서도 시험 때마다 긴장하고 경쟁하듯이 학부모인 그녀들 사이에도 그와 똑같은 경계와 긴장이 도사리고 있었다. 그래서 언제나 웃고, 차 마시고, 수다를 떨어도 마음이 확 풀리거나 후련한 느낌을 가질 수가 없었다.

그런 그들은 아들의 문제를 털어놓을 대상이 전혀 아니었다. 그 애기를 들으면 그들은 하나같이 위로하는 척 안됐다는 표정을 지어 보이면서도 속으로는 만만세 쾌재를 부를 것이 뻔했다. 이 세상 사람들은 나 잘되는 것보다 남 잘못되는 것을 더 좋아한다고 하지 않던가. 적수 하나가 쓰러지려고 비틀거리니 얼마나 반가운 일이랴.

그래서 대학 동창들 몇몇을 생각해 보았다. 같은 또래의 애들이 있으니까 얘깃거리가 되기는 안성맞춤이었다. 그러나 대학 동창이라는 것도 학부모들보다는 조금 낫지만 그래도 무언가 마음 한구석이 찜찜했다. 고등학교는 3년, 대학교는 4년을 사귄 것인데도 어째서 고등학교 동창이 더 정답고 흉허물 없이 마음을 털어놓을 수 있는지 모를 일이었다. 그래서 최미혜를 만나지 않을 수 없었다. 최미혜는 지원이와 동갑인 딸도 있어서 더 말이 잘 통하게 되어 있었다.

"난 어쩜 좋으니, 꼭 죽을 것만 같애."

김희경은 이마를 짚으며 깊은 한숨을 쉬었다. 그녀의 얼굴은 사흘 동안에 표 나게 수척해져 있었다.

"왜 안 그러겠니. 너무 당연한 일이지. 자식 문제는 우리 몸 아픈 것보다 훨씬 더 기막힌 아픔 아니니. 너 얼마나 속상하니 그래."

최미혜는 김희경의 손을 잡고 있던 손에 더 힘을 주었다.

"지 놈이 죽기 전에 내가 먼저 죽어야겠어. 지 놈을 위해 내가 온몸을 다 바쳐왔는데 그런 에미 공 하나도 모르고 모든 게 내 잘못이라고 써서 에미 망신을 쫄쫄이 시켜대니 그런 불효자식이 어디 있어 글쎄. 내 인생 이렇게 헛살았으니 더 살아서 뭘해."

맘 놓고 신세 한탄을 늘어놓으니 서러움이 더 사무쳐 올라

김희경의 눈에서는 눈물이 뚝, 뚝, 뚝 떨어져 내렸다.

"에이, 그런 소리 하지 마. 말이 씨 된다잖아. 부모 맘 아는 자식들이 어딨어. 자식은 다 불효자식들이란 말 있잖아. 자식들 하는 짓 생각해서 천불 안 오르는 부모는 없다구."

최미혜는 친구를 위로하기에 바빴다. 그러나 속으로는 '흥, 대기업 부장 마누라의 콧대가 이렇게 꺾이기도 하는구먼!' 하며 코웃음을 치고 있었다.

"아니, 불효도 불효 나름이지, 지 놈이 공부하기 싫으면 고이 싫다고 할 것이지 왜 에미 죄인 만들어가며 죽겠다고 공갈 협박이냐고, 공갈 협박이. 생각할수록 억울하고 분해."

"근데 지원이는 어쩌고 있어?"

"응, 그걸 생각하면 더 열 받치고 분해서 살 수가 없어!"

김희경은 표정을 바꾸며 새롭게 기를 세웠다.

"아니 왜? 학교도 안 가고 지 방에만 죽치고 있는 거야?"

"아니, 그러면 반성한다고나 봐주게? 이건 글쎄, 그날로 아빠 따라 시댁으로 가서는 여태껏 오지도 않고 거기서 버티는 거야."

"시댁?"

"응, 할머니 할아버지한테."

"그거 누가 한 일이야? 부부 합작?"

"아니, 남편이. 애 안정시켜야 한다구."

"응, 안정이 아니라 '안전'하게 해방은 잘 시키셨는데, 애 버릇은 망쳤네."

"그렇지? 할머니 할아버지가 무조건 감싸고 돌 테니 가뜩이나 삐딱한 애가 어찌 되겠어, 글쎄. 나날이 애가 나태해지고 있는 걸 생각하면 미치겠어."

김희경은 울상을 지으며 두 다리를 빠르게 동동거렸다.

"그렇게 몸 달면 빨리 가서 데려와야지."

"뭐라구? 나보고 그 사자굴로 들어가라구?"

"그건 또 무슨 소리야?"

"아, 생각해 봐. 두 노인네가 손자 말만 딱 믿고 날 중죄인, 죽일 년으로 점 찍고 있을 거잖아. 그렇잖아도 내가 나타나기만 기다리고 있을 건데."

"응, 그 말 듣고 보니 그렇네. 가지 마, 괜히 갔다간 엄청 당하겠어. 사이좋을 때도 만나기만 하면 어떻게 트집을 잡을까 하고 노리는 게 까칠한 시어머니들인데."

"그렇다니까. 평소에도 그러는데, 깜박 숨 넘어가는 손자를 그렇게 만들어놨다고 얼마나 원망하고 타박할 거야."

김희경은 먹구름 같은 한숨을 토해냈다.

"응, 넌 끝까지 뒤로 빠져 있고 남편을 앞세워."

"그 인간 아무 쓸모 없어."

"무슨 소리야. 시부모 상대할 때는 그래도 최고 좋은 방패막이잖아. 애 빨리 데려오라고 막 볶아대."

"글쎄, 그 인간이 그쪽과 한패가 되어 돌아간다니까."

"뭐야?"

최미혜가 카랑하게 소리쳤다.

"빌어먹을, 냉각기가 필요하다나 뭐라나. 열 받고 미치게 생긴 건 난데 왜 그쪽에서 냉각기가 필요해. 그 인간조차도 모든 걸 내가 다 잘못했다고 몰아대는 거야. 아휴, 죽도록 고생만 하고 이게 무슨 짓이니 그래."

"그러게 말야. 이건 엄마들이 너무 억울해. 근데 얘기가 났으니 생각난 건데 말야, 2년쯤 전인가 우리 아파트에서 이와 똑같은 사건이 벌어졌는데, 아이를 정신병원에 보낸다 어쩐다, 시부모가 나서서 며느리도 함께 보내려고 한다 어쩐다 시끌시끌하더니 끝이 아주 허망하게 끝나더라구."

최미혜가 한숨을 푹 쉬더니 커피잔을 기울였다.

"허망하게……?"

"응, 이혼당하더라구."

"왜에……?"

김희경이 눈이 휘둥그레지며 고개를 쑥 뺐다.

"왜긴 왜야. 시어머니가 나서서 애 망치고 집안 망쳤다고, 당장 이혼하라고 난리판굿을 벌인 거지."

"남편은 뭐 했는데?"

"뭐 하긴, 뻔하지. 한통속이 됐으니까 판 깨진 거지."

"세상에……, 그 여자 얼마나 기막히고 하늘이 무너졌을까."

"그러니까 너도 남편하고 쌈박질하며 남편 맘 시집 쪽으로 넘어가게 하지 말고 정신 똑바로 차리라구. 꾀 없이 자칫 잘못했다간 엉뚱한 벼락 맞을 수 있으니깐. 좌우간에 그놈의 공부가 뭔지 집집마다 골치 안 아픈 집이 없고, 이렇게 큰일 벌어지는 집도 숱하게 많으니 세상이 무슨 요런 세상이 다 있냐. 도대체 뭐가 잘못돼서 요 모양 요 꼴이냐."

최미혜가 어깨를 떨며 부르르 몸서리를 쳤다.

"그래, 나도 남들 따라 잘해보려고 한 건데 요 꼴 됐지 뭐냐. 상담 선생님은 모든 걸 내가 잘못했다는 식으로 말하는데, 난 아무리 생각해도, 며칠씩 잠 못 자고 생각해도 내가 뭘 잘못했는지 모르겠는 거야. 난 그게 미치겠어."

김희경이 두 손으로 얼굴을 감쌌다. 그녀의 상체가 가는 파동을 일으키는 것 같았다.

"얘, 우니? 이 사람 눈 많은 데서……."

최미혜가 낮고 빠르게 말했다.

"요새 걸핏 하면 눈물이야. 내 평생에 젤 지옥이야."

김희경이 얼굴을 가린 채 눈물에 젖은 소리로 말했다.

"왜 안 그렇겠니. 엄마한테 자식이란 온 세상이나 마찬가진 데." 최미혜는 다시 커피를 한 모금 마시고는, "근데, 그 선생님하고 상담한 건 무슨 효과가 좀 있었어?" 그녀는 말머리를 돌렸다.

"글쎄, 또 만나야 하니까 아직 무슨 해결책을 밝혀준 건 아닌데, 난 그분 말을 들으면서 아주 중요한 몇 가지를 깨달았어."

김희경은 손수건으로 눈자위를 훔치고는 커피잔을 들었다.

"호오……, 그 선생님 인상이 아주 끝내줬던 모양이네? 내 기분이 다 이상해지려고 하네?"

최미혜는 치뜬 눈길로 김희경을 쳐다보며 짓궂은 웃음을 피워냈다.

"아아니, 갑자기 그게 무슨 소리야?"

김희경이 의아해했다.

"흥, 선생님이면 선생님이지 왜 호칭이 '그분'으로 변한 거야? 그분이란 말 아무한테나 쓰는 것 아니잖아? 존경하는 사람이거나 사모하는 대상한테 쓰는 거잖아. 넌 둘 중 어느 거냐구. 그 말을 듣는 순간 내 기분이 야릇해졌으니깐 날 속일 생각은 마."

"눈치 한번 여우네. 그분은 아주 존경감이 들게 여러 가지 중요한 말씀을 하셨어. 우리가 그저 보통 대하는 선생님이 아니더라구. 우리와 동년배일 뿐인데 말이 그렇게 무게가 있고 믿음이 갈 수가 없었어. 저런 분이 진짜 교육자구나 싶었어."

"어머, 아주 홀딱 반했구나. 그런 선생이면 나도 한번 만나 봤으면 좋겠다. 도대체 무슨 말을 했길래 그렇게 마음이 흔들리던?"

최미혜의 목소리도 눈빛도 달라졌다.

"말도 마. 나는 그분이 말을 하는 동안 너무나도 마음이 끌리고 감동스러워서 중간중간 '어머, 그래요?', '아아, 그렇군요!', '그게 정말이에요?' 하는 말들이 자꾸 튀어나오려고 해서 참느라고 얼마나 애썼는지 몰라. 근데 그분이 한 말 중에 세 가지가 내 마음을 크게 울리고 감동시켰어. 그게 뭐냐면, 첫째 돈이 행복이 아니라 마음이 행복이라는 거였어."

"에게, 그딴 소리야 도덕 책에 흔해빠진 거잖아."

최미혜가 잽싸게 말을 자르고 들었다.

"너 내 말 그렇게 잘라먹지 마. 무교양한 기집애!"

김희경이 눈알이 하얗게 되도록 눈총을 쏘았다.

"아, 미안, 미안. 교양녀 될게."

최미혜가 두 손바닥을 펴 흔들며 사과했다.

"그게 말야, 말 번드르르하게 잘하는 유식한 사람들이 얼렁뚱땅 발라맞추는 그런 말이 아니더라 그 말이야. 무슨 말이냐면, 그분은 월급을 300만 원 정도 받는데, 아니 글쎄, 교사들 월급이 얼마 안 되는 줄은 알았지만 경력 15년이 됐는데도 고작 300만 원밖에 안 된다니 그게 말이 되니. 근데 그분은 그 작은 월급을 아끼고 쪼개 생활도 하고 저금도 해서 1년에 두 번, 방학 때면 꼭 가족 여행을 해왔고, 한 번은 유럽 일주 여행도 했다는 거야. 최소의 돈으로 최대의 추억을 만드는 거라고 했어. 그리고 그분은, 우리 지원이 아빠가 자기보다 수입이 다섯 배 이상 많은데, 그럼 지원이 아빠가 다섯 배 이상 행복한 것이냐, 아니면 자기가 다섯 배 이상 불행한 것이냐 묻는 거야. 그 대답이야 그분이 다섯 배 이상 행복하다는 것이었지. 그 말을 아무런 거리낌 없이 당당하게 하는데 얼마나 남자답고, 멋지고, 믿음직스러운지, 남자의 모습이 그렇게 아름답고 눈부신 것은 생전 처음이었어."

"하이고야, 이거 큰 탈 났네. 지원이 아빠, 아들 걱정에 정신 없을 게 아니라 마누라 걱정이 먼저네. 근데, 그분네 마나님도 그렇게 행복했을까? 지지리 궁상으로 명품 백 하나 못 들고 살면서."

"또 초 치고 나온다!"

"아냐, 아냐. 그래 두 번째는?"

"어렸을 때부터 엄마가 애와 함께 책을 읽었고, 다 읽고 나서는 아빠와 세 식구가 독서 토론을 했다는 거야. 지금 고2가 될 때까지 쭈우우욱! 그래서 애가 그 어려운 자기주도학습을 척척 해나간다는 거야. 난 무식하고 한심하게도 그와 정반대로 했으니 원. 책 보면 공부에 방해된다고, 공부할 시간도 모자라는데 쓸데없는 책은 왜 보느냐고 뺏고 숨기고 했지 뭐야."

"너만 그러니? 엄마란 엄마들은 거의가 다 그렇지. 근데 독서가 공부에 어떻게 도움이 된다는 거야?"

최미혜가 뿌루퉁한 얼굴로 입술을 삐죽 내밀었다.

"무식한 소리 좀 그만해. 그분이 계속 무슨무슨 '적' 자 들어가는 유식한 말로 그 효과를 차근차근 설명했는데, 다 착착 들어맞는 게, 진짜로 경험한 사람만이 말할 수 있는 진심이고 진실이었어. 너무 감동스러운……."

"어머머, 얘 좀 봐. 너 진짜 눈에 뭐 씌었구나. 정신 차리고, 세 번째는 뭐야?"

"기막힌 아빠 노릇. 친구처럼 매일 놀고 얘기하고……. 우리

지원이 아빠하곤 정반대. 백 점 대 빵점! 그러니 애가 얼마나 똑바르게 잘 자라겠어."

"그거 기막힌 아빠 노릇이긴 하네. 근데 그렇게 키운 그 애 공부는 어느 정도래?"

"그게 미치게 궁금해서 꼭 묻고 싶었는데 못 물었어."

"왜?"

"멍청한 기집애, 그것도 모르겠니? 상위 그룹이라고 할까 봐. 그리고 천하다고 무시당할까 봐."

"히히, 그거 듣고 보니 말 되네. 그러니까 그 선생 만난 효과는 톡톡히 본 셈이네?"

"그게 다가 아니야. 그분한테 받은 숙제가 있어."

"숙제? 넌 학생 취급이야?"

"잔소리 말고 이거나 봐."

김희경이 핸드백에서 종이를 꺼내 펼쳤다.

"찬찬히 읽어봐. 너한테도 해당되는 문제니까."

김희경은 종이를 최미혜 앞에 펼치며 손바닥으로 다리미질했다.

최미혜는 상체를 수그리고 종이를 유심히 들여다보았다.

"……흐음, 숙제는 '당신의 소유물'이 아니다 하는 거로군?"

최미혜가 상체를 들며 말했다.

"그래도 대학 나온 값은 하네. 어때, 넌 그렇게 할 수 있어?"

김희경이 근심스러운 눈길로 최미혜를 건너다보았다.

"그 말도 더러더러 들어본 말이기는 한데……. 그건 엄마들한테 엄마이기를 포기하라는 말이나 똑같잖아?"

최미혜가 대뜸 거부감을 드러냈다.

"그렇지? 나도 그 생각을 버릴 수 없는데 그분은 다음번에 만날 때는 그 숙제를 풀어와야 한다는 거야."

"내 소유물로 인정하지 않겠다 하고?"

"그런 셈이지."

"아, 인제 알았다. 이 숙제 땜에 오늘 날 만나자고 한 거지?"

"답답하기도 하고, 겸사겸사."

"미안해, 나도 모르겠어. 자식 문제, 정말 골치 아파!"

최미혜는 머리를 짤짤 흔들었다.

김희경과 헤어져 차에 시동을 걸며 최미혜는 손끝이 간질간질했다. 누구에겐가 핸드폰을 재까닥 찍고 싶어 손이 자꾸 핸드백으로 가려 하고 있었다. 그러면서 친구들의 얼굴이 영상 바뀌듯 지나갔다.

"너 알지! 이건 극비야. 아는 건 딱 너 한 사람뿐이야. 만약 누가 알면 알아서 해. 범인은 너니까! 진짜 의리 지켜, 너!"

김희경은 다문 입 앞에 몇 번씩이나 검지를 꼿꼿하게 세웠었다.

"어머 애, 그걸 말이라고 하니. 두말하면 잔소리지. 느네 자식 일이 내 자식 일인걸. 나도 가슴 아파."

이렇게 다짐하며 헤어진 게 언제라고 이런 마음이 동하는 것일까……. 최미혜는 자신의 마음을 스스로도 알 수가 없었다. 으레 비밀을 지키기로 약속을 단단히 해놓고는, 그 말을 하지 말라고 하더라는 말까지 해버리는 것이 사람의 마음이었다. 그래서 비밀 지키기가 어렵고, 세상엔 비밀이 없다고 하는지도 몰랐다.

김희경 아들 얘기를 한 친구에게만 살짝 귀띔하면 그날로 날개를 달고 천지사방 온 동창들에게 퍼지고 말 것이다. 그래서 김희경의 코가 납작하게 되는 것을 동창들은 모두가 더없이 통쾌해할 거였다. 김희경은 작년에 동창들을 은근히 기죽게 하거나 샘나게 했기 때문이었다. 김희경은 딸내미를 이대에 붙여놓고 얼마나 으스대고 거드름을 피워댔던가. 서울대학교는 아니었지만 이대는 여자 서울대로 치니 김희경은 딸 농사 풍년으로 지은 셈이었고, 충분히 뻐길 만했다. 인(IN) 서울이 안 되어 지방 유학까지 보내야 하는 동창들로서는 속이 상하다 못해 배창자가 비비 꼬일 지경이었을 것이다. 정말 어떤 애는 체했고, 어떤 애는 이틀이나 설사를 했다고도 했다.

그때 어떤 애가 말했다.

"이제 넌 아들 서울대학교에 넣는 일만 남았구나. 그리되면 네 인생 증말 대박이다!"

"그을쎄에……, 그게 하늘이 도와주셔야 될 일이지. 으응, 말이라도 고마워, 얘."

김희경은 목소리 착 깔면서 얼마나 야지랑을 떨고 아니꼽게 굴었던가.

"우와, 정말 아더매치가 따로 없다. 나 창자까지 토할 것 같애." 어느 애가 헛구역질을 해댔고, "쟤 좀 봐, 정말 속 뒤집어지는 모양이네. 유행 지난 아더매치까지 나오고" 했다.

다른 아이가 등 두들겨주는 손짓을 하며 가식적인 웃음을 토해내고 있었다. 아더매치는 30여 년 전, 80년대에 기승을 부리고 있던 군부독재를 향해 내뱉었던 유행어였다. 아니꼽고, 더럽고, 매스껍고, 치사하다.

김희경이 그렇게 동창들 속을 뒤집어지게 했으니 만약 아들 사건이 알려지면 어떻게 될 것인가. 동창들의 그 뒤틀렸던 속을 확 풀어주기 위해 그 소식을 퍼뜨리고 싶어서 속이 스멀스멀하고 손끝이 간질간질해서 견딜 수가 없는 것이다. 그러나 자신이 한 것이 금방 들통나면……, 최미혜는 눈을 질끈 감으며 핸드백을 뒷자리로 던져버렸다. 옆자리에 뒀다가는 언제 핸드폰을 꺼내 들지 자기 마음을 자신도 알 수 없었기 때문이다.

최미혜는 차를 천천히 출발시키며 핸들을 돌렸다. 딸년 예슬이의 얼굴이 떠올랐다. 그 소식을 퍼뜨리지 못하는 것은 꼭 김희경과의 우정 때문만이 아니었다. 자신에게도 딸년이 점점 큰 두통거리가 되어가고 있는 탓이었다. 김희경의 아들처럼 유서 아닌 유서를 쓰는 험악한 꼴과는 거리가 멀었지만 그래도 긴장하지 않을 수 없는 상황이었다. 딸년이 변해가는 것으로 보아 언제 그런 막다른 길로 치달아갈지 모를 일이었다.

북쪽의 누구도 무서워한다는 '중2병'은 남자애들만 앓는 것이 아니었다. 여자애들도 사내애들처럼 거칠어지고, 걸핏하면 성질을 내고, 무슨 일이든 제멋대로 하려고 들었다.

예슬이는 중2인 작년부터 야릇하게 변하기 시작했다. 먼저 눈에 띈 것은 키 크기였다. 어찌나 빨리 자라나는지 헛것을 보고 있는 느낌이라 믿을 수가 없을 지경이었다. 일주일 다르고, 보름 다르고, 한 달이면 딴 아이가 되어 있고는 했다. 한 달 만에 만난 할머니는, "그래, 쑥쑥 커라. 장마철 오이처럼 잘도 큰다" 하시며 등을 두들겼고, 반년 만에 만난 외할머니는, "아니, 니가 누구냐. 얼핏 몰라볼 뻔했다. 많이 커라, 늘씬하게 멋지구나" 하시며 대학생 대접하는 용돈을 듬뿍 주셨고, 1년

만에 만난 고모할머니는, "얘가 누구야? 말 안 하면 예슬인지 어찌 알겠냐. 겁나게 크는구나" 하시며 보고 또 보았다.

예슬이는 1년 만에 20센티 넘게 크는 것 같았고, 기분 싹 나쁘게 자신보다 한 뼘이나 더 커지고 말았다. 딸년보다 키가 더 작아져버린 엄마. 그 기분 참 묘했다. 딸년을 올려다보고 야단쳐야 하다니……. 야단을 치는데 딸년이 떡 내려다보고 있다니……. 아, 아, 맥 풀리고 김 빠지는 일이었다. 시대 변화에 맞춰 체형도 급격하게 변하고 있으니 내 딸도 키가 쭉쭉 커져야 한다. 그럼에도 불구하고 딸애의 키가 자신을 압도해버리는 것은 무언가 중요한 것이 상실되는 느낌이면서도 뿌듯하기도 했다.

예슬이는 키만 속성수처럼 자라나는 것이 아니었다. 젖가슴이 윤곽 뚜렷하게 솟아오르고, 엉덩이가 탱탱한 공 같은 탄력으로 바라지는 만큼 언행도 딴판으로 변해갔다. 작년까지만 해도 고분고분했던 순종미나 사근사근했던 애교미는 어디론지 사라져가고 걸핏하면 성깔 부리고 따지고 드는 반항과 불경을 예사로 저질러댔다. 그렇게 급히 변해가는 딸이 어느 순간 문득 딸 같지 않은 거리감으로 생경하게 보이는가 하면, 저게 저러다가 내 손아귀를 완전히 벗어나버리는 게 아닌가 하는 불안감이 엄습하기도 했다.

그래서 아파트 단지 내의 가까운 학부모들이나 동창들에게 그런 화제를 넌지시 꺼내고는 했다. 서로 얘기를 나누다 보면 조금씩 차이가 있을 뿐 어느 엄마나 딸내미들과 실랑이하고 부대끼고 속상하기는 마찬가지였다.

"아니, 진짜 분한 건 내가 막 야단을 쳐도 큰 덩치로 떡 버티고 서서 꿈쩍도 안 할 때예요."

"아이고, 누가 아니래요. 잘 먹여 키워놨더니 어디 덩치로 한번 해보자 하는 식으로 버티고 서 있을 때는 저게 내 자식이 맞나 싶은 게 정이 뚝 떨어져요."

"그냥 버티고 서 있기만 하면 그래도 양반이네요. 뻔히 잘못한 일인데도 야단을 치면 한마디도 지지 않고 대들 때면 정말이지 분통 터져요. 성질대로 그냥 쥐어지를 수도 없고."

"어머나, 어쩌려고 쥐어지를러요? 내 아는 어떤 엄마는 딸이 공부는 안 하고 남친 사귀면서 학원비까지 다 데이트비로 써버린 걸 알고 손찌검을 했더니 글쎄 딸이 팔을 뿌리치며 떠다밀어 그대로 벌렁 넘어지는 바람에 다리뼈가 뚝 부러지고 말았어요."

"맞아요. 내 아는 엄마도 똑같은 일 당했는데 의사가 참 웃기는 소리를 다 하더래요. 그래도 딸이 참 효녀라고요. 더 세게 밀어서 엉덩방아를 쿵 찧었더라면 엉덩이뼈 다 깨져 살 깊은 데 수술하느라고 몇 배 더 고생하고, 재수 없어서 회복 잘 못되면 더는 걸을 수 없게 돼 사망의 원인이 된다고요."

"아유, 끔찍해라. 우리 땐 안 그랬는데 요새 애들은 어째 그 모양인 거지요? 사내놈들도 아니고."

"그게 다 우리가 오냐오냐하면서 잘못 키워서 그런 것 아니 겠어요."

"어쩌면 고기 많이 먹여 키워서 그런지도 몰라요. 동물성 때문에 덩치만 커진 게 아니라 성질까지 그렇게 변한 거 아니 겠어요?"

"좌우간 우리 한국 사람들 몸집 작은 사람들이라고 해선 안 돼요. 잘 먹이니 남자고 여자고 다 늘씬늘씬, 쭉쭉빵빵이 잖아요. 얼마나 보기 좋고 멋져요. 어쨌거나 잘살게 된 게 좋 긴 좋다니까요."

"그럼요, 맞아요. 운동선수들 보세요. 10년 전만 해도 우리 나라 선수들 덩치가 작아서 얼마나 속상했어요. 근데 요즘 은 축구고 농구고 달리는 게 없잖아요. 그러니까 성적도 좋 아지고."

"그나저나 딸내미들 속 썩이는 걸 어째야 좋죠. 무슨 특효 약이 좀 없을까요?"

"어쩌겠어요, 즈네들도 서로 경쟁하느라고 스트레스 받고 짜증 나고 해서 그러는 걸. 너무 심하게 몰아대지 말고 슬슬 구슬리고 달래가며 해야지요."

"그래요, 남녀가 구분 없이 된 세상이고, 애들이라고 해봐야 집집마다 한둘씩밖에 없으니 기집애들도 사내애들과 똑같이 경쟁해야 하고, 그러다 보니 애들 고생도 말이 아니지요. 애들 앞에서 할 말은 아닌데 우리 때 요새 식으로 공부시켰으면 따라갔을까 싶은 생각이 들기도 해요."

"그렇기도 하지요. 어쨌거나 탈 나지 않게 이 고비를 넘겨야 하니까 살살 슬슬 달래고 얼리고, 조이다 풀다 하며 대학 문 앞까지 갈 수밖에 없어요. 즈이 에미들이 얼마나 고생했는지는 즈이가 담에 엄마 돼서 알게 될 테니까요."

엄마들은 모여 앉으면 이런 푸념들을 하고는 했지만 뾰족한 묘책은 찾기가 어려웠다. 그 원인이 인정사정없는 입시 경쟁에 있다는 것을 다 알았지만 아무런 힘도 없는 엄마들로서는 습관적으로 체념할 수밖에 없고는 했다. 한 가지 위로를 받는 건 나만이 아니라 집집마다 엄마마다 같은 병을 앓고 있다는 사실 확인이었다.

최미혜는 액셀을 차츰 깊게 밟으면서도 평소와 달리 속도감을 즐길 수가 없었다. 김희경의 아들 얘기를 듣고 나니 3학년 올라와 예슬이가 해온 짓들도 자꾸 신경을 자극해 오는 것이었다. 공부를 하는 척은 하는데 정말로 열심히 한다고 느껴지지 않았다. 무언가 딴짓을 하는 것 같고, 공부보다는 다른 무언가에 더 마음이 팔리는 것 같고, 딱히 잡을 수는 없는데 무언가 찜찜하고 개운찮은 것은 틀림없었다. 최미혜는 자신의 그런 느낌에 대해 자신감을 가지고 있었다. 예슬이가 어렸을 때부터 그런 느낌의 적중률은 언제나 100퍼센트였던 것이다.

얘가 남친(남자 친구)이 생겼나, 화장을 하고 싶은가, 집 밖에서는 짧은 치마를 입고 다니나, 학년이 바뀌면서 좀 노는 애들 냄새 풍기는 친구를 사귀나, 딸을 향해 망원경, 현미경, 탐조등까지 총동원되어 있었다. 그런데 느낌만 께름칙할 뿐 꼬투리가 잡히지 않았다.

그래서 모험을 한두 번 감행한 것이 아니었다. 예슬이가 알면 펄펄 뛰고 난리가 나겠지만 여러 번 책상을 뒤지고, 가방을 뒤졌다. 그러나 화장하는 기미는 전혀 찾을 수가 없었다. 가방 밑바닥에 짧은 치마도 없었다. 그런데 딸이 화장을 하는 것 같은 느낌을 떼칠 수가 없었다. 그래서 눈치채지 못하게 입술도 힐끔힐끔 훔쳐보고, 눈가도 살펴보고 하기에 바빴다. 어찌 보면 화장기 흔적이 느껴지기도 하고, 다시 보면 잘못 본 것 같기도 하고……. 아흔아홉이 다 화장을 해도 내 딸만은 안 된다! 그녀는 이 생각이 확고했다. 딸이 누구나 알아주는 폼 나는 인물이 되는 데 그런 것은 치명적인 장애물이었다. 공부에 방해되는 그따위 짓은 절대 안 되고 딸은 오로지 공부를 열심히 해 엄마가 바라는 그 멋진 인물이 되어야 했다.

최미혜는 자기가 신경과민인지도 모른다고 생각하기도 했다. 딸을 의심하기 시작한 것은 다른 엄마들이 딸이 몰래 화장하는 것을 잡아 닦달하고, 속 썩이고 하는 것을 보면서였다. 내 딸도 저러면 어쩌나 하는 걱정과 조바심이 발동했던 것이다.

"아니, 하라는 공부는 안 하고 화장은 왜 해."

"그러게 말야. 몇 년 참고 대학 들어가면 질리게 할 건데 글쎄."

"화장 안 한 맨 얼굴이 좀 예뻐. 그 고운 혈색에 보들보들한 피부. 그 아까운 것을 왜 화장품으로 다 가려버려 그래. 바보 같은 것들."

"화장하면 피부 거칠어지고 상하고, 빨리 주름 잡히고, 좋을 게 뭐가 있어."

"빨리 예뻐지고 싶어서 그러는 거지 뭐."

"아니, 예뻐져서 누구한테 보이려구? 학생이면 공부만 죽어라 파야지 왜 예뻐지고 싶냐구. 그게 다 싸가지 없는 짓이지."

몇 년 전부터 엄마들은 화장 얘기만 나오면 으레 이렇게 입모아 열을 올렸다.

엄마들이 그러는 건 '두발 자유화'를 경험한 탓이 컸다. 머리 길이를 자기 마음대로 할 수 있게 한 그 경험은 영 가시지 않는 께끄름함과 무언가 잘못될 것 같은 불안불안함을 남겨놓고 있었다. 학생 애들은 그 자유화를 무슨 큰 승리나 얻은 것처럼 환호하고 덩실거렸지만, 엄마들은 하나같이 못마땅해하고 신경을 곤두세웠다. 머리가 제멋대로 길어지면서 애들을 잘못되게 하는 불온한 어떤 기류가 휘감겨오는 것 같은 불길함이 커지고 있었기 때문이다.

"학교도 참 이상해. 공부해야 할 애들이 머리는 길러서 뭘 해."

"그러니까 말야. 머리가 짧게 단정해야 공부할 정신이 바짝 들지."

"누가 아니래요. 머리 길어지면 자연히 딴맘 먹게 된다구요."

"당연하지요. 머리 길러가지고 어른 행세하고 나설 건 뻔하잖아요."

"아니, 정치나 민주화하면 됐지 미성년자들한테까지 무슨 민주화예요, 그래. 학교들 참 믿을 수 없게 무책임해요."

"어쩌지요, 데모하고 나설 수도 없고."

"나라에서 정한 일 별수 있나요. 부모들이 더 눈 부릅떠야할 일이 하나 더 늘어난 거지요."

"별수 없지요. 몸 다는 건 우리니까 우리가 지킬 수밖에요."

교문 지도에서 교복과 함께 단속의 70퍼센트를 차지했던 귀밑머리 단발이 자유화된 것은 그 획일적 단속이 학생들의 의견을 완전히 묵살한 비민주적 처사였기 때문이라고 했다. 30년 군부독재를 타도한 정치 민주화의 바람은 그렇게 학교까지 불어 들었던 것이다. 그러나 그것뿐이었다면 학부모들의 반대에 부딪쳐 그 민주화는 좌절될 수도 있었다. 그런데 거기에 하나 더 덧붙여진 게 있었다. 그 단발은 일제강점기의 잔재라는 것이었다. 한일 축구전에서 이유 여하를 불문하고 반드시 이겨야 하듯이 일제 잔재 청산 앞에서 반대하고 나설 사람은 아무도 없었다.

"허어……, 그게 그랬나? 응, 그렇군. 일본 놈들 식이 맞아."

사람들은 이렇게 과거를 환기하며 물러설 수밖에 없었다.

그런데 교복도 뚜렷한 일제 잔재이면서도 살아남은 데는 또 분명한 이유가 있었다. 일찍이 전두환 정권 때 교복 자유화가 시행됐다. '광주 사태'를 일으키고 집권한 전두환 정권은 시급히 민심을 얻어야 할 필요에 따라 여러 가지 파격적인 조

168

치를 취했다. 그 대표적인 것이 야간 통금 해제였고, 88올림 픽 유치였고, 교복 자유화였다. 그런데 야간 통금 해제의 성공과 대조적으로 실패한 것이 교복 자유화였다. 그때만 해도 1인당 GDP 3천 불 정도라서 자유화된 학생들 옷에서 빈부 격차가 너무 심하게 드러났던 것이다. 생각지도 못했던 교복의 공이 드러난 것이었다. 그다음에 야기된 문제가 학생들에게 피해를 입히는 범죄의 빈발이었다. 같은 또래의 불량배들이 학생들 사이에 자연스럽게 섞여 들어 쉽게 범행을 저질렀던 것이다. 이것 또한 그동안 교복이 세워온 공이었다. 그래서 교복은 부활되었다. 단, 군복 냄새가 풍기는 일본식 교복에서 탈피해 미적 감각을 살린 다양한 모습을 갖추게 된 것이었다.

애들의 머리카락이 치렁치렁 길어지면서 바로 나타난 우려가 화장이었다. 머리가 길어지면 미성년자 출입금지 구역을 쉽게 드나들게 되어 비행을 저지르게 될 것을 우려했었다. 그런데 그 우려를 제치고 불쑥 나타난 것이 화장이었다. 여성답게 머리가 치렁치렁해졌으니 그에 어울리는 화장을 해보고 싶은 유혹. 그건 여자의 가장 자연스러운 욕구고 본능일 수 있었다. 그러나 엄마들은 그 기미를 느끼자 한결같이 결사 저지의 의지를 불태웠다. 화장, 그건 공부를 망치는 최대의 적이고, 타락의 길로 가는 첩경이다. 엄마들의 공감이었다.

그래서 최미혜는 딸이 중학생이 되자마자 공부 감시 감독에 못지않게 화장에 눈초리를 모아왔다. 왜냐하면 고등학생에서 퍼지기 시작한 화장이 급속도로 중학생까지 물들이고 있다는 소문이 심심찮게 들려오고 있었기 때문이다.

물론 최미혜는 그냥 감시만 해온 것이 아니었다. 가끔씩 급습을 감행하고는 했다.

"얘, 너도 화장하니?"

"미쳤어?"

"너 알지! 그딴 짓 절대 안 되는 것. 그땐 끝장이야!"

"하이고, 신경 *끄셔*."

딸의 반응에는 의심할 데가 없었고, 더 할 말도 없었다.

그러다가 얼마가 지나면 또 슬그머니 의심스러워지는 것이다.

"얘, 너 정말 화장 안 하지?"

"아유, 엄마 왜 그래!"

"불안해 죽겠잖아. 화장하는 애들이 자꾸 늘어난다는 소문이니까. 길가에서 더러 눈에 띄기도 하고."

"엄마, 진정제나 드셔."

그러나 몇 달이 지나고 나면 또 의심이 발동하는 것이었다.

"얘, 너 입술이 이상하지 않니?"

"어엄마아! 왜 그래 정말."

"너 아무래도 입술이 이상해. 립스틱이 밴 것 같다구."

"아, 미치겠네 정말. 엄마가 자꾸 그러면 나 진짜 화장하고 나설 거야."

그렇게 감시하고 점검해 왔지만 몸집이 성인처럼 커짐에 따라 의심도 따라서 커지기만 했다.

'아니야, 우리 딸은 화장 같은 것 할 리가 없고, 더구나 자살이나 생각하는 그따위 글은 절대 쓸 애가 아냐. 가끔 신경질 부리고 대들고 하기는 했지만 그런대로 잘 꾸려온 셈이야. 어쨌거나 감시를 더 철저히 해가면서 3년이야, 3년. SKY에 딱 붙여 남들이 다 부러워 죽는 최고 자식을 만들어야지. 그럼, 하나밖에 없으니 반드시 최고를 만들어야 해. 재력 있겠다, 빵빵하게 뒷받침할 테니까 안 될 리가 없지.'

최미혜는 이렇게 마음을 다지며 액셀을 더 깊게 밟았다.

그녀는 자식이 예슬이 하나로 끝난 것이 언제나 아쉽고 허전했다. 아들이 둘쯤 더 있기를 바랐다. 그러나 하늘은 자식을 더 점지해 주지 않았다. 양쪽 다 아무 이상이 없다는 진단이라서 애석함이 더 컸다. 예슬이가 초등학교에 들어갈 때까지는 행여 남편이 딴짓이라도 하고 나설까 봐 늘 조마조마하고 불안하기 짝이 없었다. 그러나 천만다행하게도 남편은 돈벌이에 열중할 뿐 여자에게 한눈을 팔지 않았다. 그리고 외동딸에 대한 사랑도 살뜰했다. 그래서 최미혜는 딸의 공부에 더 정성을 쏟지 않을 수 없었다.

최미혜는 찜찜한 기분을 털어버리려고 차를 헬스클럽으로 꺾었다.

"어머, 예슬이 엄마, 오늘 좀 늦었네요?"

"네, 다빈이 엄마. 친구 좀 만나느라구요."

"무슨 좋은 일 있으셨어요?"

"아 네, 그게……, 별일 없이도 가끔 만나는 고등학교 동창이에요."

최미혜는 하마터면 김희경의 아들 얘기를 꺼낼 뻔했다. 사람 마음이란 그런 이야기는 어찌 그리도 하고 싶은 것인지. 김희경의 이름을 대지 않으면 누군지 알 리가 없지 않을까 하는 유혹이 일기도 했다.

"다빈이는 요새 어때요?"

최미혜는 유혹을 뿌리치려고 그냥 건성으로 물었다.

"아이고, 죽지 못해서 하느라고 늘 찌뿌드드해져 있죠 뭐. 예슬이는 잘하지요?"

"애들 다 마찬가지잖아요. 공부해서 부모 주는 것처럼. 근데 다빈이는 화장하나요?"

최미혜는 불쑥 나간 말에 멈칫했다. 머리에 가득 차 있는 생각이 그만 넘쳐난 것이었다.

"어머! 예슬이는 화장하나 보죠?"

다빈이 엄마는 묘하게 웃으며 말을 그렇게 받았다.

"아니에요, 전혀 아니에요. 친구 아들이 죽을 작정하고 써 놓은 글이 미리 발견된 사건 얘기를 듣고 큰 충격을 받았지 뭐예요. 그러다 보니 이런 생각, 저런 생각이 떠오르고, 우리 예슬이가 아무 탈 나지 않고 무사히 대학에 들어가려면 딴 짓을 못하게 막아야 한다 하는 생각이 머리에 가득하다 보니 그만 그렇게 불쑥 물은 것뿐이에요."

"그렇겠지요."

"그럼요."

"그럼 다행이에요. 근데 친구 아들은 무슨 일로 유서까지 다 쓰고 그래요?"

다빈이 엄마는 바짝 다가서며 관심을 드러냈다. 변명이 다급해 그만 그 일을 쏟아놓고 만 최미혜는 자신의 입을 쥐어박고 싶었다.

"간단히 말하자면 다 그놈의 공부 때문이지요. 어쨌거나 그 친구가 신신당부한 일이라 그건 더 말 안 했으면 좋겠네요. 같이 자식 키우는 입장에서 그게 예의이기도 하고요."

"그건 그렇지요. 남의 자식 얘기 입에 올리는 건 내 자식 얘기를 누구보고 하라는 거나 마찬가지니까요."

다빈이 엄마가 경계하듯이 두 손을 내저었다.

"그나저나 소문으로는 초등학생들까지 화장하는 애들이 있다는데, 그게 사실일까요?"

"네, 그런 것 같아요. 내 여동생의 친구 애도 초등학교 4학년인데 가방에서 루주가 나와 생판 난리가 났었대요. 참 이상스러운 세상이에요."

"어머나, 초등학교 4학년이 뭘 안다고. 걔는 정말 특급 문제아인 모양이네요. 그런 애들 부모는 뭐 하는 걸까요? 혹시 결손가정인가……?"

예슬이 엄마는 좀 흥분하는 기색을 보였다.

"누가 하는 말인데 그게 문제아라 그런 게 아니라네요. 다 그럴 만한 나이라 그러는 거래요."

다빈이 엄마가 무슨 수수께끼 같은 소리를 하며 이상야릇하게 웃었다.

"아니, 그게 무슨 말이에요? 4학년이면 열 살인데 그럴 만한 나이라니요……?"

예슬이 엄마는 아무것도 짚이는 게 없다는 멍한 얼굴이었다.

"거 있잖아요, 왜……. 4학년이면 태반이 매달 여자라는 표시 내는 거……."

다빈이 엄마는 부끄러움을 과장하며 어깨 웃음을 웃었다.

"멘스가 어떻다는 거죠? 잘 먹여 키우니까 빨라지는 거……."

예슬이 엄마는 그게 무슨 상관이냐는 표정을 짓고 있었다.

"예슬이 엄마가 생각보다 둔하시네. 그게 시작되면 여자 다 된 거니까 여자가 하고 싶어 하는 짓 다 하고 나선다는 거지요. 그래서 화장하려고 하는 건 너무 자연스럽고 당연한 거라는 말이었어요. 그 말 듣고 보면 옛날에 우리도 그랬던 것 같지 않아요?"

다빈이 엄마가 예슬이 엄마를 말끄러미 쳐다보았다.

"네에……, 그리 보면 그 말이 그럴 법도 같긴 하고……." 예슬이 엄마는 느린 말에 따라 고개를 주억거리다가는, "아니에요, 그런 식이면 우리 애들은 당연히 화장을 해도 좋다는 건데, 아니에요, 화장은 안 돼요. 화장하고 나서면 공부는 끝장이에요", 그녀는 완강하게 고개를 저었다.

"그래요, 나도 화장은 절대 반댄데, 그게 말이지요……, 공부하고 꼭 관계가 없는지도 모른다는 생각이 들 때도 있어요."

"아니, 그, 그게 무슨 소리예요?"

말을 더듬는 예슬이 엄마의 목소리에 날이 섰다.

"그저 듣기만 한 소린데……, 고등학교 애들은 공부 잘하는 애들까지도 전부 등교하면 화장을 한다는군요. 그래서 화장실은 진짜 화장실이 되어 장난이 아니라네요. 대형 미용실이 되는 거지요."

"세상에……, 이건 또 무슨 소리야. 그럼 학교에선 뭘 하는 거지요?"

예슬이 엄마의 목소리에는 더 날이 시퍼렜다.

"글쎄 말이에요, 예슬이 엄마나 나나 애들 말대로 쉰세대예요. 우린 그걸 학교에서 단속하고 처벌해야 한다고 생각하는데, 학교에선 두발 자유화나 화장 자유화나 똑같다고 생각하는 모양이에요. 세상은 그렇게 달라졌고, 우린 지금도 머리는 우리 때처럼 단발을 해야 한다고 생각하는 구식이라니까요. 애들이 우릴 아예 말 상대로 생각하지 않으려 하는 것도 우리가 너무 세상 변화를 따라가지 못하고 옛날식 고집만 부리기 때문이 아닌가 하는 생각이 들기도 해요."

다빈이 엄마는 예슬이 엄마에 비해 차분했다.

"다빈이 엄마는 언제부터 그런 생각을 했어요?"

"나도 고등학생이 아들이라 여학생들 얘긴 신경도 안 쓰고, 잘 모르잖아요. 그런데 고등학생 딸 둔 친구들 말 들어보면 세상은 정신없이 변해가고, 그걸 못 따라가고 이해를 못하면 아이하고는 완전히 담 쌓고 남남이 된다는 거예요. 그러니 어쩌겠어요. 생각을 고쳐먹으려 기를 써야지요."

"아아 참, 너무 골치 아파요. 내 딸이 고등학생이 되면 화장
하는 꼴을 봐줘야 하다니……. 아이고, 그건 안 되는데."

예슬이 엄마는 신음 소리를 냈다.

"예슬이 엄마, 지금도 예슬이가 화장을 절대 안 한다고 믿
지는 마세요."

"네에……? 그, 그게 무슨 말이에요?"

눈을 부릅뜬 예슬이 엄마가 다시 말을 더듬었다.

"지금 예슬이가 화장을 절대 안 한다고 믿고 있는 건 예슬
이 엄마가 그동안 예슬이 몰래 예슬이 모든 휴대품들을 검사
했기 때문이잖아요. 나도 그래왔어요. 하지만 애들이 화장품
을 보관하는 데는 집 밖에 수도 없이 많아요. 교실 사물함, 단
골 떡볶이집이나 편의점 등등. 우리가 옛날에 그랬듯 애들이
부모 눈 속이는 방법은 무궁무진해요."

"아니 그럼, 다빈이 엄마는 다빈이가 화장을 할지도 모른다
고 생각하면서도 그냥 내버려두고 있는 거예요?"

예슬이 엄마는 따지고 들듯 기를 세웠다.

"그럼 어쩌겠어요. 감추고 숨기면서 안 하는 척하는 게 낫
지, 어설프게 건드렸다가 그래 좋다, 나 화장한다 하고 눈앞
에다 펼쳐놓고 화장해 대면 그땐 어쩔 건데요. 그리고 화장

속이는 것 뿌리 뽑겠다고 학교 사물함 깨부수고, 딸년 멱살 잡고 떡볶이집이고 편의점이고 들쑤셔보세요. 딸 완전 쪽팔려서 다음 날로 왕따 신세 되고, 어쩌면 딸 저승길로 보낼 수도 있어요. 그런 망신당하고 어떤 앤들 살려고 하겠어요. 옛 어른들이 하셨던 말씀 있잖아요. 세상살이 그저 보고도 못 본 척, 듣고도 못 들은 척, 알고도 모르는 척하며 사는 거라고, 자식 문제를 그래야 하는 것 아닌가 싶기도 하고 그러네요."

갑자기 다빈이 엄마가 색달라 보이고, 돋보이는 느낌이었다. 자신은 그렇게 여유롭고 넓게 생각하려 한 적이 없기 때문에 최미혜는 약간 멋쩍고 부끄럽기도 했다.

"네에, 다빈이 엄마 말이 참 좋네요. 그렇지요. 도둑을 쫓아도 막다른 골목으로 쫓지는 말라고 하셨으니까요. 옛 어른들 말씀이 다 깊은 뜻을 품고 있어요."

최미혜는 다빈이 엄마에게 다정한 웃음을 보냈다.

"미우나 고우나 자식이니 어쩌겠어요."

최미혜는 고개를 끄덕이며 지난날을 생각했다. 자신도 고등학교 때 이모의 립스틱을 슬쩍해 발라본 적이 있었고, 관람 불가의 애정 영화를 보려고 친구들과 변두리 극장을 골라다니지 않았던가. 그러나 딸이 화장을 하고 있다면 용납할 것 같지 않은 이 심사는 무엇인지, 자기 마음을 스스로도 알

수가 없었다. 그게 엄마의 마음이려니 할 수밖에 없었다.

최미혜는 운동을 간단히 마치고 귀가를 서둘렀다. 딸이 학교에서 돌아올 시간인 4시 전에 도착해야 했기 때문이다. 그녀의 일과는 딸이 움직이는 시간에 꼭 맞추어져 있었다. 아침 기상에서부터 저녁 취침까지 빈틈이라고는 있을 수 없었다.

최미혜는 오후 4시 10분 전에 아파트로 들어섰다. 대문 키 버튼을 누르면서 습관적으로 시계를 보았다. 4시 6분 전이었다. 공부는 시간과의 싸움이다! 그녀의 마음에 굳건히 세워져 있는 첫 번째 신조였다. 공부는 노력과의 싸움이다. 두 번째 신조였다. 공부는 결심과의 싸움이다. 세 번째 신조였다. 영어 실력 짱이라는 학원 원장님이 학부모들 면담에서 해준 말이었다. 그 세 가지만 철통같이 지켜 실천하면 SKY 대학은 열 번도 들어갈 수 있다고 박력감 넘치게 말했고, 학부모들은 열렬하게 박수를 보내며 그 세 가지를 굳은 신조로 가슴 한복판에 깊이 심었다.

그런데 원장이 말한 세 번째는, '공부는 자신과의 싸움이다'였다. 그런데 그 자신이라는 게 명확하지 않고 딱 잡히는 게 없었다. 너 자신을 알라. 자신과의 대화. 자신을 발견하는 명상법. 자신을 자신 있게 다스리는 법. 이런 말들을 보고 들을 때마다 그 뜻이 막연하고 모호해서 감정과 일치되지 않고 겉돌고 멀게만 느껴졌다. 자신이 오래 그래왔는데 어린 딸에게는 더 그럴 것이었다. 그래서 확실하고 손에 딱 잡히는 말, '결심'으로 바꿔치기했던 것이다. 그리고 말로만 하지 않고 그 세 가지를 서예학원 원장님한테 거금을 주고 써 받아 딸애의 책상 앞에다 떡 걸어주었다. 딸애는 그 큼찍한 글씨의 명언을 날마다 보고 보고 또 보지 않을 수 없었다. 그렇게 가슴에 아로새기며 공부를 하는데 SKY 대학에 못 들어갈 리가 없었다.

"아줌마, 딴 일 그만두고 빨랑 과일 깎아요. 오늘 수요일이니까 망고로 해요."

최미혜는 거실로 들어서며 파출부에게 소리쳤다. 딸이 4시 정각에 들어서면 자칫 과일 준비가 늦을 수도 있었던 것이다. 영양의 균형을 맞추기 위해 반찬을 요일에 따라 고루고루 준비하듯 오후 간식 겸한 과일도 날마다 바꾸고 있었다. 그녀가 네 번째로 추가한 것이, 공부는 체력과의 싸움이다였던 것이다. 대학 입시까지 마라톤을 찜 쪄 먹을 만큼 장기전이 펼쳐지고 있는데 체력이 달려서는 될 일이 아니었다. 딸년이 그렇게 후리후리하게 커버린 것도 정성 다 바친 밥상의 효과였다. 남녀가 모두 평균키가 10센티미터 이상 쑥 커져버린 시대에 딸애는 우선 육체적 성공을 거뜬히 거둔 것이었다. 그녀는 자신이 세운 그 업적에 크게 만족하고 있었다. 그렇게 대학 입시도 반드시 성공시키고야 말 작정이었다. 돈이 없나, 체력이 없나, 안 될 리가 없는 일이었다.

"어, 어……, 이거 왜 이래?"

옷을 갈아입고 시계를 본 그녀는 깜짝 놀랐다. 4시 1분인데 딸이 돌아온 기척이 없었던 것이다. 혹시 내가 잘못 들었나 생각하며 그녀는 급히 거실로 나섰다. 역시 딸의 기척은 없고, 식탁 위에 망고 접시만 고요했다.

"학교에서 무슨 일 있나……?"

그녀는 중얼거리며 또 시계를 보았다. 4시 2분이었다. 공부는 시간과의 싸움이다! 그녀는 입을 꾹 다물며 현관문을 쳐다보았다. 그 눈길은 노려보는 것으로 변하고 있었다. 한참을 노려보고 있었지만 문은 열리지 않았다.

"이상하네, 분명히 화요일, 6교시뿐이잖아."

그녀는 짜증스럽게 내뱉었다. 월·화·금은 6교시로 4시 귀가였고, 수·목은 7교시로 4시 30분 귀가였다. 6교시가 있는 날은 특별히 친구들과 어울릴 한 시간의 자유 시간을 허락하고 있었다. 그런데 늦는다니, 말이 안 되는 일이었다.

그녀는 참고 있던 화장실을 갔다.

'설마 무슨 일 생긴 건 아니겠지…….'

그녀는 불길한 생각을 털어내며 화장실을 나섰다. 다시 시계를 보았다. 4시 5분.

"얘 좀 봐, 미쳤나!"

그녀는 짜증을 부리며 오른손으로 허공을 쳤다. 과일 먹고 바로 공부를 시작해야 한다. 한 과목이 아니라 두 과목 공부다. 그런데 이렇게 시간을 까먹고 있다.

밖으로 나가볼까 하며 몇 걸음 옮기다가 멈추었다. 엘리베이터 안에서 주민들 만나는 게 싫었다. 몇 년씩 같은 동에 살아도 아무런 정이 통하지 않는 사람들. 그들은 종로나 광화문에서 스치는 타인들과 마찬가지였다.

그녀는 식당으로 가 냉수를 한 잔 따라 마셨다. 목이 마른 것이 아니었다. 자꾸 화가 나려 하기 때문이다.

물컵을 내려놓으며 또 시계를 보았다. 4시 6분.

'요게 정말……, 아니야, 정말 무슨 일이 생긴 건 아닐까……'

자꾸 불길한 쪽으로 생각이 기울려고 하고 있었다. 그녀는 거실을 서성이다가 안방으로 들어갔다. 파출부가 말끔하게 치워놓아 더 손댈 데가 없었다. 괜히 장롱문을 열었다 닫았다 했다.

'아아, 1분씩이 어찌 이리도 긴가.'

또다시 시계를 보았다. 4시 7분. 그녀의 인내는 한계에 도달해 있었다. 그때 대문의 키 버튼 누르는 소리가 멀게 울려왔다.

"야, 이 미친 기집애야!"

그녀는 억누르고 있던 화를 토해내며 안방을 뛰쳐나왔다.

"어엄마아……."

막 현관문을 들어서던 예슬이는 화들짝 놀라 엄마를 멍하니 쳐다보았다.

"너 정신 있어, 없어! 뭐 하고 자빠졌다가 이따위로 시간 까먹고 이래!"

그녀의 눈초리에서도 목소리에서도 시퍼런 칼날이 번뜩이고 있었다.

"말 그렇게 막하지 마. 다 늦을 이유가 있었다구."

예슬이는 냉정하리만큼 침착하게 대응하며 눈을 흘겼다.

"뭐야, 그 이유가!"

그녀는 딸에게 바짝 다가서며 다그쳤다. 그런데 키 차이가 너무 심해 엄마로서의 위엄이 그만 깨지는 느낌이었다. 고개를 발딱 뒤로 젖혀 딸을 올려다보게 되었으니 그건 분명 그녀의 작전 미스였다.

"친구가 갑자기 배가 아파 병원에 데려다주고 왔잖아."

예슬이가 엄마의 눈길과 맞서며 좀 짜증을 내는 듯 말했다.

"그게 누구야, 이름 대!"

그녀는 바락 소리쳤다.

"아, 딸을 못 믿어 확인하시게? 그래 좋아, 당장 확인하셔. 김미엽, 폰 번호 거기 있으니까 당장 눌러서 나 완전 쪽팔리게 만들고, 엄마도 맘껏 쪽팔려서 우리 학교 스타 한번 돼보셔. 난 그날로 학교 안 다니면 그만이니까, 확인하셔, 어서 하셔."

예슬이는 숨도 안 쉬고 이렇게 쏟아놓으며 핸드폰을 엄마 코를 칠 듯이 자꾸 디밀었다.

"너……, 너……, 사실이면 됐지, 화가 나서 엄마가 그런 말도 못해?"

그녀는 딸의 역습에 완전히 한풀이 꺾여 밀리고 있었다. 그게 사실이라면 딸애의 말대로 완전 쪽팔리는 일일 것은 틀림없었다. 딴짓을 하다가 늦었더라도 아까 다빈이 엄마 말처럼 알면서 모르는 척 여기서 마무리 지을 수밖에 없었다. 더 많이 늦지 않은 걸 다행으로 여기며.

"됐어, 어서 손 씻고 와서 과일 먹어."

그녀는 딸의 입술과 눈을 빠르게 훑으며 돌아섰다. 눈은 괜찮은데 입술은 아무래도 께름칙했다. 워낙 살색이 건강해 도도록한 입술은 투명한 분홍빛으로 윤기가 자르르했지만 거기에 왠지 립스틱이 배어든 것 같은 느낌을 지울 수가 없었다. 학교에서 칠하고 집에 돌아오기 전에 지우는…….

"오늘은 국어 논술 숙제하고, 수학 과외 숙제지?"

그녀는 언제나처럼 딸의 맞은편에 앉아 학원에 가기 전까지 한 시간 동안 할 공부를 챙겼다.

"……."

딸도 언제나처럼 아무 대꾸도 없이 잘게 칼질 된 망고만 먹고 있었다. 그 새치름한 얼굴에는 여러 가지 표정들이 얽혀 있었다. 그것을 한마디로 뭉뚱그리면 울며 겨자 먹기였다.

'헹, 니가 그따위로 뿌루퉁하고, 지뿌드드하고, 떨떠름하고, 씁쓰름한 얼굴로 마땅찮아한다고 해서 내가 끄떡이나 할 것 같으냐. 난 죽어도 널 SKY 대학에 넣기로 작심하고 내 인생 올인하기로 딱 정한 사람이야. 니가 아무리 힘들고 지겨워한다고 해도 아무 소용 없어. 그따위 잔꾀는 안 통해. 암, 절대로 안 통하지. 어디 누가 이기나 두고 보자.'

최미혜는 쓴웃음 서린 입술을 속으로 잘근거리며 딸을 곁눈질하고 있었다.

"나 들어갈래."

망고를 먹는 둥 마는 둥 하고 예슬이는 의자를 거칠게 뒤로 빼며 몸을 일으켰다.

"응, 그래. 한 시간 공부 파이팅이다!"

최미혜는 목소리 칼칼하게 외치며 함께 일어섰다.

그녀는 딸이 무거운 걸음으로 제 방으로 들어가는 것을 지켜보고 있었다. 마음 같아서는 함께 따라 들어가서 공부하는 것을 내내 지켜보고 싶었다. 벌써 오래전에 그것을 시도했다가 얼마나 크게 충돌이 일어났는지 몰랐다. 딸은 사생결단 저항하고 대들었다. 그런 식으로 숨 막히게 감시하고 간섭하면 아예 학교를 때려치우겠다고 나섰다. 그 기세가 단순한 엄포가 아니었다.

"그건 엄마가 과하신 겁니다. 그런 것까지 순종할 아이는 하나도 없습니다. 믿으세요. 그리고 자제하세요."

학원 원장이 판결 내리듯 단호하게 한 말이었다.

방문을 닫은 예슬이는 목이 터져라 하고 속으로 만만세를 외쳐대고 있었다. 엄마를 한 방에 완전 박살을 내고 만 것이었다. 그 통쾌함이라니, 한여름에 콜라 맛이 댈 게 아니었고, 한겨울에 어묵 맛이 댈 게 아니었다.

김미엽 고것이 그렇게 신나고 화끈한 경험담을 털어놓을 줄 어찌 알았던가. 아, 아, 그런 얘기는 왜 들어도 들어도 새롭고 가슴 벌렁거리고 마음이 동하는 것일까.

"말 마. 그 앨 딱 보는 순간 가슴에서 무슨 뜨거운 것이 확 솟으면서 정신이 뿅 가는 거야. 얘, 그런 말 있잖아. 남녀가 서로를 보고 화끈하게 사랑을 느끼게 되는 덴 0.2초밖에 안 걸린다는 것. 그 말은 진리야, 진리. 나하고 그 애하고 그리된 거야. 그래서 우린 학원도 땡땡이치고 데이트에 나섰지. 그리고 어두워지자 한강 변에서……."

김미엽은 말을 멈추고 주스잔을 들었다.

"기집애야, 거기서 말을 멈추면 어떡해." 예슬이가 마른침을 삼켰고, "빨리빨리 마셔", 손하리가 빠른 손짓을 했다.

"누가 먼저랄 것이 없었어. 우린 와락 끌어안고 키스를 하기 시작했어. 키스가 뜨거워질수록 정신이 아릿아릿해지는데, 그 애의 혀가 내 입속으로 쑥 들어왔어. 그때……!"

김미엽이 또 주스잔을 들었다.

"아 또 왜 여기서 멈추냐."

"너 일부러 그러는 거지?"

"니들이 뭘 알아. 이 목 타는 심정을……."

"알았어. 빨랑 마시고 어서 해."

"그때 한 가지 생각이 딱 떠올랐어."

"무슨?"

"결혼하고 싶다고?"

"후지게 결혼은."

김미엽은 희게 눈을 흘겼다.

"말 끊지 말라니까."

"얘가 일부러 뜸 들이는 거야."

"있잖니, 그게 뭐냐면 말이지, 이대로 세상이 끝나도 그만이다 하는 황홀함에 빠져드는 거야."

"화아, 하여튼 웃기는 기집애야. 첫날 키스까지 해버리고. 선행학습 뺨친다."

"웃기기는 뭘 웃겨. 이 도령, 춘향이에 비하면 진도 떨어진 거지. 걔네들은 첫날에 첫날밤 팍 치러버렸잖아."

"어머, 요 기집애 말하는 것 좀 봐. 이 도령, 춘향이야 성인이었잖아."

"요 무식한 기집애! 이팔청춘, 열여섯. 우리와 동갑이었다구."

"어머머, 글쿠나!"

이런 얘기에 취하다 보니 그만 시간도 취해버린 것이었다.

그 얘긴 다시 생각해도 몸 조여들게 부끄러우면서도 더없이 흥미진진하기만 했다. 얼마나 황홀했으면 그대로 세상이 끝나도 좋다는 생각이 들까…….

예슬이는 그 답을 찾으려는 듯 자꾸 책장을 넘기고 있었다.

나는 나야

최미혜는 입맛이 떨어질 정도로 이틀 동안 생각하고 또 생각했다. 아무리 골똘하게 생각해도 그 방법밖에는 없었다. 딸이 딴 데 눈 팔지 않고 공부에만 온 정신 다 바치게 하는 것. 그건 철저하게 옆을 지켜 잠시라도 빈틈을 주지 않는 것이었다.

최미혜는 딸이 오후 4시에 학교에서 돌아오자 그 말을 꺼낼까 말까 몇 번을 망설였다. 그러나 학원을 다 마치고 돌아오는 밤으로 미루기로 했다. 괜히 딸애가 못마땅해서 말이 길어지게 되면 아까운 공부 시간을 까먹게 될 거였다. 그리고 기분이 안 풀리면 학원 공부도 망칠 수 있었다.

딸은 학원이 끝나고 정확히 10시 30분에 귀가했다. 최미혜는 탁자에 주스 한 잔을 갖다 놓고 딸이 세수를 하고 나오기를 소파에서 기다렸다. 그런데 그녀는 자꾸 가슴이 두근거리는 것을 느끼고 있었다.

'참 나, 같잖네. 자식도 머리 커지면 어려워진다더니 내 꼴이 그렇네. 신경 쓰지 말고 밀어붙여. 단단히 틀어쥐지 않으면 탈은 나는 법이니까.'

그녀는 주먹을 말아 쥐고, 어금니도 꾸욱 맞물었다. 딸애는 그날 의심한다고 펄펄 뛰었지만, 친구를 병원에 데리고 갔었다는 말은 전혀 믿을 수가 없었다. 그 사실을 확인할 방법이 없어서 그저 덮고 넘어간 것뿐이었다. 그 불신감이 오늘의 결정을 내리게 만든 것이었다.

"예슬아, 일루 좀 와서 앉아라."

"왜에……?"

수건으로 머리를 닦으며 화장실에서 나오던 예슬이가 옆눈길로 엄마를 쳐다보았다. 그 어조에 '왜 또 그래?' 하는 반감이 들어 있었다.

"중요한 얘기니까 어서 앉아."

최미혜는 앉음새를 다잡으며 확실한 명령조로 말했다.

"……?"

예슬이는 아주 빠르고 짧게 고개를 갸웃하며 소파에 앉았다.

"미리 말하는데, 내 말 듣고 되니, 안 되니 여러 말 하지 말아." 최미혜는 딸을 쏘아보듯 하며 강한 어조로 말하고는, "내가 내일부터 널 등교부터 시작해서 학원 끝내고 돌아올 때까지 완전 서비스하기로 했다", 그녀는 한달음에 말을 해치웠다.

"아니, 뭐, 뭐라구?"

예슬이의 목소리가 쨍하니 찢어졌다.

"자가용으로 착착 모시겠다 그거야."

"어엄마아아!"

목청이 터지도록 소리를 질러대는 예슬이는 부르르 떨고 있었다.

"아니, 얘가 왜 이래, 얘가. 너 미쳤니?"

최미혜가 당황스럽게 말했다. 그만큼 눈 부릅뜬 예슬이는 무서웠다.

"그래, 나 미쳤어. 엄마가 날 미치게 만들고 있잖아."

더 거세게 소리치는 예슬이의 눈에서는 섬뜩한 푸른빛이 내비치고 있었다. 그 사나운 기세가 엄마를 향해 곧 덤벼들기라도 할 것 같았다.

"왜 널 미치게 만들어? 편케 해주겠다는 건데."

최미혜는 딸에게 눈화살을 쏘며 침착하게 말했다. 딸애의

저 억센 기세에 눌리거나 꺾여서는 어미로서 위기라는 것을 그녀는 분명히 인식하고 있었다.

"치사하게 왜 거짓말하고 그래. 옆에 아주 찰싹 붙어 다니면서 더 감시하고 더 못살게 굴려고 하는 속셈 빤히 다 보이는데."

"너 이제 보니 평소에 이 엄마 속이면서 뭘 많이 잘못하고 다니는 모양이지? 그렇지 않고서야 왜 그렇게 펄펄 뛰어? 내가 차로 척척 모시면 버스 타느라고 고생 안 해서 좋고, 시간 절약되니까 공부 더 많이 할 수 있어서 좋고, 안 그래?"

"또 공부 타령이야? 지금까지 비비 틀고 몰아댄 것만으로도 숨 막히고 지긋지긋한데 이젠 아주 죽일 작정이야!"

"얘, 이까짓 걸 가지고 무슨 엄살이냐, 엄살이. 고등학교 올라가면 어떻게 되는지 몰라서 그래? 하루에 네다섯 시간도 못 자고 빡세게 해야 한다는 말 다 듣고 있잖아. 그때에 대비해서 지금부터 슬슬 강도를 높여야 한다 그거야."

"싫어, 난 그렇게 미친 것처럼 공부하는 것 싫다구!" 예슬이는 더 목 찢어지게 소리치며 수건으로 소파를 내려치고는, "친구들도 못 사귀고 차에 실려 왔다 갔다 하면서 나 혼자 외톨이로 떨어져 사는 것, 난 죽어도 싫어!" 그 애는 부르르 떨며 이까지 맞갈았다.

"뭐, 죽어도 싫어? 엄마가 널 위해 봉사하고 희생하겠다는데 고마워하기는커녕 죽어도 싫어? 그따위 버르장머리가 어딨어!"

최미혜도 딸의 기세에 못지않게 드세게 나갔다. 딸의 거부가 강할수록 의심이 커졌고, 그럴수록 자기 뜻을 반드시 실행하려는 의지가 강해지고 있었다.

"헹, 날 위해 봉사하고 희생한다고? 새빨간 거짓말 하지 마. 그건 봉사고 희생이 아니라 간섭이고 구속이고 억압이야. 아휴우, 나 미치겠어!"

"이게 어디서 입만 살아가지고, 니까짓 게 공부를 했으면 얼마나 했다고 미치겠다는 거야. 아직도 갈 길이 창창하게 남았는데."

"아니, 엄마는 양심도 없어? 날 몇 살 때부터 과외시켰는지 잊어버렸느냐구. 유치원 들어가기 전부터 영어 과외, 국어·산수 과외, 유치원 들어가서는 그런 과외에다가 피아노 과외, 수영 과외, 초등학교 다니는 내내 그런 과외 계속하면서 성악 과외로 바꾸고, 기타 과외로 바꾸고, 심지어 여자애한테 태권도까지 과외 시켰잖아. 그리고 중학생이 되자 단 하루도 빠지지 않고 국영수 과외 뺑뺑이를 돌리고 있잖아. 내 인생은 비참한 과외 인생이야, 과외 인생. 엄마 뜻대로 몰아붙인 과외 인생이라고. 근데 그것도 모자라 이젠 애완견처럼 목줄을 묶어 꼼짝달싹 못하게 끌고 다니겠다고? 난 그건 죽어도 못해. 차라리 학교를 때려치우고 말지."

예슬이는 또 수건으로 소파를 내려쳤다.

"뭐야? 학교를 때려치워? 왜 너만 그게 싫다는 거야? 느네 학교에도 자가용으로 등하교하는 애들 많잖아?"

"있어, 더러 있어. 그치만 난 친구도 못 사귀고 그렇게 사는 건 싫다니까."

"그놈의 친구, 친구. 친구들하고 무슨 짓을 하길래 친구가 그렇게 중요하니? 이 멍청아, 친구도 다 적이야, 경쟁의 적!"

"엄만 학교 전혀 안 다닌 사람처럼 어떻게 그렇게 무식하게 말해. 친구가 왜 안 중요해. 난 공부만큼 중요해. 이 세상 엄마들이 다 공부에 미쳐서 자식들만 보면 공부해라, 공부해라, 공부해라 하며 들볶아대고 못살게 구는데, 애들이 그 지독한 스트레스에 시달리면서도 무슨 힘으로 사는지 알아? 친구들 끼리 서로서로 수다 떨며 스트레스를 풀어주니까 그 힘으로 겨우겨우 사는 거라고. 근데 엄마는 날 차 태워가지고 다니면서 그런 친구들을 싹 다 떨어뜨려버리겠다구? 그건 딸 하나 있는 거 죽이자고 작정하는 짓이야."

"야, 말조심해! 내가 널 죽이자고 작정해? 입이라고 열면 다 말인 줄 알아? 버르장머리 없이."

최미혜는 일부러 감정을 돋우어 바락 소리쳤다. 딸애 말을 들어보니 뭔가 약간 켕기는 것 같은 생각이 들었기 때문이었다.

최미혜는 장식장 옆의 시계를 힐끔 쳐다보았다. 벌써 30분이 지나 있었다. 11시 30분 취침까지 밤공부 시간 절반을 까먹어버린 것이었다. 그 시간이 아깝지만 여기서 이야기를 중단시킬 수는 없었다. 나머지 30분을 더 까먹더라도 자신의 목적은 반드시 달성시켜야 했다.

"엄마는 부모라고 무조건 윽박지르고 억눌러서 무슨 일이건 억지로 밀어붙여대는데, 이번 일은 절대 안 돼. 난 엄마 차 절대로 안 타!"

예슬이는 목소리보다 더 강하게 머리를 짤짤 흔들어댔다. 세찬 바람을 타고 휘날리는 말갈기처럼 그 애의 긴 머리칼이 허공에서 수평의 춤사위를 이루며 교차했다. 거부의 뜻이 그보다 명료할 수는 없었다.

"뭐, 절대 안 타? 난 절대로 태울 거야. 꼼짝달싹하지 말아."

"아이구우우, 미치겠네. 엄마, 정말 왜 그러는 거야. 나 정말 미치겠어!"

예슬이는 정말 속이 터진다는 듯 마구 엉덩방아를 찧어댔다.

"너 좋으라구, 너 공부 더 많이 하게 시간을 벌어야 하니까."

"엄마, 난 고3이 아니고 중3이라구. 지금도 아침 7시 30분에 일어나 밤 11시 30분까지 빡빡하게, 빡세게 공부하고 있다구. 중3이 그보다 무슨 공부를 더 해?"

"너 6교시만 하는 월·화·금은 한 시간씩이나 친구들하고 수다 떨며 보내버리잖아. 폼 나는 고등학교로 진학하려면 이젠 그런 시간 낭비는 절대 안 돼. 일분일초라도 아껴서 공부에 집중해야 하니까 내가 나서서 시간 관리를 해주겠다 그거야. 이래도 엄마 말 이해가 안 되니?"

"글쎄, 엄마가 안 나서도 내가 다 알아서 한다니까."

"잔소리 말아. 니가 뭘 다 알아서 해. 넌 부모의 보호가 절대 필요한 미성년자야. 미성년자는 부모가 시키는 대로 따라서 하도록 돼 있어."

"좋아, 엄마가 24시간 졸졸 따라다니면서 관리한다고 모든 게 엄마 뜻대로 착착 될 것 같애?"

예슬이가 엄마를 옆눈길로 차갑게 쩨려보며 코웃음을 쳤다.

"되지 왜 안 돼!"

최미혜는 딸애의 태도와 코웃음이 불길하게 신경에 거슬려 일부러 강하게 대꾸했다.

"흥, 엄마들은 다 저렇게 허당이야. 자기들이 다 똑똑한 줄 아는데, 웃기는 일이라구."

예슬이는 긴 다리를 착 꼬아 올리며 혼잣말을 하고 있었다.

그런 딸의 비웃음이 신경에 거슬려 최미혜는, "너 지금 무슨 소릴 꿍얼대는 거냐? 할 말 있으면 똑바로 해" 하며 딸에게 눈총을 쏘았다.

"좋아, 엄마한테 좋은 본보기가 되고, 충고가 될 수 있으니까 얘기해 드리지. 우리 학교에 엄마보다 더 극성을 부려 딸을 중1 때부터 자가용에 태우고 다닌 엄마가 있었어. 그 애는 잘 때만 빼놓고 어디를 가든 엄마의 그림자 경호를 받았어. 물론 학원에도 엄마가 꼭 데려다주고, 데려오고 했지. 그런데 괴상망측한 일이 벌어졌어. 그 딸이 밥을 잘 못 먹고, 자꾸 헛구역질을 하고 그러는 거야."

"어머, 임신을 한 거야?"

최미혜가 화들짝 놀랐다.

"역시 우리 엄마 귀신."

"그게 어떻게 된 일이야? 빨랑 얘기해."

"눈치 9단인 엄마가 금방 알아차릴 텐데. 어찌 된 일일까? 미치고 환장할 것은 그 애 엄마였어. 도저히 있을 수 없는 일이었으니까. 엄마도 딱 꽂히는 게 없는 눈치네?"

"아, 답답해. 빨랑 말해."

"옥상이야."

"옥상?"

"응, 학원 옥상."

"옥상에서……? 누구랑?"

"누구는, 남자지."

"남자? 그럼 학원 어떤 사람한테 당한 거야?"

"아아니, 사랑한 사람."

"사랑?"

"남친이었다구."

"남친이라니?"

"아, 학원에서 사귄 남친."

"그럼 학생이란 말야?"

"당근이지."

"아이고 맙소사. 그 엄마 쫄딱 망했네."

최미혜는 두 손으로 머리를 감쌌다.

"그래, 엄마도 낼부터 그 엄마처럼 날 졸졸 따라다니면서 지켜. 그럼 그 수고에 보답하기 위해 나도 딱 임신해 드릴 테니까."

예슬이는 그때까지 마시지 않았던 주스잔을 들어 단숨에 들이켰다.

"요런 못된 기집애, 말하는 꼴하고는."

최미혜는 빈 주먹질을 해댔다.

그때 딩동딩동 벨이 울렸다.

"맞다! 이 일 아빠한테 물어봐야지. 엄마 혼자 결정할 일이 아니지."

반색을 한 예슬이가 몸을 발딱 일으키며 손뼉을 쳤다.

"네에에, 나가요오오!" 최미혜는 현관문을 향해 길게 외치고는, "너 들어가, 잔말 말고 빨랑 들어가" 하며 딸을 방으로 떠밀어 넣었다.

최미혜는 현관으로 뛰어나가며 자신의 계획이 뜻대로 되지 않을 것 같은 생각이 들었다. 딸애의 반발이 뜻밖에도 거센데다, 아빠는 언제나 외동딸 편이었던 것이다. 딸이 아빠한테 한마디만 했다 하면 남편은 즉각 반대하고 나설 것이 뻔했던 것이다. 또한 남편은 다른 집 아빠들처럼 자식 공부에 별 관심이 없었다. 더구나 여자애이고 하니까, 잘하면 좋지만 억지 부릴 건 없다는 식으로 속 편한 입장이었다.

이튿날 아침 예슬이는 언제나처럼 엄마가 깨워서야 일어났다. 정확하게 7시 30분이었다.

"어머, 아빠는?"

예슬이는 다른 날과 달리 꾸무럭거리지 않고 벌떡 몸을 일으켰다.

"헹, 이미 연습장에 도착하셨을 거다."

최미혜는 딸에게 코웃음을 날리며 돌아섰다.

"어쩌면 좋아. 아빠 나가시기 전에 꼭 만나려고 했는데."

예슬이는 우는소리를 하며 발을 굴렀다.

"잠보가 억울할 게 뭐 있어. 빨랑 세수하고 밥이나 드셔."

예슬이는 엄마 뒤를 따라 방을 나서며, 아침에 엄마가 하는 것을 봐서 낮에라도 폰을 때릴 작정을 했다. 아빠는 다른 집 아빠들하고 달랐다. 대부분의 애들은 즈네 아빠를 찌질이라고 생각하고 있었다. 죽어라고 돈을 벌어다 엄마한테 바치면서도 언제든지 큰소리 한번 못 치고 비실비실하기 때문이었다. 그러나 자기 아빠는 달랐다. 엄마가 꼼짝을 못하는 짱이었다. 돈도 많이 버는 사장님이었고, 남자로서 카리스마도 빵빵했던 것이다.

예슬이는 계란 프라이 하나, 빵 한 쪽, 우유 한 컵, 바나나 반 쪽을 아침으로, 맛없이 먹었다. 아침마다 수면욕과는 반대로 식욕은 꺼끌꺼끌했다. 늘 아침 식사는 하고 싶지 않았지만 엄마가 딱 앞에 지키고 앉아 있었다.

"아침을 안 먹으면 뇌가 작동하지 않아. 공부를 제대로 하려면 아침은 선택이 아니라 필수야."

유식하기 그지없는 엄마의 말이었다. 엄마의 모든 것은 그저 공부, 공부에 연결되어 있었다. 그리고 공부에 좋다는 것은 줄줄이, 수도 없이 많이 알았다.

예슬이는 조마조마하며 가방을 한쪽 어깨에 메고 방을 나섰다. 그런데 엄마는 옷을 갈아입지 않았고, 따라나설 기미도 보이지 않았다.

"오늘은 그냥 가. 좀 더 생각해 볼 테니까."

최미혜는 딸에게 눈을 흘기며 냉정한 듯 말했다.

"아예 포기하셔. 강행하는 날에는 딱 임신해 드릴 테니까."

예슬이는 준비하고 있던 말을 날렸고, "미친년! 말이 씨 된다" 하며 최미혜는 딸의 등짝을 철썩 때렸다.

"오늘은 왜 미인도(화장) 안 그려?"

김미엽이 '잊을 게 따로 있지' 하는 눈길로 말했다.

"응, 그럴 일이 좀 있어."

예슬이가 콧등을 찡그리며 혀를 찼다.

"그럴 일? 교육청에서 경찰 아저씨(장학사나 감사반)라도 띄운다던?"

손하리가 입을 삐쭉했다.

"그보다 더 쎈 데서 출동할 수도 있어."

예슬이가 쓴 입맛을 다셨다.

"니가 화떡(화장 떡칠) 안 하니까 우리 친구 같질 않아. 쟤가 누구지 하는 생각이 들구, 이상해 얘."

김미엽이 고개를 저었다.

"어디 그것만? 미인이 하나 없어져서 영 풍경이 안 좋아."

손하리가 두 손바닥을 쫙 펴 예슬이 눈앞에다 × 자를 만들었다.

두 사람의 말은 그들이 화장을 하는 몇 가지 이유 중 하나씩을 드러내고 있었다. 김미엽의 말은 '동류의식'의 표현이었다. 그리고 손하리는 '예뻐지고 싶은 욕망'을 말하는 것이었다. 그뿐만 아니라 그들은 화장을 하고 나면 '나도 이만하면 나비가 수십 마리씩 날아들게 생겼잖아' 하는 자신감과, 스스로에게 어떤 남다른 가치가 생긴 것 같은 확신을 가질 수 있었다. 또한 모든 것을 자기 마음대로 하는 자유를 가질 수 있는 '어른이 되고 싶은 욕망'도 그들을 자극하고 있었다. 그리고 그들이 화장을 하는 가장 큰 이유는 '공부 스트레스를 해소'할 수 있기 때문이었다.

시험 때만 되면 그들의 화장은 발악적으로 극에 달했다. 그들의 입술은 평소보다 몇 배 진하게, 방금 잡은 생고기를 씹은 것처럼 핏빛으로 새빨갛게 번들거렸고, 눈 가장자리에는 아이섀도를 최대한 넓고 크고 진하게 덕지덕지 맥질을 해 눈이 두 배로 크게 보이게 하는 스모키 화장을 했다.

그들의 그런 요란스러운 화장은 공부 시간이면 거의 보이지 않았다. 책을 내려다보는 고개 숙인 포즈는 자연스럽게 그들의 긴 머리카락이 얼굴을 거의 다 가리는 커튼 역할을 해주었고, 그들의 도깨비 화상은 그 뒤에서 안전하게 피신을 하고 있었다. 그러니 그런 데 별 관심이 없는 남자 선생들은 그냥 지나치기 마련이고, 그 실태를 다 아는 여자 선생들은 그저 못 본 척 넘겼다. 두 가지 이유 때문이었다. 학생들이 끈질기게 규정을 위반해 가면서 두발 자유화를 성취해 냈듯이 그들은 선생들이 아무리 저지하고 꾸짖고 나무라도 몇 년에 걸쳐 모두가 말을 안 들음으로써 화장 자유화를 성취해 가고 있는 과정이었다. 그리고 학칙에는 화장 금지가 있지도 않았다.

"중국 사람들만 우리나라 화장품 회사들을 폭발적으로 신장시키는 신종 주주들이 아니구나. 대형 회사들은 중국 사람들이, 중소업체들은 너희들이 팍팍 밀어주고 있으니 우리나라 화장품 회사들이 재벌 랭킹 상위를 차지할 날도 머지않았다."

어떤 선생들이 푸념조로 하는 말이었다. 학생들은 값비싼 대형 회사의 제품은 못 쓰고 저가 브랜드에 몰리고 있었다.

그리고 화장을 애써 제지하지 않는 또 하나의 이유는 학생들 거의가 다 하교할 때는 화장을 지우기 때문이었다. 그들은 부모의 눈과 사회의 눈을 그나마 무서워하고 있었던 것이다.

"그럼 느네 엄마가 언제 공항 탐지견으로 변할지 모르잖아?"

손하리가 겁먹은 얼굴로 물었다.

"글쎄에……."

예슬이가 아랫입술을 꼭꼭 물었다.

"글쎄가 아니야. 낼부터라도 차에 답삭 태우면 어쩔래?"

김미엽이 예슬이의 어깨를 쳤다.

"어쩌긴 어째. 신예슬 인생 쫑 나는 거고, 우리 인생도 김새는 거지."

손하리가 한숨을 푹 내쉬었다.

"걱정 마. 나한테 큰 빽이 하나 있으니까."

예슬이가 입을 앙다물었다.

"큰 빽?"

김미엽과 손하리가 이해 못할 소리라는 듯 서로 눈길을 마주쳤다.

"있어. 우리 아빠."

"아빠아아?" 손하리가 말을 길게 끌며 어이없어했고, "느넨 여왕제가 아닌 거야?" 김미엽이 고개를 갸우뚱했다.

"그래, 남왕제다, 어쩔래? 우리 아빤 카리스마 신!"

예슬이가 손가락으로 딱 소리를 냈다.

"증말?"

"어쩜 그러니, 넘넘 부럽다. 넌 그것 하나만 가지고도 우리보단 백배는 행복한 거야. 아빠 무조건 딸 편이잖니." 김미엽이 손을 마주 잡으며 부러워했고, "야, 느네 아빠 근사하고 멋지시다. 요새 세상에 남왕 자리를 지키시다니. 그렇담 나 딱 믿었다", 손하리가 손바닥을 쫙 펴 내밀었고, 예슬이가 그 손바닥을 찰싹 맞때렸다.

"그럼, 느네 엄마가 몰래 뒤밟고 염탐할지도 모르니 며칠 조심하겠다 그거니? 그것도 나쁜 방법은 아니지."

김미엽은 입술을 씰그러뜨리며 마땅찮은 표정을 지었다.

"느네 엄마, 그딴 짓 한다면 너무 쪼잔한 것 아니니?" 손하리가 짜증스럽게 말했고, "내 말이" 하며 김미엽이 혀를 찼다.

"우리 엄마만 쪼잔하니? 쪼잔한 거야 이 세상 엄마들 주특기잖아."

예슬이가 내쏘며 눈을 흘겼다.

"ㅋㅋㅋ……. 그래도 즈네 엄마 편드네, 이 효녀." 김미엽이 예슬이의 어깨를 다독였고, "하여튼 엄마들 빡세서 우리만 빡돌아", 손하리도 예슬이의 다른 어깨를 어루만졌다. 예슬이는 양쪽 어깨에 스며드는 따스한 우정에 엄마한테서 받은 스트레스가 사르르 가시는 것을 느끼고 있었다.

예슬이는 닷새 동안 화장도 안 하고, 단골 떡볶이집에서 짧은 치마도 갈아입지 않았다. 그리고 엄마의 눈초리가 어디서 자신을 노리고 있는지 찾아내려고 온 신경을 곤두세우고 보냈다. 그런데 엄마의 그림자는 어디에서도 찾을 수가 없었다.

그러는 동안 예슬이는 새로운 사실 하나를 발견했다. 무릎에 이르는 정식 교복의 긴 치마를 입은 자신의 모습이 짧은 치마들 사이에서 얼마나 촌티 나고 후져 보이는지 몸서리쳐지고 소름 끼칠 지경이었다. 허벅지 반을 드러내는 짧은 치마를 입으면 군살이라고는 없이 길게 뻗은 날씬한 다리가 그렇게 미끈하고 멋들어질 수가 없었다. 그 다리 하나만으로도 당당한 자신감이 생겼고, 그 누구에게나 자랑하고 싶었다.

그런데 엄마는 그 아름다운 각선미를 한사코 긴 치마로 가리라고 하는 것이었다. 구식도 그런 구식이 없었다. 어떤 엄마들은 치마가 짧을수록 예쁘다며, 엄마가 앞장서서 고쳐주기도 한다는데 말이다. 그래서 어떤 교복 제조사에서는 천도 아낄 겸 해서 아예 짧은 치마를 곁들여 만들어내기 시작하고 있었다.

"잔소리 마라. 사기그릇은 내돌릴수록 금 가고, 여자 몸은 가릴수록 고와진다는 옛말은 괜히 있는 게 아니다. 그것들이 어디 사람이냐, 짐승이지."

. 엄마는 이런 알쏭달쏭한 말을 하고는 했다.

최미혜는 헬스클럽에서 운동을 마치고 회원 서너 명과 함께 그 옆 카페에 자리 잡았다. 그들이 시킨 차가 나올 즈음에 두 명이 더 합류를 했다. 그들 중 한 명이 최미혜에게 반색을 했다.

"어머 예슬이 엄마, 축하드려요."

"네에……?"

최미혜는 어리둥절했고, 모두의 눈길은 일시에 그녀에게로 쏠렸다.

"어머, 모르시는 눈치네."

그 여자는 더 신명 나게 말하며 최미혜의 몸을 건드리는 듯한 친근한 손짓까지 했다.

"글쎄요, 무슨 일인데……."

"예슬이가 아무 말 안 했군요?"

"예, 아무 말도……."

"호호, 이 집이나 저 집이나 사춘기 애들이라 다 입 딱 닫아걸고 살아서 그렇다니까요. 그래도 그런 좋은 일은 부모한테 얼른 말을 해야 옳지. 부모가 고생고생하며 자식 키우는 기쁨이 뭔데. 안 그래요?"

"아, 뜸 그만 들이고 얼른 말해요. 답답해 죽겠네."

다른 여자가 퉁을 놓았다.

"아 글쎄 있잖아요, 우리 가연이가 그러는데, 예슬이가 국어 시간에 글을 잘 써서 학급 전체 박수를 받고, 앞에 나가서 읽기까지 했대요. 수행평가는 물론 만점을 받았고요."

"어머나, 저걸 어째."

"어떻게 된 일이야, 그게."

"그 좋은 일을 어찌 말 안 할 수가 있을꼬."

"그러게요. 얼마나 속이 깊으면 그래……."

"얼마나 듬직해요, 그래."

"누가 아니래요. 예슬이 엄만 얼마나 좋으세요."

모두 한마디씩 해서 한바탕 말잔치가 벌어졌다.

"오늘 커피는 예슬이 엄마가 쏘세요." 어떤 여자가 말했고, "커피만 가지고 되나. 빵도 추가해야지", 다른 여자가 거들었다.

"네에, 그리하지요. 많이들 드세요."

최미혜는 비로소 말할 기회를 얻어 '많이들'에 맞추어 두 팔로 크게 동그라미를 그렸다. 지금 낯 서는 기쁨은 그 동그라미보다 열 배, 아니 백 배는 더 컸다.

"근데 그 글이 뭐래요?"

누군가가 물었다. 최미혜는 그제야 가연이 엄마를 똑바로 쳐다보았다.

"아, 그 제목이 아주 거창해요. 나의 미래, 나의 진로. 국어 선생이 낸 건데, 예슬이는 디자이너가 되겠다고 아주 멋지게 썼대요."

'디자이너!'

최미혜는 기분이 획 상하고 말았다. 그따위 건 전혀 자신의 마음에 없는 것이었다.

"디자이너……?"

"으응, 그것도 여자한테는 괜찮은 직업이지."

"그렇긴 한데……."

여자들의 이런 반응이 최미혜의 감정을 더 자극하고 있었다.

"디자이너, 좋아요. 여자한테 잘 어울리는 현대적인 직업이 잖아요. 예슬이 엄마는 어떠세요?"

가연이 엄마가 물었다.

"예에, 예슬이가 말 안 한 건 당연한 일이에요. 내가 싫어할 건 뻔했으니까요. 내가 바라는 게 뭔지 예슬이는 잘 알고 있거든요."

최미혜는 디자이너쯤은 같잖다는 것을 냉정하고 거만한 태도로 확실하게 보여주고 있었다.

"그럼 예슬이 엄마가 바라는 건 뭐예요?"

가연이 엄마는 샘나고 부럽다는 기색을 감추지 못하고 물었다.

"그건 천기누설 아닌가요?"

최미혜는 더 거드름을 피우며 좌중을 훑어보았다.

"에이, 좋다 말았네. 이리되면 예슬이 엄마보고 쏘라고 할 수 없잖아요."

"아니, 그건 아니에요. 약속은 약속이잖아요. 신경 쓰지 말고 많이들 드세요."

최미혜는 딸을 기다리는 두 시간 동안이 너무나 지루하고 초조했다. 그게 그따위 생각을 하고 있을 줄은 꿈에도 짐작하지 못한 일이었다. 그런데 글까지 써서, 박수까지 받고, 수행평가까지 만점을 받아……? 그것이 반가움이나 기쁨이 아니라 근심이고 걱정인 것은 딸의 마음이 거기에 딱 굳어져버렸으면 어쩌나 하는 것 때문이었다.

어쨌거나 그동안 딸을 너무 어리게 보아왔던 것이 큰 병통이었다. 중학생이 되었을 때 다른 엄마들처럼 장래의 길을 주입시키고, 반복하고, 못 박았어야 했다. 그런데 너무 이르다고, 어린것한테 부담 주면 안 된다고, 고등학교에 들어가서 해도 충분하다고 여유를 부렸던 것이 헛짚은 것이었다. 자신이 그렇게 느긋하게 생각하고 있는 동안 딸애는 엉뚱하고 맹랑하게도 디자이너의 꿈을 품기 시작한 것이었다.

생각하고 또 생각해도 이해할 수가 없었다. 그런 생각 전혀 없이 학교 오가며 공부만 착하게 하는 줄 알았던 것이다. 그런데 어떻게 해서 그 어린것 머리에 디자이너가 되고 싶다는 생각이 자리 잡히게 된 것일까. 딸을 다 알고 있다고 생각했는데……, 한 방 호되게 얻어맞은 기분이었다.

아까 학부모들의 반응이 그랬던 것처럼 자신의 마음에도 디자이너는 번지수가 맞지 않았다. 그것이 여자 직업으로서 나쁠 건 없지만, 자신의 꿈과는 너무나 거리가 멀었다. 그건 위엄이 없었고, 고상하지 못했고, 아무도 우러러보지 않았고, 그 누구도 무서워하지 않았다. 자신이 꿈꾸는 것은 그 네 가지가 다 이루어지는 직업이었다.

딸이 그런대로 곧잘 공부를 하니 고등학생이 되면 그때부터 그 꿈을 알려주고 박차를 가하려고 모든 계획을 세우고 있었던 것이다. 그런데 엉뚱하게도 위엄도 없고, 고상하지도 않고, 누구나 가볍게 대할 수 있고, 아무에게나 비위를 맞추어야 하는 하잘것없는 직업인 디자이너가 되겠다고 나서다니……. 그건 도저히 용납할 수 없는 일이었다.

최미혜는 느려터진 시간을 죽이느라고 온 집 안을 어지러울 지경으로 왔다 갔다 하고 있었다.

"사모님, 뭐 찾으시는 거 있으세요?"

파출부 아주머니가 신경 쓰인다는 듯 물었다.

"아니에요. 신경 쓰지 말고 아주머니 일이나 하세요."

최미혜는 괜히 파출부 아주머니에게 톡 쏘아붙이며 짜증을 부렸다.

오후 4시 정각에 현관문이 열렸다.

"예슬아, 너 글짓기해서 상 탔다며?"

최미혜는 딸이 미처 다 들어서기도 전에 다급히 총 쏘듯했다.

"상? 무슨 상……?"

예슬이가 뜨악한 얼굴로 고개를 저었다.

"아, 상 아니고, 박수 받았다며? 수행평가 만점 받고."

최미혜는 자신의 입을 쥐어뜯는 손짓을 두어 번 하며 빠르게 말했다.

"아니, 엄마가 그걸 어떻게 알아? 우리 반에 엄마 전용 CCTV 달아뒀어?"

예슬이는 어이없어하는 헛웃음을 흘렸다.

"오늘 가연이 엄마한테 들었다."

"체, 가연이 그 기집애 후져빠지기는. 그딴 소리나 집에 가

212

서 지껄여대고……."

예슬이는 혼잣소리를 하며 운동화를 벗었다.

"넌 애가 왜 그 모양이냐? 그런 소식을 남한테 전해 듣게 만들면 어떡하니?"

"그까짓 게 뭘……."

"그까짓 거라니. 그렇게 좋고 기쁜 소식을 엄마가 바로 알았어야지. 고생해 자식 키우는 보람이 뭔데."

"그딴 게 뭐 좋고 기뻐. 겨우 서른다섯 명 놓고 벌인 찌질한 짓인걸."

"애, 시건방진 소리 마. 몇 명이든 간에 1등 하기가 쉽니? 아빠도 엄청 좋아하실 거다."

"하여튼 유치하기는. 나 목 말라."

예슬이는 제 방으로 들어가며 말했다.

"그래, 곧 나와라."

최미혜는 소파로 가며 숨을 깊게 들이마셨다가 한숨으로 토해냈다. 영 뻣뻣하고 뻑뻑한 딸의 태도를 대하고 나자 무언가 자신감이 꺾이는 것 같고, 밀리는 것 같은 기분이 드는 것이었다. 그리고 불현듯 '품 안의 자식이 자식이지 품 벗어나면 자식이 내 자식이 아니다'라는 옛말이 떠오르는 것이었다. 예슬이는 유치원 때 고분고분 나붓나붓 말 잘 듣고 착착 감겨드는 게 딸 키우는 맛을 최고로 즐기게 해주었다. 그리고 초등학교 때도 작은 상이나마 하나 탔을 때는 더 말할 것 없었고, 선생님한테 한마디 칭찬만 들어도 얼마나 재잘재잘 방글방글 잘 지껄이고 기쁨이 넘쳤던가. 그러더니 중학생이 되면서 몸집이 커지는 만큼 성격도 달라지기 시작해 조단조단 말하는 일이 확 줄었고, 걸핏하면 울뚝불뚝 성질을 잘 부렸다. 그럴 때마다 문득문득 서운하고, 자식이 품 벗어나는 것을 느끼며 마음 한쪽이 허전하고는 했다. 그러면서도 하룻밤 지내고 나면 그런 감정 씻은 듯이 사라지고 그저 엎어지고 쏠려가는 것이 엄마의 마음이었다.

'그래, 니가 벗어나려고 꼼지락거려봐. 그래 봤자 넌 내 새끼야. 이 엄마 말 고분고분 잘 들어야 니 인생 평생 행복해져. 너를 위하는 이 엄마 맘을 하느님이 당하겠냐, 부처님이 당하겠냐. 잔말 말고 시건방 떨지 말아라.'

최미혜는 딸의 방문을 쏘아보며 마음을 단단히 사리고 있었다.

예슬이는 폐활량이 얼마나 큰지 보여주기라도 하려는 듯 소파에 앉자마자 주스잔을 단숨에 비워버렸다. 그리고 사내처럼 손등으로 입술을 씩 문지르고는, "엄만 내가 디자이너 된다는 게 싫은 모양이지?" 하며 선제공격을 가하고 들었다.

"아니 그걸 니가 어떻게 알아? 난 아직 한 마디도 안 했는데."

최미혜는 당황스럽게 머리칼을 쓸어 넘겼다.

"거봐. 한 방에 실토했잖아." 예슬이는 씁쓰름한 웃음을 피우고는, "엄마 얼굴에 딱 쓰여 있어" 하며 눈을 흘겼다.

"기집애, 그걸 어찌 그리 딱 알아내? 참 별꼴이네."

얼굴에 쓰인 것을 지우기라도 하는 듯 최미혜는 두 손바닥을 쫙 펴 얼굴을 야무지게 훔쳤다.

"나 엄마 딸이잖아. 엄마만 내 얼굴 보고 족집게 무당 노릇하는 줄 알아? 나도 새끼 무당이라구."

"그래, 니 잘났다. 눈치 빨라 상 받겠다." 최미혜는 마른침을 삼키며 앉음새를 단단히 고치고는, "그 유치한 것, 엄마는 싫다. 너도 꿈 깨!" 끝말이 쩽 울리도록 그녀는 힘을 주었다.

"하, 그 말 참 요상하네. 어째서 디자이너가 유치해?"

"고상하고 우아한 직업이 쌔고 쌨는데 왜 하필 그깟 디자이너야."

"고상하고 우아한 직업? 참 엄청 고상한 소리 다 듣겠네. 어떻게 직업이 고상하고 우아해? 난 무식해서 영 감이 잡히질 않으니까 어디 유식한 엄마가 쫙 대보셔. 어떤 직업이 고상하고 우아한지."

예슬이는 입가에 비웃음을 잔뜩 물고 있었다.

"너 정말이지 무식하구나. 키만 멀대처럼 컸지 그런 것 하나 구분 못하니 기분 내키는 대로, 남들 비위나 맞춰야 하는 그 천한 디자이너나 하겠다고 철딱서니 없이 나대는 거지. 봐라, 그딴 보잘것없는 디자이너에 비해 판검사, 변호사, 고급 공무원 같은 건 얼마나 멋지고 폼 나냐. 그 권세 앞에서 세상 사람들은 꼼짝도 못하고, 다 빌빌대면서 얼마나 부러워하니? 그런 직업이 얼마나 고상하고 우아하냐구. 인제 알아들어?"

미리 단단히 준비한 것이긴 했지만 말을 하다 보니 자신이 너무나 말을 잘하는 것 같아서 최미혜는 더없이 만족스러웠다. 딸애를 말 한마디 못하게 거꾸러뜨린 것 같아 통쾌하기까지 했다.

"하이고, 유치하고 천하고 치사한 것은 디자이너가 아니라 바로바로 엄마야. 엄마가, 내 엄마가, 이 신예슬의 엄마가 그렇게 유치하고 천하고 치사한 줄은 나 오늘 첨 알았어. 엄마가 그렇게까지 후지고 쿠린 생각을 가지고 있는 줄은 몰랐어. 아, 창피해! 아, 쪽팔려! 어떻게 판검사, 변호사, 고급 공무원이 그렇게 부럽고, 고상하고, 우아해 보여 그래? 어찌 그리 케케묵은 생각을 머리에 담고 사는 거야. 그리고 그게 창피한 생각인 줄도 모르고 하나밖에 없는 딸한테 시키려고? 아, 엄만 진짜 속물이다, 왕속물이고, 대박 속물이야. 나 엄마하고 더 말 안 해!"

예슬이가 날카롭게 내쏘며 자리를 박차고 일어섰다.

"야, 앉어! 어디서 버르장머리 없이 까불어!"

최미혜도 자리를 박차고 일어나며 무서운 기세로 소리쳤다. 부릅뜬 눈과 성깔 돋은 얼굴에 엄마 특유의 힘이 실려 있었다.

"나 피곤해 죽겠는데 왜 그래."

울상을 지은 예슬이가 발을 구르며 마지못해 소파에 엉덩이를 걸쳤다.

"너 엄마한테 말버릇이 왜 그따위야. 뭐 속물? 왕속물, 대박 속물이라구? 다 널 위해서 하는 말인데 에미한테 그따위 소릴 마구 지껄여대? 너 속물이 무슨 뜻인지나 알아?"

딸을 일거에 제압해야 한다는 생각에 최미혜는 삿대질까지 해대고 있었다.

"무조건 돈 좋아하고, 권력 좋아하고, 잇속 좋아하는 거지 뭐야!"

날아온 탁구공을 받아쳐 넘기듯이 예슬이는 지체 없이 대꾸했다. 그러나 예슬이는, '아아, 그것……' 하며 안타까움을 떼치지 못했다. 국어 선생님이 속물근성에 대해 멋지게 설명해 준 것을 노트에 똑똑히 적어놓았는데 마음이 급해 돈, 권력, 잇속 다음에 붙은 멋진 말들이 생각나지 않아 그냥 다 '좋아하고'라고 말할 수밖에 없었던 것이다.

"뭐가 어쩌고 어째? 내가 그런 사람이란 말야?"

최미혜는 두 주먹을 부르쥐며 있는 힘껏 소리를 질렀다. 돈 좋아하고, 권력 좋아하고, 잇속 좋아하고……, 그게 자기 자신인 것이 틀림없다는 생각이 들자 이상하게도 성질이 돋아오르며 몸속의 소리가 전부 폭발하고 말았던 것이다.

"사모님, 예슬이 학생 저녁 다 차려놨는데요." 파출부 아주머니가 조심스럽게 말했고, "됐어, 나 학원 가야 돼", 기회는 이때다 하고 예슬이는 튕기듯 일어났다.

"애, 애, 잔소리 말고 앉어!"

최미혜도 딸을 따라 일어나며 세차게 두 팔을 내저었다.

"학원 가야잖아, 학원." 엄마 왜 그러느냐는 얼굴로 예슬이는 엄마를 쳐다보았고, "학원 하루 안 가도 돼. 더 중요한 애기부터 결말을 내야지", 최미혜는 딸을 노려보며 싸늘하게 말했다.

"잘됐네. 학원 지옥에서 하루 해방되고, 중대한 진로 결정도 하고."

예슬이는 웃으면서 말했지만 속마음은 일시에 돌덩이나 쇳덩이처럼 단단하고 강해졌다. 학교에 지각은 해도 학원에는 일분일초도 못 늦게 닦달해 대는 학원 맹신자 엄마가 학원을 하루 쉬게 한다는 건 상상할 수도 없는 일이었다. 엄마는 오늘 아주 자기 뜻대로 진로 결정을 하려고 작심하고 나선 판이었다. 좋다, 어차피 한 번은 부딪칠 것, 이번에는 절대로 엄마 뜻대로, 엄마 마음대로 하게 당하지 않으리라고 예슬이는 이뿌리가 아프도록 어금니를 맞물었다.

 "예슬아, 앉아서 차분하게 내 말 들어봐. 내가 괜히 그런 쪽으로 진로를 잡으라는 게 아냐. 그건 아빠의 소원이기도 해. 무슨 말이냐면 말야, 너도 알다시피 자동차 산업이 계속 신장되면서 아빠의 부품 회사도 따라서 잘돼가. 그건 아무 걱정이 없는데, 사업을 하면서 아빠가 가장 속상해하고 분해하고 하신 게 권력자들에게 당하는 거였어. 이 권력, 저 권력 앞에서 그저 머리 숙여야 하는 게 너무 억울하고 분하셨던 거야. 그래서 술 취하면 '나한테 아들이 하나 있었으면 사시를 쳐서 판검사를 만들든, 행시를 쳐서 고급 공무원을 만들어 당한 만큼 원수를 갚았어야 하는데' 하는 말씀을 하시곤 했단다. 너 봐라, 남녀 차별이 없는 세상에서 아들만 자식이고, 딸은 자식이 아니니? 딸이 하나뿐인 우리 집안에서는 니가 아들이나 마찬가지잖아. 그렇담 니가 아빠의 소원을 풀어드려야 하는 게 당연한 자식 된 도리 아니겠니? 그리고 말이다,

요새 여자 판검사, 변호사가 얼마나 많아졌니. 2, 3년 전에 벌써 검사는 여자들 수가 남자를 앞질렀다고 뉴스에서 보도했잖아. 그리고 요새 텔레비전 프로에 여자 변호사들이 얼마나 많이 나오데. 얼굴들도 어찌 그리 예쁘고, 똑똑하고, 그보다 멋지고 근사한 일이 어디 또 있겠니. 엄마는 그때마다 가슴이 두근두근하고 벌렁벌렁해서 어떻게 할 수가 없어. 내 딸도 저렇게 멋지게 출세하고 성공하면 얼마나 좋을까, 그 생각뿐이거든. 그보다 더 큰 가문의 영광은 없고, 남들 앞에 그보다 더 폼 나는 일이 어디 또 있겠니. 그치만 꼭 그게 아니라도 괜찮아. 글쎄 말야, 육사·해사·공사에서 여자들이 줄줄이 1등을 하더니만, 금년에는 글쎄 경찰대학에서도 여자가 1등을 차지하지 않았겠니. 여자 경찰서장님, 그 권세도 아주 대단한 거야. 넌 공부를 곧잘 해왔으니까 고등학생만 되면 상위권으로 팍 치고 올라갈 수 있도록 이 엄마가 모든 계획을 차근차근 다 짜놓았어. 그게 뭐고 하면, 사교육의 메카 대치동으로 본격 진출하는 거야. 그래서 최고액 1타 강사에, 최고급 찍기 귀신 강사를 붙여 SKY행 KTX를 태울 작정인 거야. 그럼 넌 성적이 바로 상위권으로 치솟아 안전한 SKY행 승객이 되는 거라구. 그렇게 3년만, 딱 3년만 죽었다 하고 파대면 니 인생은 탄탄대로로 활짝 열리는 거야. 생각해 봐, 돈은 아빠가 다 벌어주고, 넌 권력 있는 자리를 차지하고, 그럼 얼마나 완벽한 인생 성공이니. 그렇게 되면 남편도 당연히 최상급으로 얻게 되고, 그리되면 넌 모든 세상 사람들의 부러움 받아가며 맘껏 폼 잡고 평생 떵떵거리면서 행복하게 살게 되는 거야. 그러니 제발 엄마 말대로 해라. 이 좋은 길을 두고 왜 철없이 엉뚱한 생각을 하냐고. 그리고 말이다, 좀 창피스럽긴 하지만 너한테 첨 하는 얘긴데, 엄마 아빠 세상이 알아주는 대학을 못 나온 게 평생 콤플렉스다. 그러니 너는 꼭 SKY 대학 나와야 엄마 아빠 원이 풀리지 않겠니? 알아들어?"

얘기를 길게 하다 보니 최미혜는 자기 감정에 취해 눈물까지 글썽거리고 있었다.

예슬이는 마음 약하게 만들려는 엄마의 눈물 작전 앞에서 마음을 더 꽁꽁 동여맸다. 아빠가 사업을 하면서 그런 일을 당했다는 게 좀 마음 짠하려고 했지만, 정확히 따지고 보면 그것도 엄마의 과장이었다. 사업하는 사람들은 다 그렇다는 말을 들었는데, 아빠도 늘 세금에 대해 불만이 많았다.

"에이 빌어먹을, 세무서 놈들 등쌀에 사업 못해먹겠다. 뼈 빠지게 고생해서 돈 벌어놓으면 즈이 놈들은 회전의자 돌리며 편히 놀고 먹다가 뒤늦게 나타나서 들입다 세금을 때려 멕인다니까."

엄마가 입만 열면 하는 말이 공부라면, 아빠가 식탁에서 가장 많이 투덜거리는 말이 그것이었다. 그러면서도 아빠는 사업을 계속 잘 해나갔고, 집은 갈수록 부자가 되었다. 세무서에서 아빠한테만 일부러 세금을 많이 물릴 리 없었고, 아빠는 세금 내는 것을 억울하게 빼앗긴다고 생각하는 것이었다.

"엄마 말은 결국 뭐야. 내 의사는 싹 무시해 버리고, 돈이 최고다, 권력이 최고다, 출세가 최고다, 그것만 있으면 인생 행복이고, 인생 성공이다, 그거 아냐?"

도전적인 예슬이의 눈빛이 엄마를 쏘아보고 있었다.

"핵심 정리 잘해서 아주 제대로 알아들었네. 역시 우리 딸이야."

최미혜가 미심쩍은 얼굴로 딸을 건너다보며 대꾸했다.

"엄마, 똑똑히 봐. 아까 내가 말한 속물하고 하나도 안 다르고 똑같잖아."

예슬이가 차갑게 쏘아댔다.

"또 속물 얘기냐! 그럼 니가 하겠다는 그 쪼잔한 디자이너는 뭐냐? 뭐 좀 대단한 걸 하겠다면 말도 안 해."

최미혜도 눈꼬리 치세우며 냉기를 뿜어냈다.

"대단한 게 뭔데?"

"몰라? 의사를 한다거나……."

"하이고, 우리 엄마 참 대단하셔. 어찌 저리도 속물 모범 답안이실까. 속물 아줌마들께서 자식들 못살게 구는 레퍼토리 그대로 아니냐구. 후져, 아이구 후져."

예슬이는 고개를 마구 내둘렀다.

"그 말 하지 말라니까, 속물이라니!"

거실이 울리도록 최미혜는 왈칵 소리를 질러댔다.

"아휴, 싫증 나. 아휴, 질려. 대학물 잡수셨다는 우리나라 젊은 엄마들은 어쩜 다 그렇게도 붕어빵들이신지 몰라."

'속물근성'이라는 말을 빼고 말을 하니 말맛이 나지 않고 말을 하는 것 같지 않아 예슬이는 쓰디쓰게 웃었다.

"저 물건 말하는 뽄새 좀 봐. 다 즈이들 잘되라고 엄마들이 죽을 둥 살 둥 뒷바라지하며 진로 정해주는 건데 그 은혜는 모르고 어디서 시건방만 잔뜩 들어서 뭐, 디자이너가 돼?"

최미혜는 성질을 이기지 못하고 삿대질까지 해댔다.

"엄마, 무식하게 왜 디자이너를 우습게 취급해? 디자이너는 아티스트야, 아티스트! 예술가라구."

"뭐라구? 무식해? 요런 버르장머리 없는 기집애가 오냐오냐해주니까 눈에 뵈는 것 없이, 뭐 엄마가 무식해?"

너 잘 걸렸다 하는 생각으로 최미혜는 일부러 성질을 거칠게 내뿜었다.

"아니야, 엄마, 아니야. 그런 뜻이 아니구, 엄마가 무식하단 게 아니구……, 그러니까 뭐야……, 디자이너도 고상한 직업……, 예술가 대접을 받는다는 뜻이라구. 엄마, 취소, 그건 내가 잘못했어. 취소, 취소……."

예슬이가 겁난 얼굴로 두 손바닥을 싹싹 맞비볐다.

"흥! 아티스트, 예술가 좋아하네. 후진 뒷골목에 코딱지만 한 양장점 차려놓고 혼자 잘난 척 쌩폼 잡아도 세끼 밥 찾아먹기 힘든 지지리 궁상들이 아티스트셔? 하이고 잘났다, 신예슬! 그따위 아티스트 많이 되셔서 배 쫄쫄이 곯아보셔. 그때 가서야 이 에미 말씀이 공자님, 맹자님 말씀이었다는 걸 뼈저리게 느끼게 될 테니까."

"헹! 엄마 눈엔 그런 실패한 사람만 보이나 보지? 그야 엄마 수준이니까 어쩔 수 없고, 내 눈엔 성공한 진짜 아티스트만 보여. 내가 틀림없이 그 롤모델처럼 될 거니까."

예슬이는 자신감을 강조하느라고 콧방귀를 세게 날렸다.

"롤모델? 그게 도대체 누구야!"

최미혜는 정색을 하며 딸 쪽으로 다가앉았다. 하나밖에 없는 딸년의 마음을 저렇게 어지럽게 흔들어놓은 자가 도대체 누구인지, 괘씸하기 짝이 없었다.

"앙드레 김!"

"뭐, 앙드레 김?"

"응, 앙드레 김!"

"니가 앙드레 김을 어찌 알아?"

"다 알아. 엄마보다 훨씬 더 많이 알아."

"아니, 그 양반이 세상 떠난 지가 벌써 5, 6년은 됐을 텐데 니가 어찌 그 양반을 다 안다고 하느냐구."

"맞아, 2010년 8월 12일. 엄마가 그런 소릴 하니까 구식이고 후지다는 소릴 듣는 거야."

"어머, 얘 징그러운 것 좀 봐. 그 양반 돌아가신 날짜까지 줄줄이 다 꿰고 있네. 근데, 엄마가 왜 구식이고 후져?"

"인터넷은 왜 있어. 거기 들어가면 그분은 그대로 살아 계셔."

"어머 세상에나! 너 인터넷 켜놓고 공부한 게 아니라 순 딴 짓만 했구나. 이렇게 들통이 난다니까."

"걱정 놓으셔. 그런 것 찾아보는 건 공부에 하나도 지장 안 받아. 쉬는 시간에 잠깐씩 보는 거니까. 오히려 공부 스트레스가 풀리지."

"참 기막히구나. 자식은 겉을 낳지 속은 못 낳는 거란 속담이 어찌 그리 딱 맞니. 그래, 앙드레 김이 왜 네 롤모델이냐?"

"그분은 위대하다고 해도 좋을 만큼 성공한 세계적인 디자이너야. 한국 사람으로 한복이 아니라 서양 옷을 디자인해서 패션 디자인의 본고장이고 왕국이라고 할 수 있는 프랑스와 이태리에서 인정받아 두 나라에서 문화훈장을 받은 유일한 한국 사람이야. 그런데 그분은 그보다 존경스러운 것이 더 많아. 그분은 학력이 고졸일 뿐이야. 그럴 경우 많은 사람들은 학력을 속이거나 감추려고 급급하는데, 그분은 아니야. 이력서에, 인터넷에 그대로 밝혀. 그리고 패션에 대해서는 국제복장학원에서 1년을 공부했을 뿐이야. 그 후로 그분은 혼자 힘으로 디자이너의 길을 개척해 나갔어. 그것만이 아니야. 그분은 독학으로 영어, 불어를 능통하게 구사했어. 또 존경스러운 건 평생 동안 옷감부터 단추 하나까지 외제는 절대 안 쓰고 오직 국산만을 썼다는 사실이야. 이런 디자이너는 찾기 힘들어. 그리고 그분의 패션쇼 하이라이트를 장식하는 일곱 겹, 겹옷이 한 벌씩 벗겨져 큰 새의 날개 날아가듯 하는 장면은 봐도 봐도 멋들어진 최고의 예술이고 환상이야."

예슬이는 정말 어떤 환상을 보고 있는 듯한 눈길이었다.

"하이구야, 우리 딸 장하기도 하셔라. 서울대 의상학과 시험문제라서 아주 좔좔 잘도 외웠구나. 근데, 니가 그 양반 패션쇼를 봤다구?"

"엄마, 또 딴소리. 앙드레 김 의상실에 연락해 봐. 원하면 패션쇼 DVD를 무료로 보내주고 있으니까."

"아유, 기막혀. 그럼 넌 그런 짓도 다 했단 말야?"

최미혜는 너무 기가 막혀 짙은 한숨과 함께 무릎을 쳤다.

"그런 건 시간 안 걸린다니까. 스트레스가 더 해소된다구."

"아니, 널 어쩜 좋으냐. 엄마 몰래 할 짓, 못할 짓 다 하고 다니니."

"아니야 엄마, 우리 패션 동아리에서 모둠 활동으로 하는 거니까 아주 건전한 진로 탐색 교육이라구."

"아이고 저걸 어째. 유식한 말은 다 골라 하면서. 너 이 엄마가 죽기를 각오하고 반대하면 어쩔래?"

최미혜는 딸 쪽으로 더 바짝 다가앉으며 정색을 했다.

"그야 간단하지. 나도 죽을 각오를 하면 되잖아."

예슬이도 정색을 하고 받아넘겼다.

"쟤 좀 봐. 너 엄마 진심을 그렇게도 모르겠니?" 최미혜는 태도를 바꿔 딸을 간절한 눈길로 쳐다보며 말했고, "엄마도 내 진심을 그렇게도 모르겠어? 우리 엄마도 걔네 엄마처럼 그렇게 멋있었으면 얼마나 좋을까. 걔는 그런 엄마를 뒀으니 얼마나 행복할까", 예슬이도 하소연하듯 하다가 이내 눈길을 떨구며 슬픈 얼굴로 중얼거렸다.

"그게 무슨 소리야? 누가 어떤 엄마를 뒀길래?"

"몰라도 돼. 엄마하고는 정반대 엄마 얘기니까. 자식 진로를 죽을 각오로 반대하는 엄마는 들을 자격이 없어."

예슬이는 냉정하게 고개를 돌려버렸다.

"또 저 말버릇 좀 봐. 뭐, 들을 자격이 없어? 그러니 더 들어야겠다. 어서 말해 봐."

최미혜는 소파 끝으로 나앉았다.

"흥, 괜히 궁금해하시네. 그게 뭐냐면, 우리 학교 2학년짜리가 어떤 유명한 소설가한테 편지를 보냈어. 선생님의 소설을 감동 깊게 읽었다. 저도 선생님 같은 소설가가 되고 싶다. 그런데 어머니는 의사가 되라고 한다. 그러나 나는 끝내 소설가가 될 작정이다. 어떻게 해야 좋은 소설가가 될 수 있는지 궁금하다. 뭐, 이런 내용이었어. 그런데 며칠이 지나 큰일이 벌어진 거야. 그 유명한 소설가한테서 답장이 온 거야. 그 애는 그만 까무러칠 뻔했대. 자기는 그저 답답해서 하소연한 것뿐이지 답장은 전혀 기대하지 않았으니까. 근데 그 애는 편지를 읽고 감동해서 계속 울었대. 그 편지에는, 진로 선택은 부모님께서 동의하시는 게 좋고, 행복한 일이다. 그러나 끝내 합의가 안 되면 본인의 뜻대로 하는 게 옳다. 그리고, 소설가의 꿈을 품었으면 꼭 성적 경쟁을 할 건 없지만 기본적인 학교 공부는 충실히 해야 하고, 그와 동시에 좋은 작품들을 꾸준히 찾아 읽는 게 중요하다. 또 하나, 이 세상살이나, 인간에 대해서

나, 모든 사물, 작은 꽃 하나, 작은 새 하나까지 넓고 깊고 큰
관찰과 사색과 상상을 체험으로 쌓아 나아가는 생활을 해라.
그것이 좋은 작가가 될 수 있는 바탕이고 조건이다. 좋은 성
적이 좋은 소설을 쓰게 해주지는 않는다. 대충 이런 내용이
었어. 근데 그 애를 두 번째 울린 일은 그담에 일어났어. 걔가
자꾸 울다가 그 편지를 엄마한테 들킨 거야. 편지를 읽고 난
엄마 아빠가 상의했고, 며칠 있다가 그 애의 뜻대로 하라고
동의했어. 그래서 신바람이 난 그 애는 그 편지를 비닐 코팅
을 해서 들고 다니며 애들한테 자랑하기 시작했어. 그래서 마
침내 전교생이 다 읽게 된 거야. 어때, 얼마나 멋있는 엄마야.
엄마는 죽었다 깨나도 그런 엄마는 될 수 없지?"

"넌 참 안됐다. 앙드레 김한테서 그런 편지를 받아 올 수 없
으니."

"아니 엄마, 왜 그렇게밖에 생각 못해. 내가 앙드레 김 선생
님한테 편지를 보냈어도 그와 똑같은 답장이 왔을 거라고. 예
술가들 생각은 다 일맥상통하니까."

"……!"

최미혜의 눈길이 문득 딸의 눈길과 마주쳤다. 그리고 그 눈
길이 아래로 서서히 떨어지면서 그녀의 얼굴에는 깊은 생각
이 어리고 있었다.

엄마와 딸 사이에는 한동안 정적이 흐르고 있었다.

"너 정말 그렇게 디자이너가 되고 싶니?"

최미혜가 착 가라앉은 소리로 물었다.

"응, 엄마. 꼭 앙드레 김 선생님처럼 되고 싶어."

예슬이의 목소리에는 울먹임이 젖어 있었다.

"앙드레 김은 하나야."

"알아. 대입 과외 하듯이 그렇게 목숨 걸고 치열하게 디자이너 공부를 하면 안 될 게 없어."

"그러나 난 내키질 않는다. 그건 너무 불안한 길이야."

"엄마, 제발 생각을 좀 바꿔. 엄마와 난, 엄마와 딸의 관계일 뿐이지 내가 엄마의 소유물은 아니야. 엄마는 엄마고, 나는 나고, 엄마는 엄마의 인생을 살고, 나는 내 인생을 사는 거야. 서로 대신 살아줄 수는 없는 거라고. 엄마들은 다 대학 나왔으면서도 왜 그 쉬운 걸 구별할 줄 모르는지 몰라."

자식은 '당신의 소유물'이 아니다……, 김희경이 보여준 그 문구가 머리를 쿵 치는 것을 최미혜는 느꼈다.

"너 그런 말 어디서 주워들었니?"

최미혜는 갑자기 멀리 느껴지는 딸을 물끄러미 바라보았다.

"어디서 주워듣긴. 사회 공부, 국어 공부 같은 걸 하면서 자연히 알게 되는 거지. 이건 우리들 보통 수준일 뿐이야."

예슬이가 이상하다는 느낌으로 엄마를 쳐다보았다.

"알았어, 나 혼자 결정할 문제가 아니야……."

최미혜는 기운이 다 빠져버린 것처럼 몸 무겁게 일어났다.

예슬이는 펄펄 뛰고 싶도록 신명이 나며 속으로는 목 터져라 만만세를 부르고 있었다. 그러면서 흐릿하게 그려오고 있던 설계도를 진하게 그리기 시작했다. 그 소설가의 답장에서 가장 감명 깊은 대목이 '좋은 성적이 좋은 소설을 쓰게 해주지는 않는다'였다. 아, 아, 그건 얼마나 탁월한 명언인가. 좋은 성적이 좋은 디자이너가 되게 해주지는 않는다! 그러므로 화·수·목·토에 휴식 시간도 없이 내리 세 시간씩 하는 수학 선행학습 과외를 당장 때려치울 것이다. 그건 고등학교에 입학하기 전까지 고교 수학 전반을 끝내는 것을 목표로 하고 있는 살인적 선행학습이었다. 그리고 고등학교를 마치고 바로 프랑스로 유학을 떠난다. 그럼 그 지긋지긋한 입시 지옥에서 탈출할 수 있다. 아빠는 언제나 내 편이고, 나는 하고 싶은 일을 욕심껏 열심히 해서 세련되고 실력 있는 디자이너로 귀국하고…….

왕따·은따·스따

오빠, 도움이 필요해요. 왕따당한 애 아빠가 감당이 안 돼
요. 교직 생활의 위기 같아 어쩔 수 없이……. 넘 죄송ㅠㅠ

강교민은 핸드폰에 찍힌 문자를 물끄러미 바라보았다. 맨
끝의 이모티콘 'ㅠㅠ'에 이종사촌 여동생 이소정의 얼굴이 겹
쳐졌다. 목련꽃을 연상시키는 청순하면서도 소담한 얼굴이
'ㅠㅠ'와 함께 우울하기 그지없었다.

"며느릿감은 저래야 하는데. 내 조카라 참 아깝다."

아들 셋을 둔 어머니가 조카 소정이를 보고 늘 했던 말이

었다. 그만큼 소정이는 성품도 온유하고 겸손했다.

"똑똑하기도 하지. 어찌 저한테 꼭 어울리는 직업을 택했니 그래. 애들 잘 가르쳐 훌륭한 선생님 되거라."

어머니는 조카에게 값진 옷을 한 벌 해주는 것으로 교직 시작을 축하해 주었던 것이다.

그런데 교직 생활의 위기 같다니…… 그 상황이 얼마나 난감하고 다급할지를 강교민은 직감하고 있었다. 왕따당한 애의 아빠가 어떤 상황을 만들고 있을지 환히 눈에 들어왔다. 왕따당한 애의 아빠나, 학교 폭력을 당한 애의 아빠나 감정이 격하기는 동일했다. 많이 겪어온 일이었다. 특히 엄마가 아니고 아빠가 나섰을 경우 그 상황의 심각도는 훨씬 강할 수밖에 없었다. 자식의 교육 문제에서 '아빠의 무관심'이 일반적인데 아빠가 나섰다는 건 그만큼 관심이 크다는 반증이었다. 그리고 아빠가 나섰을 경우 남성적 저돌성이 발휘되기 때문에 으레 여자 선생으로서는 감당하기가 어렵게 된다.

강교민의 눈앞에는 몇 년 전의 일이 떠올랐다. 그 폭행 사건에 일단 안심했던 것은 일진 조직에 의한 고질적인 학교 폭력이 아니라 개인 대 개인 사이에서 벌어진 단순 사건이었기 때문이다. 그런데 문제는 서로 주먹다짐을 해서 쌍방이 피해를 입은 것이 아니라 한쪽은 때리고 한쪽은 맞기만 한 일방적인 것인 데다가, 맞은 쪽의 상처가 얼굴에 푸른 멍을 남겨 놓고 있었던 것이다. 서로가 주먹다짐을 했으면 어느 쪽의 상처가 좀 심하더라도 사내놈들끼리 으레 있을 수 있는 일로, 애들은 싸우면서 큰다는 편리한 말로 쉽게 덮어졌다. 그러나 일방적으로 맞아 표 나게 상처를 입혔다면 그건 문제가 커질 수 있었다.

강교민은 우선 두 아이를 불러 때린 쪽을 호되게 꾸짖고, 맞은 쪽의 감정을 달래주고 해서 서로 악수하는 화해를 시켰다.

"네가 집에 도착하기 전에 선생님이 엄마한테 전화 걸어 네 입장 곤란하지 않도록 잘 말씀드려 놓을 테니 넌 아무 걱정 말고 가. 자기 전에 꼭 달걀로 마사지해 주고."

그렇게 어머니를 상대로 일을 처리하고 깨끗하게 잊어버렸다. 그런데 다음 날 출근하자마자 그 어머니한테서 전화가 왔다.

"선생님, 큰일 났어요. 애 아빠가 애 얼굴을 보고 노발대발 난리가 났어요. 개네 아빨 학교 운동장으로 나오라구요."

"네에⋯⋯?"

강교민은 무슨 말인지 얼핏 알아듣지를 못했다.

"결투를 하겠다고 때린 애 아빨 운동장으로 나오라고 한다 니까요."

"아……, 아……, 어머님……, 그게……."

강교민은 말을 그렇게 심하게 더듬기는 난생처음이었다. 그야말로 눈앞이 캄캄해졌다. 두 아버지가 운동장에서 결투를……, 그것도 애비의 자존심이 걸린 거니까 얼마나 사생결단의 혈투가 될 것인가……. 그건 전무후무한 전국 생방송감이 아닐 수 없었다. 자칫 잘못했다가는 내 교직 생활이 끝나고 말겠구나! 강교민의 머리를 친 생각이었다.

"어머님, 어머님, 좀 말리십시오. 좀 막으십시오. 제가……, 제가 지금 당장 아버님을 찾아뵙겠습니다."

강교민은 숨이 닿게 말했다.

"예, 아버님 심정 잘 압니다. 얼마나 분하고 속상하시겠습니까. 헌데 그 일의 일차 잘못은 저한테 있습니다. 제가 담임이면 교내에서 일어난 일이니 제가 당연히 사전에 발견하고 막았어야 했습니다. 그리고 가정교육을 부실하게 시킨 부모에게 이차 책임이 있습니다. 하지만 아버님, 옛 어른들이 가르치시기를 급할수록 돌아가고, 성이 날수록 한발씩 물러서라 하지 않았습니까. 분하시더라도 한발 물러서서 생각해 주시기 바랍니다. 제가 먼저 용서를 구하고, 그다음으로 가해자 부모의 진실한 사과 편지를 받아오는 선에서 마무리하면 어떠실지요. 그리고 그 애는 제가 학년이 끝날 때까지 철저히 지도,

단속하겠습니다."

강교민은 진정으로 머리를 조아렸다.

"됐습니다, 선생님. 선생님이 무슨 잘못이 있습니까. 급할수록 돌아가고, 성이 날수록 한발씩 물러서라……, 선생님께 크게 배웠으니 그쪽 사과 편지 안 받아도 됩니다."

애 아빠의 흔쾌한 대꾸였다.

강교민은 여동생에게 전화를 걸었다.

"오빠, 죄송해요. 문자 안 띄우려고 몇 번씩이나 망설였는데……."

여동생의 목소리에는 금세 물기가 번졌다.

"아니야, 괜찮아. 내가 그 아빠를 만나달라는 거지?"

강교민은 여동생의 옹색한 입장을 먼저 풀고 들었다.

"……네에, 오빠도 골치 아프신 일 많은데……."

"아니, 교육계 선배로서 당연히 후배의 해결사 노릇을 해줘야지. 자아, 빨리 시간 약속 하자."

"오빠, 고마워요."

핸드폰 속에서 곧 울음이 터질 것 같았다.

이소정은 전화를 끊으면서 마침내 꽉 막혔던 가슴이 시원하게 확 트이는 것을 느꼈다. 며칠째 얼마나 속을 끓였는지 몰랐다.

왕따당한 여자애 아빠는 꼭 술을 마시고 학교에 왔다. 알코올중독이라고 오해할 수도 있었지만, 꼭 그런 것 같지는 않았다. 술을 마시지 않고는 선생에게 따지러 올 수 없는, 술기운을 빌리지 않고는 그럴 용기를 낼 수 없는 그 어떤 열등감을 가진 사람 같았다.

"사람이 가난하게 사는 것도 원통한데, 가난하다고 왕따까지 당하면 어떻게 삽니까."

"그게 그런 게 아니라 그냥 애들끼리……."

"아니긴 뭐가 아닙니까. 선생이 그것도 모르고 선생질합니까!"

"아니 그게 아니고……."

"아, 신경질 나게 자꾸 아니라고 하지 말아요. 내가 가난하고 못 배웠다고 선생님도 날 무시하는 건가요? 예? 그래요?"

"아니 저어…… 그게 그러니까……."

"아, 이 세상에 가난하고 싶어서 가난한 사람이 어디 있습니까."

"네, 그럼요. 그게 저어……."

"예, 가난한 것도 서럽고 원통한데 왕따까지 시켜요? 지까짓 것들이 뭔데 왕따를 시켜요, 왕따를. 이것들을 확 그냥 한 주먹에……."

"아버님, 글쎄 좀 진정하시고……."

"됐습니다! 내가 진정하게 생겼어요. 선생님도 서운해요. 내가 가난하다고 우리 애를 업신여기고 차별하고 그랬지요."

"아, 아닙니다. 그럴 리가 있습니까."

"그만두세요. 선생은 뭐 사람 아닌가요. 선생이 그러니까 애새끼들도 따라서 왕따를 놓고 그런 짓을 하는 거지요. 나 가난하고 무식해도 그 정도 눈치는 환해요."

"아니, 그건 큰 오해십니다. 선생은……."

"웃기지 말라니까요. 부잣집 애들한테는 살살 웃어주고 신용 주고 하면서 우리 애는 한 번도 안 쳐다보잖아요. 그걸 누가 모를 줄 알아요? 왜 사람 약 오르게 거짓말해요."

애 아빠는 올 때마다 이런 말을 씹고 또 곱씹었다. 그 술주정 앞에서 이소정은 속수무책이었고, 다른 선생들도 어쩌지 못하고 슬슬 피하며 안타까워하기만 했다. 이런 일의 해결사 역할을 해야 하는 교감도 개입할 엄두를 내지 못하고 있었다. 술 취한 사람이 언제 어떻게 돌변할지 알 수 없는 일이었다. 자기 자식 잘못은 생각하지 않고 맨 정신으로 교무실에 들이닥쳐 선생의 멱살을 잡고 흔드는 아버지들이 적잖은 판이었다. 세상은 급속하게 변해가고 있었다.

"참 이상해요. 저 어린것들이 가난한 애들은 어떻게 그리도

용케 딱딱 찍어내지요. 그거 참 신기하고도 묘해요."

뒷자리로 물러나 앉은 교감이 풀기 어려운 수수께끼라도 되는 듯 고개를 갸웃거렸다.

그랬다. 아이들은 족집게 점쟁이였다. 임대 아파트에 살거나 연립주택에 사는 아이들을 잘도 골라내 왕따 대상으로 삼았다.

이소정은 그 애 아빠에게 전화를 했다.

"내일 오후 4시쯤에 학교로 와주셨으면 합니다."

"왜요?"

"그 문제 해결을 위해 만나보실 선생님이 한 분 계십니다."

"해결? 어떻게요?"

"일단 만나보셔야죠. 아버님께서도 이 문제에 언제까지나 매달려 있을 수는 없는 일 아닌가요?"

"흥, 알았어요."

강교민은 아이 아빠를 만나기 30분 전쯤에 여동생과 마주 앉았다.

초등학교 아이들이 저지른 왕따 내용이란 뻔했고, 문제는 애 아빠의 감정이었다.

"가난한 것도 상처인데 애가 왕따까지 당해서 학교를 안 다니려고 하니 그 상처가 더 깊어진 것 같아요. 참 안쓰럽고 안됐는데 어쩔 수가 없고……."

여동생은 지친 얼굴에 연민까지 드러내고 있어서 더 가녀리면서도 진실한 교육자의 면모를 드러내고 있었다. 그래, 그렇게 시달려야 교육자 관록이 붙는 거야. 강교민은 커피를 한 모금 마셨다.

"애는 어쩌고 있어?"

"계속 결석이에요."

"그게 더 문젠데."

"그래서 제가 계속 지킬 테니 제발 학교에 보내라고 해도 막무가내예요. 애도 학교 다니기 싫어하고, 자기도 요런 놈의 학교 보내고 싶지 않대요."

"역시 감정이 많이 상한 모양이군. 충분히 이해가 가."

강교민은 침통하게 고개를 끄덕였다.

"차암, 초등학교 4학년밖에 안 된 것들이 어떻게 그렇게 꼭 어른들처럼 빈부를 따지는지 모르겠어요. 그래서는 안 된다고, 돈으로 사람 차별하는 건 도둑질을 하거나 폭행을 가하는 것과 똑같은 나쁜 짓이라고 그렇게 가르쳤는데도 아무 효과가 없었던 거예요. 온통 돈에 미친 우리나라의 천민자본주의와, 돈이면 사족을 못 쓰는 언행이 애들을 그렇게 물들여났나 봐요. 애들의 그 약고 눈치 빠른 게 끔찍하고 소름 끼쳐요."

이소정이 어깨를 움츠리며 부르르 떨었다.

"그래, 근데 말이다. 그건 세태 오염 이전에 인간의 본능적 속성 중에 하나이기도 할 거야."

강교민이 여동생을 넌지시 바라보며 엷게 웃음 지었다.

"본능적 속성……?"

"그래, 이 말 들어봐라. 중국의 역사학자 사마천이 『사기』에서 돈에 대해 이렇게 썼어. 자기보다 열 배 부자면 헐뜯고, 자기보다 백 배 부자면 두려워하고, 자기보다 천 배 부자면 고용당하고, 자기보다 만 배 부자면 노예가 된다."

"어머나, 너무 기막혀요."

이소정이 놀라움과 감탄을 동시에 드러냈다.

"정말 놀랍지? 2천 2백여 년 전에 인간의 심리를 그렇게도 예리하게 갈파하다니, 그래서 사마천은 희대의 역사학자로 첫 손가락에 꼽히는 거야."

"그때는 자본주의도 아니었잖아요."

"바로 그거지. 억(億)이라는 글자 뜻을 봐. 인(亻) 변에, 뜻 의(意) 자거든. 무슨 뜻이냐면, 그건 실재하는 숫자가 아니라 사람의 마음에나 있는 숫자라는 뜻이야. 그러니까 그 옛날에는 경제 규모가 작아서 억이란 숫자를 쓸 필요가 없었던 거야. 그런 시대에도 자기보다 만 배가 많으면 노예가 되고 마는 게 돈의 힘이었던 거야. 그런데 지금은 억을 만 배 넘는 조(兆)가 예사로 쓰이고, 개인들도 몇 십조 재산을 갖는 시대가 되었으니 인간의 마음이 어떻게 되겠니. 어느 재벌이 무슨 넥타이를 맸다 하면 그게 금방 유행 바람을 타고, 또 어느 재벌 부인이 무슨 귀걸이를 했다 하면 그게 또 불타나게 팔리고 그러잖니. 그런 게 다 사마천이 말한 노예근성 아니냐. 인간의 속성이 그런 거고, 그래서 인간은 자본주의와 궁합이 잘 맞는 거고."

"그러네요. 그 애들 죄가 아니에요."

"그래, 인간은 많이 난해한 존재야. 이번에 인간 공부 한바탕한다 생각하고, 속상해할 것도 없고 자책할 것도 없어."

"네. 어쨌든 애들이 애들 같지가 않아요. 점점 더 거칠어지고, 예의라는 걸 모르고……"

이소정이 어깨한숨을 쉬었다.

"그렇지. 유치원 들어가기 전부터 외국인들 불러들여 영어 선행학습부터 시작해서 대학 입시 직전까지 온갖 과외들을 정신없이 해대면서 인성 교육은 쓰레기 취급해 버리고, 집집마다 애들이 한둘밖에 없다고 그저 오냐오냐해서 키우면서 식당이나 공항 같은 데서 제멋대로 소란을 피우는 애들에게 다른 어른들이 제지를 하면 젊은 엄마들이 금방 나서서 왜 남의 애 기죽이느냐고 대드는 세상 아니냐. 수치도 부끄러움도 모르고."

강교민이 떫게 웃으며 혀를 찼다.

왕따당한 아이 아빠는 여전히 술 냄새를 풍기며 나타났다.

"첨 뵙겠습니다." 강교민이 아이 아빠에게 악수를 청했고, "저는 ××고등학교 교사인 동시에 따님의 담임 이소정 선생의 이종사촌 오빠 되는 강교민이라고 합니다. 제가 이렇게 아버님을 뵈려고 온 것은 여동생을 편들려는 사적 입장이 아니라 같은 교육계에서 발생한 공동의 문제를 서로 합심해서 잘 풀어나가기 위한 공적 입장이니 추호도 오해 없으시기 바랍니다", 그는 이 말을 해나가는 동안 줄곧 애 아빠의 손을 잡고 있었고, 눈길은 애 아빠의 눈으로 쏟아져 들어가고 있었다.

'저거야, 바로 저거야. 나는 악수도 못했고, 눈으로 저렇게 제압하지도 못했잖아. 역시 오빠는 관록이 대단해.'

이소정은 여선생이 남자 학부모를 대해야 하는 한계를 실감하며, 일이 수월하게 풀릴 것 같은 느낌을 받고 있었다.

"예에……, 저는 나길수라고 합니다."

아이 아빠는 똑바로 서려고 애쓰며 좀 떨리는 것 같은 목소리로 수인사를 했다.

'어쩜 사람이 저렇게 달라질까. 남자는 남자한테 기가 죽는가 보다. 난 여자라고 깔본 게 분명해. 어찌 저렇게 기죽고 순

해질 수가 있어.'

이소정은 남자라는 존재의 난해함에 어이없어하며 아이 아빠를 바라보고 있었다.

"이소정 선생한테 얘기 자세하게 다 들었습니다. 얼마나 속이 상하고 분하십니까. 저도 자식 키우고 있는 부모로서 그 심정이 어떠실지 충분히 잘 알고 있습니다. 왕따당하는 것은 맞고 왔을 때와 똑같이 화나고 열 받는 일입니다. 저는 15년 교직 생활 동안 그런 일을 수없이 겪고, 해결해 왔습니다. 이젠 이 일도 해결해야 할 단계에 와 있는 것 같습니다. 애를 언제까지 학교에 안 보낼 수 없는 일이니까요. 나 선생께서는 어떻게 해결하는 게 좋을 것 같으신지요?"

'나 선생……? 아, 저렇게도 존칭을 쓰는 방법이 있구나. 대접받아서 기분 나쁠 사람이 어딨어. 그리고 선생이라고 불렸는데 함부로 나대기도 어렵잖아.'

이소정은 오빠를 바라보며 연륜의 차이라는 게 무엇인지 실감하고 있었다.

"저어……, 애가, 우리 애가 그 애들하고는 절대 같이 학교에 안 다니겠다구 뻗대니까……, 그 애들을 전부 딴 학교로 보내주면 좋겠는데요."

한 아이 때문에 네 아이가 전학을 간다? 그건 어려운 일이었다. 이 난감한 문제에 봉착한 오빠에게 이소정은 눈길을 돌렸다.

"예, 나 선생 말씀 이해합니다. 그런데 여기에 한 가지 어려운 문제가 있습니다. 그러니까 왕따와 학교 폭력은 초·중·고등 학교에서 발생하는 2대 사건입니다. 그런데 왕따는 80퍼센트 이상이 여학교나 여학생 사이에서, 학교 폭력은 80퍼센트 이상이 남학교나 남학생 사이에서 발생하고 있습니다. 그래서 학교 폭력은 상해 피해를 일으키기 때문에 나라에서 학교 폭력대책자치위원회를 만들어 철저히 처벌을 하고 있어서 학교 폭력이 대폭 줄어드는 효과를 나타내고 있습니다. 그러나 왕따는 상해 피해가 없어서 그런 조처를 안 취했기 때문에 무슨 처벌 방법이라는 게 없습니다. 그러니 학교에서 네 아이를 전학 보낼 방법, 즉 권한이 없는 것입니다. 그러니 나 선생, 이러면 어떻겠습니까. 네 아이가 반 애들 모두가 보는 앞에서 따님에게 사과하게 하고, 따님은 담임선생이 철저하게 보호해 나가는 겁니다."

"안 돼요, 우리 딸은 그 네 아이라면 치를 떨어요. 자다가도 마구 헛소리를 한다니까요."

"따님이 담임선생을 어떻게 생각하는지 모르겠는데……."

"아, 담임선생님은 아주 좋아해요. 늘 다정하고, 꼭꼭 지 이름 불러주며 이뻐해주신다고……."

나길수는 강교민의 말을 가로채며 빠르게 말했다.

"아, 그래요, 그거 참 잘됐습니다. 따님이 담임선생을 그렇게 믿으니까 나 선생 생각대로만 하지 말고 따님한테 한번 물어봐주시는 게 좋겠습니다. 따님이 좋아할 수도 있으니까요. 왕따는 선생님이 몰랐을 때 일어나는 것이지 선생님이 철저하게 감시할 때는 일어나지 못하니까요."

"선생님을 참 좋아하긴 하는데……, 글쎄요 그게……."

나길수는 고개를 갸웃거리면서도 강교민의 말을 받아들이는 태도를 취했다.

"따님이 싫다고 하면 바로 또 다른 방법을 강구하도록 하겠습니다."

이렇게 말하면서도 강교민은 자신 있다는 눈길을 여동생에게 보냈다.

그러나 이소정은 오빠의 눈길을 선뜻 믿을 수가 없었다. 왕따의 피해는 학교 폭력의 상해와 다를 것 없는 정신의 상처였기 때문이다. 상처 입은 아이가 한 명도 아닌 네 명의 가해자들과 한 공간에서 생활하려고 할 것 같지가 않았다. 우선 애 아빠가 그런 식으로나마 동의한 것이 다행일 뿐이었다.

"초등학생들까지도 이 모양이니 이게 보통 문제는 아니다."

나길수를 돌려보낸 강교민이 물을 한 컵 들이켜고 나서 말했다.

"이런 일이 계속되는 건 왜 그럴까요?"

이소정이 선생 노릇이 괴롭다는 기색으로 말했다.

"글쎄, 우리 선생들도 현상을 힘겹게 겪으면서도 원인을 분명히 몰라서 답답한 게 이 문제잖아. 어쨌든 여러 가지가 복잡하게 얽혀서 나타나는 병적 증상이야. 아마도 제일 큰 게 과도한 공부 스트레스인 것 같고, 그다음이 약자를 괴롭혀 자기 힘을 과시하는 인간의 악한 지배욕의 발동 같고, 한 공간을 자기네 세계로 장악하고자 하는 패거리 의식이 또 하나고, 괴로움을 당하는 자의 고통스러움을 보면서 점점 승리감과 쾌감이 커져가는 악마적 가해 의식, 이런 것들이 뒤섞여 있는 게 아닌가 싶어."

"네에, 한 가지는 틀림없어요. 애들에게 과외 스트레스만 없애줘도 이런 일은 대폭 줄어들 거예요. 조사를 해보면 애들 90퍼센트가 억지 과외를 지긋지긋해해요. 엄마들 우격다짐 때문에 어쩔 수 없이 참고 견딘다는 애들은 걸핏하면 딴 일에 성질을 폭발시키거든요. 조금만 흠이 잡히는 약자를 찾아냈다 하면 인정사정없이 따돌려 놀림감을 삼고, 그걸 구경하며 키들거리고, 재미있어하고, 통쾌해하는 걸 보면 애들 같지가 않아요. 그 악동들의 모습이 징그럽다 못해 소름 끼치고 무서워요. 제발 그 과외 좀……, 엄마들의 그 과외 중독……, 이러다가 선생 오래 못할까 봐 겁나요."

이소정의 파리한 모습은 아무리 싸워도 이길 가망이 없는 아이들과 엄마라는 두 적수와 맞서며 지쳐가고 있는 병사의 딱한 모습이었다.

"그래, 그놈의 과외 광풍이 절대 원인일 수 있지. 어쨌든 힘 내자. 곪다 보면 고름은 터져나가고 종기는 낫게 마련이지. 참고 견뎌보자."

"도와줘서 고마워요."

"고맙긴. 그 사람 결이 고운데. 말도 금방 알아듣고."

"참 이상해요. 나한텐 그렇게 고약하게 굴어놓고선 오빠한 테는 그렇게 고분고분하다니요. 여자를 무조건 무시하고 드는 게 남자들의 못된 근성인가 봐요."

"몰라, 이 험한 세상 남자들이 그 맛에 사는지도. 그건 하느 님의 영역이니까 그쪽으로 문자 보내봐라. 나 간다."

오빠를 배웅하고 나서도 이소정은 왕따의 생각에만 빠져 있었다. 가엾게도 가난한 애들이 표적이듯이 왕따를 주도하 는 건 어김없이 가장 좋은 아파트에 사는 힘센 아이들이었다. 경제 사정이 비슷한 애들끼리 패거리를 짰고, 그들 대여섯 명

은 축구, 게임, 자전거 타기 등 같은 취미로 어울리며 학급의
임원도 도맡아가며 교실의 헤게모니를 완전히 장악했다. 그
러고는 왕따의 먹잇감을 차례로 사냥해 나갔다. 행동이 굼뜬
애, 눈치 없이 좀 둔한 애, 체구가 작고 만만해 보이는 애, 뚱
뚱한 애, 공부 못하는 애, 겁 많고 기 약한 애, 늘 냄새 풍기는
애, 싸움 못하고 순한 애, 가난한 애들이 그들의 손아귀에 잡
혀 고통스럽게 버둥거려야 했다.

초등학교 아이들의 세계는 순진하지도 않았고, 건강하거나
명랑하지도 않았다. 꼭 어른들이 일삼아 가르친 것처럼, 아니
면 아이들이 몰래 엿보아 배운 것처럼 어른들 세계의 판박이
그대로였다. 강한 자들끼리 패거리를 짜서 조직적인 세력을
만들고, 여러 약한 자들을 골라내 지배하고 괴롭히며 자기네
권력을 과시하는 그 악랄함.

아이들이 어떻게 그럴 수 있는 것인지……. 인간이란 본성
이 원래 그렇게 악마적인 것인지……. 우리나라 아이들만 그
러는 것인지……. 그런 것들이 이소정은 도저히 풀 길이 없는
수수께끼였다. 그런 일로 소모하는 신경이 아이들을 가르치는
것보다 훨씬 더 힘이 들었다. 학생 시절에 가졌던 교직에 대한
선망과 낭만은 그런 시달림 속에서 차츰차츰 마모되어 가고
있었다. 그러나 이소정은 교직은 그래도 희망을 심고 가꾸는

것이라는 애초의 생각을 놓지 않으려고 스스로를 다독거렸다. 저 앞서 걸어가고 있는 이종사촌 오빠 강교민을 바라보며.

"사람은 누구나 한 가지 직업은 가지고 살아가야 한다. 교직은 가장 죄 덜 짓고, 가장 거짓말 덜 하고, 가장 인간답게 살 수 있어서 몸담고 지키고 있는 것이다. 교직은 권력도 아니고 더구나 금력도 아니다. 다만 인간답게 살며 인간다운 인간을 길러내는 데 힘을 보탤 수 있기에 그 의미가 크다."

교사다운 교사, 오빠 강교민이 하는 말이었다. 그 신념은 오빠의 당당한 모습과 함께 언제나 아름다웠다. 그 오빠의 그림자를 밟으며 교직의 길을 가야 한다고 이소정은 스스로를 달랬다.

"아빠, 그건 안 돼!"

아이는 아빠 말이 다 끝나기도 전에 소리쳤다.

"왜 안 돼?"

나길수는 딸을 멍하니 쳐다보았다.

"아빤 바보야?"

아이는 야무진 표정으로 아빠를 쏘아보았다.

"그게 무슨 소리야, 버릇없이."

아빠도 엄한 얼굴을 하며 딸을 쏘아보았다.

"아빠, 생각해 봐. 선생님이 아무리 날 잘 지켜주려고 해도

250

하루 종일 선생님이 날 따라다닐 수가 없고, 나도 선생님을 졸졸 따라다닐 수도 없잖아. 선생님하고 있을 때보다 걔네들하고 있을 때가 훨씬 더 많은데 난 그때마다 당하게 된다구. 아빠, 내 말 알아들어?"

아이가 끝말을 소리 높여 외쳤다.

"그래, 나도 그 생각을 안 한 건 아니야. 그러면 그게……."

나길수는 그만 풀이 죽었다.

"아빠, 딱 한 가지 방법이 있어."

아이가 아빠 앞으로 다가앉으며 또렷하게 말했다.

"방법……?"

"응, 그동안 내가 여기저기 학교 애들에게 알아봤거든. 그랬더니 소문대로 혁신학교가 아주 좋대."

"혁신학교?"

"응, 학교를 새롭게 뜯어고친 학교라는 뜻인데, 정말 새롭고 좋대."

"그럼 뭐 해."

나길수는 심드렁하게 중얼거렸다.

"뭐 하긴, 그런 학교로 전학 가면 돼."

"전학? 전학 가면 왕따하고 똑같은 텃세 당할걸 뭐."

"아니야, 혁신학교엔 그런 거 절대 없대."

"그런 게 어딨어. 괜히 속지 마."

"아니라니까, 아빠. 그런 학교에선 텃세도 없고, 왕따도 없고, 학폭(학교 폭력)도 없대. 나도 첨엔 영 안 믿어졌어. 근데 그게 사실인 거야. 일반 학교에서는 장애아들은 무조건 왕따고 놀림감이야. 그리고 체육대회 때는 완전 외톨이 신세가 되고 말아. 근데 혁신학교에선 애들이 장애아의 휠체어를 밀며 함께 뛴대. 아빠, 그럼 누가 1등이게?"

"1등……?"

"그야 장애아잖아. 휠체어를 뒤에서 미니까 먼저 도착한 게 누구야?"

"아하, 그렇구나!"

"나 그런 혁신학교로 전학 가게 낼 바로 아빠가 선생님한테 가서 부탁해. 우리 집에서 제일 가까운 혁신학교를 소개해 달라고."

"그게 정말일까? 믿을 수가 없네."

나길수가 고개를 갸웃갸웃했다.

"정말이라니까. 내 말 믿으라구."

"그렇담 거긴 천국이게?"

"맞아, 아빠. 여긴 지옥, 거긴 천국!"

"미엽아, 하리 어디 있니?"

예슬이는 서둘러 가방을 메며 미엽이 쪽으로 걸었다.

"글쎄, 잘 모르겠는데."

미엽이가 한쪽 어깨에 가방을 걸치며 건성으로 대꾸했다.

"얘, 하리 빨리 찾아. 내가 오늘 풀코스로 쏠 거니까. 어제 우리 친척이 오셔서 용돈 땡겼거든."

"나 바빠. 엄마하고 약속해서 빨리 가야 돼."

미엽이는 예슬이를 쳐다보지도 않고 휑하니 복도로 나갔다.

'아니, 쟤가 왜 저래? 뭐지⋯⋯?'

예슬이는 뭔가 이상하다는 걸 직감했다. 자신을 일부러 피하는 것 같은 느낌! 그 생각이 들자 잇따라 떠오르는 것이 있었다. 오늘 미엽이하고 별로 나눈 얘기가 없었다. 손하리하고도 별다른 얘기 없이 하루를 보낸 것이다.

'내가 너무 그 생각에만 빠져 있었던 것인가⋯⋯?'

예슬이는 요새 자기가 프랑스 유학에 너무 정신 팔려 있었다는 것을 느꼈다.

"거럼, 우리 예슬이가 유학을 간다면 프랑스 아니라 달나라까지도 보내야지. 디자이너? 아, 그것 좋지. 여자 직업으로서는 최고야. 여자를 주로 상대하는 것이라서 좋고, 세련되고 멋진 옷을 만들어낸다는 건 더욱 좋고. 아티스트? 아티스트?

그 이름 들을수록 근사하고 멋들어진다. 예술가야 못 돼서 한이지 될 수만 있다면 까짓 판검사가 델 것이나 있겠냐. 좌우지간 우리 딸이 똑똑하고 장하다. 겨우 중3밖에 안 됐는데 제가 알아서 진로를 딱 정하고 나섰으니 말야. 딴 애들은 고3이 돼서도 무얼 해야 좋을지 몰라 얼마나들 속을 썩이는데. 수학 과외 때려치우고 불어 공부 열심히 하겠다는 것도 아주 좋은 생각이야. 이 아빠가 뒤를 팍팍 밀어줄 테니까 넌 그저 열심히 해. 난 앙드레 김이란 사람을 영 비위 상하게 보았는데, 우리 딸이 진로를 정하는 데 롤모델로 삼았다니 딱 달리 보이는 거야. 그렇게 훌륭한 줄 몰랐는데 우리 예슬이 얘기 듣고 나도 은근슬쩍 존경하고 싶은 마음이 생기려고 그런다. 하여튼 그분처럼 되도록 열심히 해라."

아빠가 이렇듯 흔쾌하게 승낙해 금방 하늘을 훨훨 나는 기분이었다. 아빠의 그 허락은 바로 과외로부터의 해방이고, 엄마로부터의 해방이었던 것이다.

"난 이제 어떡하니?"

신바람 난 예슬이 옆에서 힘 빠진 엄마가 한 말이었다.

"왜에……?"

"왜긴, 중대한 일이 한 가지 없어졌잖아."

"어머나, 내 과외 못 시키는 게 그렇게 힘 빠지는 일이야?"

예슬이는 딱하다는 표정으로 엄마를 쳐다보았다.

"당연하지. 엄마한테 자식 공부만큼 중요한 문제는 또 없어. 시원한 것 같기도 하고, 마음이 텅 비어버린 것 같기도 하고, 뭐가 뭔지 잘 모르겠다."

정말 허탈한 표정의 최미혜는 어깨를 늘어뜨렸다.

"엄마도 이젠 나한테서 해방됐으니까 자유롭게 엄마를 위한 일 본격적으로 찾아나서."

"엄마 일……?"

최미혜는 새 기운이 새싹 돋듯 하고 있는 딸을 물끄러미 쳐다보았다.

"응, 엄마가 젤 하고 싶은 일!"

"젤 하고 싶어……?"

"그 일을 찾아 열심히 하면서 신나게 엄마 인생 살라구."

"엄마 인생……."

최미혜는 먼 눈길로 창밖을 하염없이 바라보고 있었다.

예슬이가 제일 먼저 한 일은 그 지긋지긋한 수학 과외를 때려치우는 일이었다. 과외를 때려치우는 데는 무슨 절차가 필요한 것이 아니었다. 학원을 출입하는 것은 사전에 반드시 수강비를 내야만 했다. 그러나 그만둘 때는 그냥 그만두면 그만이었다.

그런데 꼭 치러야 하는 한 가지 절차가 있었다. 함께 과외를 해온 미엽이와 하리에게 미리 알리는 것이었다. 그 일은 생각만 해도 가슴이 두근거릴 만큼 신나는 일이었다. 두 친구가 얼마나 놀라고 부러워할 것인가.

김미엽과 손하리에게 학원 그만두게 된 사연을 얘기했던 것이 떠오르면서 문득 머리를 치는 생각이 있었다.

'이것들이 설마!'

그 생각을 쳐내는 생각이 거의 동시에 일어났다.

'아니야, 그럴 리 없어!'

그 생각을 다시 쳐내는 생각이 또 일어났다.

'아니야, 그럴지도 몰라!'

그 생각을 또 쳐내는 생각이 다시금 일어났다.

'아니야, 그럴 수는 없어!'

그렇게 강한 불빛 교차하듯 두 가지 생각을 밀고 밀리게 하는 것은 '은따(은근한 따돌림)'였다.

'이것들이 날 은따시키는 거야?'

이 생각이 머리를 치면서 긍정과 부정이 빛의 빠르기로 뇌리에서 엇갈린 것이었다.

예슬이는 새롭게 짚이는 생각에 교실을 뛰쳐나갔다. 지금 자신을 따돌리고 둘이서 만나고 있을지도 모른다는 생각이었다.

예슬이는 여러 학생들을 아슬아슬하게 피해가며 운동장까지 죽어라고 뛰었다. 많은 학생들이 끼리끼리 교문을 향해 걷고 있었다. 다 똑같은 뒷모습, 그중에서 김미엽과 손하리를 쉽게 찾아내기란 가망 없는 일이었다.

그러나 예슬이는 포기하지 않았다. 둘씩 짝지어 걷는 애들만을 향해 뛰기 시작했다. 보고, 보고, 또 보고……, 숨을 헐떡거리며 교문에 다다랐으나 김미엽과 손하리의 모습은 없었다. 언제나 셋이서 교문을 나섰었는데 둘이는 어디로 가고 자기 혼자만 사방을 두리번거리며 서 있는 것이다.

"어머 얘, 부러워죽겠다."

"말 마. 난 너무 부러워 샘나죽겠다."

"난 너무 샘나 배가 아파죽겠다."

"글쎄, 글쎄, 난 살고 싶지가 않아."

둘이서 앞다투어 했던 이 말들이 떠오르면서 '은따'가 머리를 친 것이었다.

디자이너의 길이 확정된 이야기를 하는 동안 김미엽과 손하리는 놀라움과 부러움의 감탄을 연발했었다.

"어머나, 어머나, 느네 아빠 진짜 짱이시다."

"짱이 아니라 슈퍼 킹이다."

"어찌 요새 그런 대박 아빠가 있을 수 있니?"

"그렇지? 요새 아빠란 다 찌질이어야 맞잖아."

"우리 집에서 내가 그랬으면 우리 아빤 어림도 없어. 내 편 들다가도 엄마가 빼액 소리 한 번만 지르면 그 순간에 바짝 쫄아 찌질이가 돼버려."

"우리 집도 마찬가지야. 아빠 돈을 적게 벌어오는 것도 아닌데 왜 엄마한테 꼼짝을 못하나 몰라. 특히 교육 문제에선 엄마가 무적의 대왕마마야. 당신은 애들 교육 문제에 대해선 나서지 말아요. 엄마가 이렇게 한마디 쏘아붙이면 아빠는 그만 꼼짝을 못하고 찌질이 빌빌이가 돼버려. 그러면서 회사에서는 어떻게 부장 노릇을 하는지 알다가도 모를 일이야."

"응, 그건 그렇고, 넌 그럼 오늘부터 수학 과외가 쫑이라 그거야?"

"그래, 딩동댕이고 만만세 자유야!"

"애, 그럼 우리 둘이는 어떡해?"

"맞아. 너만 지옥 탈출해 버리면 우린 더 지긋지긋하고 쓴 물 나고 질릴 텐데 어쩌니 그래."

"그럼 넌 수학 대신 불어 공부를 한다고?"

"세상에, 넌 얼마나 행복하니. 3년 동안 입시 지옥에서 완전히 벗어나 슬슬 공부하다가 프랑스행 비행기만 타면 되니."

"어쩐지, 너 패션 잡지 자꾸 사 모으고, 연습장에다 디자인 스케치 자주 그리고 할 때 수상하다 했어."

"아니, 지난번 글짓기했을 때 그냥 꿈 이야기 적은 건 줄 알았지 그 꿈이 이렇게 빨리 이루어지다니, 넌 정말이지 행운아다."

"우린 왜 그런 재주도 없냐. 재수 없이."

"애, 그런 재주 없기 다행이다."

"그건 무슨 말씸?"

"몰라서 그래? 그런 재주 있어도, 그런 아빠가 없는데, 어쩌라고?"

"그러게. 난 어차피 전망 잡친 인생이야."

"그 개성이라는 거, 적성이라는 거, 재능이라는 거, 그거 영 재수 없는 거 아니니? 갖고 태어난 사람들이야 신나지만 그런 선물 못 받은 사람들은 영 꽝이잖아."

"아휴, 짜증 나. 인물이 쪽 빠지지 못했으면 폼 나는 재주나 타고나야 하는데, 이건 죽도 밥도 아니니 어디다 쓰니."

이야기가 이렇게 흘러가다가 샘나고, 배 아프게 된 거였다. 그런 그들이 은따를 음모했을지도 모른다는 의심이 들자 생각은 급속도로 그쪽으로 쏠려가기 시작했다. 샘나고 배 아픈 그들의 마음이 뭉쳐지는 것은 한순간일 수 있었다.

은따는 으레 가장 친한 친구들 사이에서 일어나는 이상한 왕따였다. 그 뿌리는 시샘, 질투였다. 그게 왕따와 다른 것은, 왕따는 쥐어박거나 놀리거나 하는 게 남들 눈에 다 띄도록 심하게 괴롭히는 것이고, 은따는 얼핏 보아서는 별로 표가 나지 않게 교묘하고도 은밀하게 괴롭히는 것이었다. 그러니까 왕따는 남학생용이었고, 은따는 여학생용인 셈이었다.

교문을 나선 학생들이 길 따라 사방으로 흩어져가고 있었다. 예슬이는 망연히 서서 김미엽과 손하리 찾기를 그만 포기했다. 그런데 그녀의 생각은 이미 그들이 자신을 은따시키기 시작했다로 굳어지고 있었다. 그러면서도 마음 한편에서는 아니라고, 오해하지 말라고 타이르고 있었다.

그때 예슬이의 머리에 퍼뜩 떠오르는 것이 있었다. 셋이서 다녔던 몇 군데 단골집이었다. 떡볶이집, 편의점, 카페, 노래방 같은 데를 뒤지면 그 어디서든 나란히 앉아 있는 둘이를 찾아낼 수 있을 것만 같았다. 그렇기만 하다면 그건 틀림없는 은따였던 것이다.

그러나 다음 순간 예슬이는 두려움이 왈칵 끼쳐오는 것을 느꼈다. 사이좋게 무슨 얘기를 속닥거리고 있는 둘이를 발견하면 어떻게 할 것인가……, 어떻게 할 것인가……. 그걸 본다는 것이 너무나도 두려웠다.

예슬이는 그들을 찾아 나설까 했던 생각도 포기했다. 은따가 사실이라면 내일이면 자연스럽게, 당연하게 드러나게 될 거였다.

'내가 은따를 당해……?'

예슬이는 하도 어이가 없어서 헛웃음을 흘리며 고개를 젖혔다. 하늘이 시야 가득 푸르렀다. 오랜만에……, 참으로 오랜만에 보는 하늘이었다. 하늘색이 참 곱고 깊고 따스했다. 그 맑고 푸른 하늘에 하얀 구름 몇 덩이가 가볍게 떠 있었다. 그 구름이 한가한 것 같기도 하고, 외로운 것 같기도 했다. 외로운 것 같다는 생각이 들자 그 구름이 문득 자신같이 느껴졌다.

'은따를 당하면 외로울까……?'

예슬이는 고개를 저으며 그 생각을 털어내려 했다. 은따를 당해보지 않아서 모를 일이었다. 은따를 시켜본 일도 없었다. 그런데 은따당하는 아이들을 몇 번 본 적은 있었다. 그 아이들은 모두 몹시 힘들어했고, 몹시 외로워했다. 반 아이들은 그 누구도 그 아이의 편이 아니었다. 모두가 은따시키는 아이들과, 은따당하는 아이를 그저 바라보기만 하는 구경꾼들이었다. 그 구경에 손뼉을 치지는 않았지만 슬슬 웃으며 은근히 재미있어하고 있었다. 그러니까 구경하는 아이들도 모두 결국은 함께 은따에 동참하고 있는 것이나 마찬가지였다.

아이들은 날마다 외톨이로 고통당하면서도 담임선생에게 이르지를 못했다. 이른다고 해봤자 은따시킨 아이들은 그런 일 없다고 뚝 잡아뗄 것이고, 아니면 친구끼리 장난한 거라고 둘러댈 것이다. 그러면 담임선생이 할 수 있는 일은 사이좋게 지내라는 꾸짖음이고, 최고로 심해봐야 반성문 한 장 쓰게 하는 것이었다. 그러나 그다음에 은따당한 아이는 고자질한 죄를 엄청나게 뒤집어써야 했다. 은따는 전보다 훨씬 더 가혹하게 가해지게 마련이었다. 그런 보복이 두려워 아이들은 선생은 물론이고 자기네 부모한테도 은따당하고 있는 걸 알리지 못하는 것이었다.

아이들은 그 고통을 견디지 못하고 정신병원을 가기도 했고, 전학을 가기도 했다. 그리고 성적 비관으로 자살하는 아이들 중에 '따' 당해 죽는 아이들도 섞여 있다고 했다.

예슬이는 평소 다니던 길과 반대편 길을 잡았다. 그리고 버스를 타지 않고 계속 걸었다. 아이들과 수다 떨며 죽였던 시간을 길에다 버려야 했기 때문이다. 괜히 집에 일찍 들어가 엄마한테 이런저런 귀찮은 심문을 당하기 싫었다.

예슬이는 아무리 애를 써도 잠을 잘 수가 없었다. 김미엽과 손하리는 끈질기게 달라붙었다. 떼처내려고 하면 할수록 더 강한 힘으로 끈적끈적 달라붙으며 잠을 훼방 놓았다.

자신이 만약 그들의 입장이라면……, 그 지긋지긋하고 쓴 물 나고 소름 끼치고 끔찍스러운 과외 지옥에서 훌훌 벗어나 자유의 몸이 된다. 그리고 3년 동안 여유롭게 자기가 하고 싶은 일 해가면서 마음 편하게 공부 적당히 해나가다가 고등학교를 졸업하고는 프랑스 유학을 떠난다……. 자신도 그런 행복에 겨운 친구를 구경만 해야 한다면……. 부럽고 부럽다 못해 결국 샘나고, 배 아프고, 신경질 나고, 왕짜증 부리고……, 그러다가 끝내는 비위가 비비 틀려 은따를 하기로 마음을 합칠 수 있는 일이었다. 얼마든지 그럴 수 있는 일이었다.

상 타는 아이들을 바라보며 박수를 치고 있는 아이들은 정말 축하를 하고 있는 것인가? 그들 모두의 내심은 박수를 치는 모습과는 정반대 아닌가. 마음속에서는 시기와 질투가 부글부글 끓어오르고 있는 것이다. 친할수록 그런 감정은 더 강할 수도 있었다.

……은따를 당해도 어쩔 수 없는 일이었다. 그런데……, 그렇다면 우정이란 무엇인가……? 친할수록 감정이 더 상한다면……, 결국 우정이란 없는 것인가……. 이런 문제까지 겹쳐지고 겹쳐져 수없이 뒤척이다가 새벽녘에야 가까스로 눈을 붙였다.

아침 식탁은 계속 썰렁하기만 했다. 엄마의 모습이 사라진 탓이었다.

"내 꿈은 다 깨졌다. 보기 싫어!"

아빠의 허락에 맞서 이 한마디를 내쏘고는 엄마는 아침 식탁만 차려놓고는 자취를 감추어버렸다.

'아, 은따는 엄마가 먼저 시작한 거로구나!'

예슬이는 이 깨달음에 쓰게 웃으며 우유 팩을 뜯었다. 전혀 입맛이 없어 우유 한 팩을 다 넘기기도 힘들었다.

"어엄마아, 학교 다녀오겠습니다아!"

예슬이는 안방을 향해 평소보다 열 배쯤 크게 외쳐대고는 집을 나섰다.

예슬이는 교실 못 미쳐 복도에서 손하리와 마주쳤다.

"하리야!"

"……."

손하리는 '너 누구니? 너 나 알아?' 하는 눈빛으로 예슬이를 쳐다보았다.

"……."

그 차가운 눈빛에 충격받으며 예슬이는 현기증을 느꼈다.

손하리는 그대로 지나쳐 가버렸다.

'아아, 내 예감이 맞았구나…….'

예슬이는 현기증을 이겨내느라고 주먹을 꼬옥 말아 쥐었다.

교실로 들어서던 예슬이는 김미엽을 발견했다. 김미엽은 서너 명의 아이들과 무슨 얘기를 하고 있었다. 그러다가 서로 눈길이 마주쳤다. 그러자 김미엽은 외면을 하더니 아이들에게 무슨 손짓을 하며 제자리로 가버렸다.

'아아……, 너도!'

예슬이는 은따가 확실하다는 것을 확인했다. 그 순간 반 아이들 전체가 자신을 떠밀어내는 것 같은 기분을 느꼈다. 그리고 김미엽이 수군거리고 있었던 얘기도 자신에 관한 얘기일 거라는 생각이 들었다. 금방 교실이 싸늘해졌고, 당장 교실을 뛰쳐나가고 싶은 충동이 솟구쳤다.

'아니야, 이러면 안 돼. 넌 아무것도 잘못한 게 없어. 아니, 잘못한 게 있구나. 자랑을 한 거……. 참아, 참아야 해!'

예슬이는 자신에게 채찍질을 하듯이 속으로 외쳐댔다.

김미엽과 손하리는 쉬는 시간에도 한 번도 다가오지 않는 것으로 은따를 확실하게 확인시켰다. 전에는 10분 휴식이 너무 짧아 숨 가쁘게 수다를 떨고는 했었다. 예슬이는 의자에 붙박인 채 혼자 앉아 있을 뿐 그들 쪽으로 시선을 돌리지 못했다. 그들의 싸늘한 눈길을 대하기가 너무 두려웠다.

예슬이는 셋째 시간이 끝나고 자리에서 일어섰다. 혼자서 화장실을 향해 걸었다. 혼자 화장실을 가기는 처음이었다. 혼자 가는 화장실은 멀고 멀었다. 은따당하는 외로움이 걸음을 옮길 때마다 파도치듯 밀려들었다. 친구들이 이렇게 돌변해 버릴 수 있다는 것을 믿을 수가 없었다. 지금 분명히 겪고 있으면서도 믿을 수가 없었다.

그들은 그렇게도 시기가 났던 것일까. 그들은 그렇게도 질투가 났던 것일까. 친구가 잘되는 것이 그렇게도 싫은 것일까. 그게 무슨 친구일까. 친구라고 온갖 얘길 다 나누며 킥킥거리고 깔깔대며 즐거웠던 그 많은 시간들은 다 무엇인가.

어젯밤에 그랬던 것처럼 그런 생각들에는 아무런 답이 없었다. 생각할수록 머리는 어지럽게 얽히고 가슴은 답답해졌다.

예슬이는 손을 씻다 말고 자신을 바라보고 있는 얼굴에 깜짝 놀랐다. 그건 거울에 비친 자신의 얼굴이었다. 그런데 그 얼굴이 그렇게 낯설 수가 없었다. 초췌하고 우울한 그 얼굴은 울상이었다. 하루 만에 자신의 얼굴은 자신의 얼굴 같지 않게 망가져 있었다. 못생긴 얼굴이었다. 그렇게 못생긴 자신의 얼굴은 처음 보는 것이었다. 어렸을 때부터 예쁘다는 말은 많이 들었어도 못생겼다는 말은 등 뒤로도 들은 적이 없는 얼굴이었다. 엄마만 '우리 미녀 딸'이라고 했을 뿐이지만, 자신이 냉정하게 점수를 매겨도 80점 이상이면 이상이었지 그 이하는 아니었다. 그런데 화장을 하면 그 점수가 95점까지 쑥 올라가는 것이었다. 그러니 화장을 안 할 수 없고, 언제나 부족한 용돈이었지만 화장품 값이 팍팍 나가는 것은 전혀 아깝지 않았고, 학원 숙제가 밀리더라도 화장하는 시간은 아깝기는커녕 즐겁고 행복하기만 했었다. 그러고 보니 은따에 밀려 화장하는 것도 까맣게 잊어버리고 있었던 것이다.

화장을 안 해서 얼굴이 더 이 모양이라는 생각이 뒤늦게 떠올랐다. 그렇지, 화떡을 하면 저 속상한 얼굴을 많이 가릴 수 있겠지 하는 생각에 예슬이는 우선 립스틱이라도 바르고 싶었다. 그러나 립스틱은 사물함 안에 들어 있었다.

그 난감함과 함께 거울 속의 얼굴이 울고 있었다. 그 울상의 얼굴이 더욱 못생겨 보였다. 자신의 그 얼굴이 너무 보기 싫고 불쌍해 보였다. 불현듯 교실로 돌아가고 싶지 않았다. 이대로 어딘가로 가버리고 싶었다.

'아니, 가면 어디로 가? 학교를 그만둔다는 거야? 그럼 어떻게 되는 거지? 프랑스로 바로 떠나? 아닌데, 불어는 한마디도 모르면서, 그건 아닌데. 그럼……, 딴 학교로 전학을 가? 아니지, 완전히 낯선 곳엘 가면 얼마나 힘이 들겠어. 아니야, 내가 왜 전학을 가. 그까짓 미엽이, 하리, 별것 아닌 것들이잖아. 성적도, 미모도 나보다 한 수 아래인 것들이잖아. 내가

잘못한 게 뭐가 있어. 이것들을 하나씩 끌어다가 마구 닦아 세울까.'

그러나 예슬이는 고개를 저었다. 그랬다가 둘이서 힘을 합쳐 더 세게 나오면 어찌 될 것인가.

'힘내. 힘내야 해. 그 병신들의 시기 질투에 지면 안 돼. 난 개네들과는 비교가 안 될 특별한 꿈을 가졌기에 당하는 일이야. 용기를 내! 그까짓 것들한테 기 꺾이면 안 돼!'

예슬이는 아랫입술을 깨물며 화장실을 나섰다.

네 시간째가 끝나고 점심시간이 되었다. 애들이 와자한 소란을 일으키며 앞다투어 교실을 뛰쳐나가기 시작했다. 그건 점심시간을 반기는 애들의 환호성이었다. 아이들은 그 누구나 다 점심시간을 좋아했다. 꼭 학교 급식이 맛있어서가 아니었다. 아이들과 와글와글 맘껏 웃고 떠들어대면서 밥을 먹는 시간만큼은 공부로부터 완전 해방되는 시간이었던 것이다. 전국 학생들 80퍼센트 이상이 학교생활에서 가장 재미있고 즐거운 시간이 점심시간이라고 꼽은 것은 지극히 자연스러운 일이었다. 그러니까 지방의 어느 도에서 무상 급식을 폐지시켜 버린 것은 아이들에게 밥만 안 먹이는 몰인정이 아니라 아이들의 즐거움과 행복까지 빼앗아버린 비인간적인 처사였다.

아이들이 일으키는 와자함에 휩싸여 몸을 일으키던 예슬

이는 문득 굳어졌다. 자신을 감싸왔던 친구들의 훈기는 싹 가시고 냉기가 끼쳐왔던 것이다. 그런데 저기 뒷문 쪽에서 까르르 웃는 소리가 들려왔다. 그 귀에 익은 웃음소리에 예슬이는 고개를 획 돌렸다. 눈에 잡힌 네 사람, 그들은 김미엽·손하리·박가연·이영주였다. 그들은 이쪽에서 보라는 듯 큰소리로 웃어대며 서로서로 무척 친한 척해대고 있었다.

예슬이는 무릎이 휘청 꺾이는 것 같은 현기증을 느꼈다. 김미엽과 손하리는 자신을 밀어낸 자리에 박가연과 이영주를 들이세운 것이었다.

예슬이는 더 서 있지 못하고 허물어지듯 의자에 주저앉았다. 예슬이는 식당에 갈 기운을 완전히 잃어버렸다. 식당이야말로 친한 애들끼리 짝을 지어 앉아 맘껏 스트레스를 푸는 곳이었다. 그런데 혼자 어디에 앉아 밥을 먹는단 말인가. 그런 아이는 한 명도 없었다. 왈칵 울음이 터져 나와 예슬이는 어금니를 맞물었다. 울음을 참아 삼키느라고 어금니가 맞갈렸다. 외로움과 서러움이, 난생처음 느끼는 외로움과 서러움이 마음속 깊이깊이 사무치고 있었다.

예슬이는 점심을 굶었다. 그러나 배가 고픈 줄을 모르고 6교시를 마쳤다. 종례가 끝나자 아이들이 소란스럽게 교실을 나갔다. 그런데 네 아이들이 또 예슬이에게 보이려는 듯 아까 식당에 갈 때와 똑같은 모습을 지으며 교실을 나갔다.

예슬이는 혼자서 터벅터벅 복도로 나섰다. 그러고 보니 하루 종일 아무하고도 말을 한 적이 없었다. 하루 종일 말을 걸어온 애가 하나도 없었던 것이다. 그건 당연한 일이었다. 누군가가 따를 당했다고 알려지면 반 아이들은 그 즉시 그 아이를 외면해 버렸다. 왜냐하면 그 아이와 관계를 유지하면 자기도 같은 취급을 당할까 봐 두려워하는 것이었다. 그러니까 한번 따를 당하면 완전히 외톨이가 되는 절망적 상태에 빠지게 되었다.

예슬이는 교문을 나서면서 비로소 배고픔을 느꼈다. 배가 고픈 것을 의식하자 갑자기 목이 타들고 두 다리가 휘청거렸다. 예슬이는 서둘러 눈에 띄는 편의점을 찾아 들어갔다. 오후라 삼각김밥도, 신제품 도시락도 동이 나고 없었다. 라면보다는 우유와 빵을 샀다.

예슬이는 우유를 마시고 빵을 씹으면서도 자꾸 솟는 슬픔으로 눈물이 흘러내리려고 했다. 그 눈물을 애써 참으며 빵과 함께 넘기다 보니 자꾸 목이 메었다. 자신은 그나마 좋은 일 때문에 따를 당해도 이렇게 외롭고 슬픈데, 가난하다고, 못생겼다고, 뚱뚱하다고, 말을 좀 더듬는다고, 몸집이 작다고, 공부를 못한다고, 어리바리하다고 따를 당하는 애들은 얼마나 외롭고 억울하고 슬프고 분했을 것인가. 이제야 그런 아이들이 너무나 불쌍하고 가엽게 여겨졌다.

'아빠아아……'

예슬이는 편의점을 나와 타박타박 걸으며 아빠를 길게 불렀다. 그러자 외로움이 더 깊어졌다. 이런 때는 으레 엄마를 불러야 하는데 그럴 수가 없었다. 엄마한테 은따당하기 시작한 얘기를 하면 "봐라, 엄마 말 안 들으니까 하늘에서 당장 벌 내리는 것 봐라. 그러니 너 다시 맘 고쳐먹어라. 그러면 싹 해결될 거잖아" 하며 달려들 것만 같았던 것이다. 은따를 앞으로 더 심하게 당한다 해도 디자이너 꿈을 포기하고 다시 그 징글징글한 과외 지옥으로 들어갈 생각은 죽어도 없었다.

'그래 니까짓 것들이 얼마든지 해봐. 난 점심을 밖에 나와서 더 비싸고 좋은 것으로 사 먹으면 되니까. 어디 누가 이기나 해보자.'

예슬이는 이를 앙다물며 마음을 다잡았다. 그리고 엄마 몰래 아빠한테 신형 컴퓨터를 사야 한다고 해서 점심값을 삥땅칠 작정을 했다. 장기전에 대비하기 위해서는 큰돈이 있어야 했다.

"어머나, 예슬이 쟤가 인제 보니 살짝 안짱다리잖아? 저런 다리로 프랑스 유학 가면 뭐하니. 한국 사람 망신이나 시키는 거지."

"그러게. 안짱다리는 병신인 거잖아? 걸음걸이가 병신이면서 어떻게 디자이너가 되니?"

"ㅋㅋㅋ······."

"ㅎㅎㅎ······."

뒤에서 역력하게 들려오는 놀림이었다. 자신은 절대 안짱다리가 아니었다. 예슬이는 획 돌아서고 싶었다. 그리고 그들에게 세차게 맞서고 싶었다. 그러나 몸이 말을 듣지 않았다. 뒤에 있는 애들은 네댓 명쯤 되는 것 같았다.

은따 이틀째의 공격은 그렇게 거칠고 떼를 이루고 있었다.

"쟤 있잖아, 집안이 좀 있어 보이기는 하는데, 돈 좀 있어서 프랑스물 먹는다고 다 디자이너로 출세한다던? 쟤 관상을 좀 봐라. 팔자 드세게 생겼지."

"내 말이. 저런 관상은 딱 거지 될 상이고, 시집가면 과부 될 상이래."

은따 사흘째의 공격이었다.

"쟤가 그 미술 선생님을 짝사랑했대잖아. 아아, 싸가지 없이 중1 때."

"중말 싸가지가 바가지지. 중1 때 그게 말이 되니. 그 장발의 미남 선생님을, 감히 안짱다리가."

은따 나흘째의 공격이었다. 그 공격 앞에 예슬이는 가슴이 와르르 무너져 내리고 있었다. 그것은 김미엽과 손하리와 사이가 좋았을 때 은밀하게 했던 비밀 고백이었다.

예슬이는 문득 죽고 싶다는 생각을 했다. 그런 것까지 다 발설해 버리다니……. 감당하기 어려운 배신감이고, 몸을 감출 데가 없는 창피스러움이었다.

그러나 예슬이는 다음 순간 마음을 다잡았다. 저따위 것들 한테 져서는 안 돼. 난 내 길만 가면 돼. 나는 나야! 다행이야, 고1이 아니고 중3인 게 정말 다행이야. 몇 개월만 참으면 다 헤어지게 되니까. 해봐, 얼마든지 해봐. 왕따를 하든, 은따를 하든 얼마든지 해봐. 난 공부 잘하는 애들이 하는 스파(스스로 따돌림)를 할 테니까. 패션 잡지 계속 사 보고 디자인 스케치를 하면서 스파를 하겠다구. 그럼 니까짓 것들의 은따가 무슨 소용이 있어. 요런 바보 멍텅구리 같은 기집애들아, 해봐, 얼마든지 해보라구. 느네들이 지금 떼거리로 까불어도 앞으로 10년, 넉넉잡고 15년 후에 보자구. 그때 난 프랑스에서 최고로 공부한 디자이너로 이름을 날리게 될 테니까. 15년 후라고 해야 우리 나이 서른한둘, 난 경력 짱짱한 디자이너로 화려한 패션쇼를 열 때 니까짓 것들은 뭐가 되어 있을래? 고작 시시껄렁하게 애 엄마 되어 있거나, 그도 못하고 쉬어터진 노처녀 신세로 부모 속이나 썩이고 있겠지. 그런 니까짓 것들은 내 옷을 입을 자격이 없어. 니들이 돈을 아무리 싸 짊어지고 와 옷을 해달라고 애걸복걸해도 사절이야, 사절. 왜냐, 인간성이 틀려먹었기 때문에. 인간이 덜된 것들은 내 옷을 입을 자격이 없어. 그건 앙드레 김 선생님의 정신이기도 해. 그분은 돈 많다고 거드름 피우며 디자이너의 자존심을 상하게 하는 여자들에게는 옷을 해주지 않았어. 얼마나 멋진 예술가 정신이야. 그리고 가난한 예술인에게는 재료비만 받고 예쁜 옷을 지어주었어. 나도 그렇게 할 것이기 때문에 니까짓 것들은 영원히 내 옷을 못 입어.

학교 폭력의 뿌리

"야, 똥개! 여기 식판."

전남호가 불량스럽게 소리치며 식판 한쪽을 들었다 놓았다. 그 바람에 식판과 책상이 부딪치는 소리가 어지러웠다.

"응, 응, 알았어."

전남호보다 서너 줄 앞에 앉은 서주상이 밥을 먹다 말고 허둥지둥 일어났다. 그리고 전남호의 책상으로 쫓아가 식판을 챙겨 들었다.

"야아, 밥맛 뒈지게 없다. 빵하고 우유 셔틀!" 전남호가 몸을 뒤로 젖혀 기지개를 켜며 명령했고, "응, 알았어. 곧 갔다

올게", 식판을 들고 돌아서던 서주상이 재깍 응답했다.

"존나. 밥이 왜 이따위냐. 야 똥개, 이것!" 전남호의 옆에 앉은 한태식이 불량기 넘치게 말했고, "응, 알았어. 곧 치울게", 서주상이 잔뜩 움츠린 몸짓으로 또 지체 없이 답했다.

"야 똥개, 나도 빵·우유하고 담배 셔틀." 한태식이 이쑤시개를 입 끝에 물며 명령했고, "응, 알았어. 곧 가" 하며 서주상은 다급하게 움직였다.

명령을 하고 있는 전남호와 한태식은 영락없는 상전이었고, 어김없이 명령을 착착 받드는 서주상은 그대로 몸종이었다. 서주상은 두 개의 식판을 들고 달리듯 재빠른 몸놀림으로 교실 뒷문 쪽에 있는 카트에 갖다 놓았다. 그리고 자기 자리로 와 자기 식판을 들고 카트 쪽으로 다시 내달았다. 그런데 그 식판의 밥이나 반찬들은 반나마 남아 있었다. 서주상은 식사를 하다 말고 그들의 명령에 따라 매점으로 셔틀(심부름)을 가야 하는 것이었다.

서주상은 자기 식판을 카트에 포개놓고 바로 교실을 나섰다. 학교에 따로 식당이 없어서 주방 아주머니들이 4교시가 끝나기 직전에 학급 뒷문마다 식사 카트를 갖다 놓았다. 그러면 4교시가 끝나고 각반 급식 당번들이 배식을 했다. 서주상은 날마다 전남호와 한태식의 배식을 받아 식판을 책상에 갖

276

다 놓아야 했다.

'나쁜 새끼들! 저 나쁜 새끼들!'

유지원은 가슴이 터져라 하고 소리 없이 울부짖고 있었다. 그는 밥을 먹는 척하면서 내려뜬 곁눈질로 그들의 행동을 다 지켜보고 있었다.

'아, 아, 저 새끼들! 저 나쁜 새끼들을……'

유지원은 가슴에서 끓어오르는 분노와 안타까움으로 점심 밥맛을 잃은 지 오래였다. 친구 서주상이 그들의 학폭 먹이가 된 이후 그런 일은 점심시간마다 벌어지고 있었다.

그들이 그런 행동을 하는데도 교실 안은 조용하기만 했다. 유지원처럼 모두 얌전히 밥을 먹고 있었다.

'아, 아, 서주상은 날마다 얼마나 힘들까. 아무한테도 말 하지 못하고 저렇게 당하기만 하니 얼마나 분하고 억울하고 고통스러울까……. 왜 이 끔찍한 일의 해결책은 없는 것일 까…….'

유지원은 자꾸 눈물이 나오려고 해서 밥을 넘길 수가 없었다.

그들은 서주상에게 우유 셔틀, 빵 셔틀, 담배 셔틀까지 온 갖 셔틀을 다 시키면서도 돈을 주는 법이 없었다. 서주상은 자기 돈까지 써가면서 그런 궂은일을 다 해내고 있었다. 그리 고 담배 셔틀은 매점에서 담배를 팔지 않으니 다른 셔틀보다 몇 배 힘들었다. 학교 담을 넘어 편의점을 찾아가야 했기 때문이다. 키가 작은 데다 겁 많은 서주상이 학교 담을 타 넘어야 하는 일은 얼마나 힘들 것인가.

'넌 비겁한 놈이야, 친구가 매일 저렇게 당하는데도 꼼짝을 못하고 보고만 있으니…….'

유지원은 또 자신을 책망하고 있었다. 그러나 전남호와 한태식은 몸집이 크고 기운만 센 것이 아니었다. 그들은 일진(중·고등학생 폭력 조직)이었다. 자신도 학급 아이들도 꼼짝을 못하는 것은 그것 때문이었다. 일진 애들은 독기가 세고 싸움만 잘하는 것이 아니었다. 선생을 우습게 알았고, 보복은 잔인했고, 경찰도 무서워하지 않았다. 그들은 사회의 조폭을 너무나 닮아 있었다. 아이들이 괜히 죽은 듯이 침묵하는 게 아니었다. 그저 그들에게 찍히지 않은 것만을 다행으로 여기는 판이었다.

서주상이 그들에게 찍힌 다음부터 유지원은 그에게서 멀어질 수밖에 없었다. 첫째 일진의 눈에 서주상을 편드는 것같이 보이게 되기 때문이었다. 그건 일진이 가장 싫어하는 점이었다. 노예를 자기들 멋대로 부리는 데 방해가 되기 때문이었다. 둘째 학폭을 당하는 찌질이와 가깝다는 건 자기도 찌질이로 낮아지는 일이었던 것이다. 그러니 학폭당하는 애들은 철저하게 외톨이가 되었고, 일진은 더욱 마음 놓고 노예로 부리고 노리개로 가지고 놀았고, 학급 학생들의 철통같은 침묵 속에서 담임선생은 아무것도 모르고 있었다.

일진의 괴롭힘은 별명 지어 부르기부터 시작되었다. 별명을 지어도 꼭 사람 취급을 하지 않고, 완전히 깔아뭉개는 최악의 뜻으로 불러댔다. 서주상의 별명도 '똥개'였다. 서주상은 똥개는 전혀 아니었다. 몸집이 작고 온순하면서 얼굴이 잘생긴 편인 서주상은 셰퍼드나 진돗개라고는 할 수 없어도 똥개는 아니었다. 그런데 일진은 '너는 우리의 종놈일 뿐이야' 하는 것처럼 똥개라고 부르기 시작했던 것이다.

서주상은 비닐봉지를 들고 헐레벌떡 교실로 뛰어들었다. 숨을 몰아쉬는 그의 얼굴은 땀으로 젖어 있었다.

"여, 여기……."

서주상은 서둘러 비닐봉지를 전남호와 한태식 앞으로 내밀었다.

"셋 셀 때까지 안 오면 반 죽이려고 했더니 그래도 살아나려고 제때 왔네."

한태식이 비닐봉지를 받는가 싶더니 찍 소리를 냈다.

'아, 저, 저놈이!'

유지원은 하마터면 소리를 칠 뻔했다. 한태식이 서주상의 얼굴에 침을 내뱉은 것이다. 서주상은 주춤 물러섰을 뿐 아무 소리도 없이 그대로 웅크리고 서 있었다. 이런 때는 반사적으로 얼굴을 훔쳐 침을 닦아내는 게 정상이었다. 그러나 그는 그 당연한 몸짓을 하지 않았다. 매를 더 벌지 않기 위해 참아내고 있는 것이었다.

처음에 그 꼴을 당했을 때 서주상은 자신도 모르게 재빨리 얼굴을 훔쳐 침을 닦았던 것이다.

"요런 쓰바, 드럽다 이거냐?"

한태식이 들입다 조인트를 깠다.

서주상은 숨이 막히는 비명을 토하며 주저앉았다.

"요런 찐따(찌질이) 새끼, 꼽냐(아니꼽냐)!"

전남호가 엉덩이를 걷어찼다.

서주상은 그대로 교실 바닥에 나뒹굴어졌다.

"쓰바, 뻥까지 말고(거짓말, 엄살떨지 말고) 존나 빨랑 일어나. 갈빗대 와장창 다 나가게 피아노 치기 전에."

한태식이 곧 짓밟아버릴 기세로 오른쪽 다리를 높이 꺾어 올렸다.

서주상은 숨 막히는 고통을 참으며 벌떡 몸을 일으켰다. 쓰러져 올려다본 한태식의 다리는 무지막지하게 커 보였고, 그 다리가 내리밟으면 자신의 몸은 그대로 으깨져버릴 것만 같았던 것이다.

서주상은 그때부터 얼굴에 침을 뱉어도 이를 악다물고 참아냈다. 두들겨 맞는 고통에 비하면 그까짓 더러움은 아무것도 아니었던 것이다. 그러나 폭행당하는 고통보다 더 견디기 어려운 것은 학급 아이들 전부가 보고 있다는 수치심이었다. 그 수치심은 금방 죽고 싶을 만큼 견디기 어려운 고통이었다. 그런 때 어김없이 떠오르는 것은 아파트 15층 옥상이었다.

"자아, 식후 땡(밥 먹은 다음에 피우는 담배) 안 하면 소화불량!"

전남호가 몸을 일으켰다.

"가자, 땡골(담배 피우는 장소)로."

한태식이 앞장서라는 듯 서주상에게 턱짓했다.

서주상은 얼른 돌아섰다. 그리고 두 손바닥으로 재빠르게 얼굴을 훔쳤다.

땡골은 체육관 뒤 나무숲 우거진 곳이었다. 그곳은 점심시간이면 담배 연기가 짙은 아침 안개 피어오르듯 자욱해졌다. 오전 내내 담배를 참아온 애연가들이 총집합하기 때문이었다. 학교에서는 교내 흡연을 철저하게 단속하고 있었다. 교장이 새로 바뀌면서 훨씬 강화된 조처였다. 교실은 말할 것도 없고 화장실에서도 흡연 절대 금지였다. 처음에 일진 애들이 간보고(떠보다, 얼러보다) 들어 화장실에서 뻐끔대다가 걸려 재깍재깍 8일간씩 등교 정지 처분을 당했다. 그리고 교장은 처벌을 더 강화하겠다고 나왔다. 바로 3진아웃제였다. 세 번 걸리면 퇴학! 그 강력함 앞에서 일진들도 그만 쫄아들 수밖에 없었다. 평소에 경찰이나 검찰에 대해 코웃음 치는 조폭들도 대통령이 새로 바뀌어 사회악 일소를 외치며 조폭 일망타진을 내걸면 제아무리 배짱 좋은 조폭도 일단 잠수를 타는 것처럼.

그런데 학교에서도 니코틴 중독 상태에 젖어 있는 아이들을 막다른 골목으로 몰아치진 않았다. 살짝 숨구멍을 틔워준 곳이 거기 체육관 뒷숲이었다.

"불!"

한태식이 담배를 꼬나물었다. 서주상이 민첩하게 가스라이터를 켜댔다.

"여기!"

서주상은 재빠르게 전남호의 담배 끝에도 라이터를 켜댔다.

"야, 너도!"

담배 연기를 후우 내뿜으며 한태식이 서주상에게 눈짓했다.

"아니, 나는……, 나는 정말 못해."

서주상이 금세 울상이 되며 한태식을 올려다봤다.

"얌마, 사내새끼가 뭐 이래. 자꾸 빨다 보면 세상 사는 맛이 아주 근사해져."

한태식이 서주상의 허벅지를 가볍게 툭 찼다.

"저어……, 그러니까 말이지……, 담배 냄새 나서 담배 피우는 것 들키면 난 끝장나. 우리 엄마가……, 엄마가 가만 안 둬. 무지무지 무서워서……."

서주상은 말을 더듬거리며 애원하고 있었다.

"야, 극성 엄마면 골 때린다. 담배도 아까운데 관둬."

전남호가 담배 연기로 동그라미를 연달아 만들고 나서 한태식에게 눈짓했다.

"흥, 요새 극성 아닌 엄마가 어딨냐. 내 새낀 최고라야 한다고 눈에 불 켜고 열공(열심히 공부), 열공, 극성부리는 것 보면 모두 다 미친 것 같애, 쓰바."

한태식이 이 사이로 침을 찍 내갈겼다.

"그래, 다 웃겨. 느네 엄마나 우리 엄마도 너나 나 같은 놈들 놓고 열공이라고 극성을 부리니, 존나 웃기는 쇼지."

전남호가 키들키들 웃었다. 웃음을 따라 코에서 연기가 풀풀 나왔다.

"그야 대책 없이 위대한 엄마들의 무한 착각의 자유지. 착각은 북한에서도 규제를 못한다니까."

한태식이 느물느물 웃었다.

"새끼, 아주 유식한 문자 뽑아대네. 좌우간 엄마들은 왜 그리 대책 없이 무식하냐. 이 세상 놈들이 다 1등 할 수 없고, 다 SKY대 기어들어갈 수 없는 건 너무나 뻔한데 왜들 그리 과외에 환장하고 미치냐고. 우리도 그 극성에 스트레스 받아 머리 빡돌아 자꾸 깽판으로 나가는 거 아냐."

전남호가 반나마 탄 담배를 신경질적으로 내던지고 새 담배를 빼어 물었다. 서주상은 자동기계처럼 재빨리 불을 들이댔다.

"레알(진짜) 정답. 우리 엄마 극성떠는 꼴 보기 싫어서도 난 공부 안 해. 행복은 성적순이 아니잖아요. 우리 엄마는 욕심만 가득 찬 무식쟁이라 그 진리를 영원히 깨닫지 못할 거야."

"느네 엄마만 그러냐. 우리 엄마도 점점 심한 과외 중독증 환자가 돼가면서 우리 형 못살게 구는 것 보면 틀림없이 대학 나온 무식쟁이야. 우리 형도 엄마라면 징글징글해."

'하, 이 인간들도 학생은 학생이네. 이런 얘기도 할 줄 알고. 느네들도 열공 스트레스를 받아……?'

서주상은 이런 생각을 하며 또 시계를 보았다. "종 치기 5분 전이야." 그는 착실하게 자신의 임무를 수행했다.

"어, 지겨. 담 시간은 뭐지?"

한태식이 담배꽁초를 발끝으로 비벼대며 물었다.

"웅, 사회."

서주상이 대답했다.

"사회……?"

"웅, 지난주에 온 기간제 여선생님."

"아! 그 젖가슴 큰 여자." 한태식은 반색을 하고는, "야 남호야, 그 여쌤 젖가슴 존나 크지 않던?" 하며 걷고 있는 전남호의 어깨를 툭 쳤다.

"새끼, 또 젖가슴 큰 것에 환장하네."

전남호가 픽 웃으며 눈을 흘겼다.

"그 여쌤 얼굴에 비해 젖가슴 큰 게 아주 새끈(섹시)하지 않던?"

"새끈하면?"

"야, 그거 진짤까?"

"궁금하면 직접 물어보든가."

"물어봐?"

"아니면 직접 확인해 보든가."

"확인?"

"딱 만져보면 될 거 아냐."

"그치? ㅋㅋㅋㅋ……."

한태식은 어깨를 들썩거리며 한참을 웃었다.

'저놈이 저거 정말 만져보는 거 아냐? 일진들에게 임시로 왔다 가는 기간제 교사는 식은 밥이고 노리개 아니던가……'

서주상은 걱정스러워 한태식을 힐끔힐끔 곁눈질했다.

'아니야, 아닐 거야. 제 놈이 아무리 일진이라고 해도 감히 선생님한테. 기간제 교사도 선생님은 엄연히 선생님 아닌가. 자격증은 다 갖추고 있는데 어떻게 하다 보니 임시직일 뿐이잖아. 아니야, 절대 그렇게 못해. 괜히 말로만 뻥 때리는 거야. 왜 니가 벌써부터 겁먹고 그래.'

서주상은 그들을 뒤따라 걸으며 한 손으로 두근거리는 가슴을 누르고 있었다.

5교시가 시작되었다. 그 여선생이 교실로 들어섰다. 고개를 숙임막한 채 여선생을 칩떠보던 서주상은 정말 깜짝 놀랐다. 그 여선생의 젖가슴은 정말 컸던 것이다. 자신은 지난주 첫 시간에는 그냥 모르고 지나쳤던 것인데 한태식은 그때 이미 딱 알아차렸던 것이다. 일진의 눈은 역시 그렇게 달랐다.

'얼굴을 보면 아닌 것 같은데……, 혹시 시집을 가서……'

여자가 애를 낳으면 젖가슴이 몇 배 커진다는 것을 병원에서 일하는 엄마 아빠한테 예사로 들었던 것이다. 서주상의 생각은 그쪽으로 굳어졌다.

"자아, 오늘은 지난 시간에 이어……." 여선생이 책을 펼치며 마악 말을 시작하는데, "쌤, 질문 있습니다", 커다란 목소리가 교실을 울렸다.

'아이고 맙소사, 저놈이 기어코 일 저지르고 나서는구나. 저 여선생님 간보기에 딱 걸려들었어.'

서주상은 뒤를 돌아다보고 싶은 생각과는 반대로 얼굴을 두 손에 파묻으며 이렇게 생각했다.

"쌤, 쌤의 젖가슴은 왜 그렇게 큰 거예요?"

다시 거침없이 크게 울린 목소리였다.

잠시 교실 안이 썰렁해졌다.

"뭐, 뭐라고?"

여선생이 더듬거렸다. 그 당황스러운 목소리는 크지 못했다.

"왜 쌤의 젖가슴이 그렇게 크냐구요."

학생의 목소리는 더 쿠렁하게 커졌다.

그때 누군가가 쿠아쿠아 하고 야릇한 웃음을 터뜨렸다. 한태식 옆에 앉은 전남호였다. 그게 신호이기라도 한 것처럼 아이들 전체가 와아 웃음을 터뜨렸다. 아이들은 그게 간보기 시작이라는 것을 알아차린 거였다.

"너, 너, 뭐 하는 짓이야!"

여선생이 아까보다 훨씬 커진 목소리로 외쳤다.

"그 젖가슴이 아주 새끈한데, 너무 커서 진짠지 가짠지 믿을 수가 없어서요."

한태식은 능청스럽게 말했고, 아이들은 또 와아 웃어젖혔다. 이때 안 웃으면 일진에게 찍히게 된다는 듯.

"너 왜 그래, 버릇없이!"

여선생이 얼굴이 하얗게 굳어져 소리쳤다.

'선생님, 강하게, 강하게 밀어붙여야 해요. 밀리면 안 돼요. 간보기에서 지면 끝장나잖아요. 이놈을 꼼짝 못하게 어떻게 좀 하세요.'

서주상은 여선생을 애타게 응원하고 있었다.

"쌤, 쌤이 말하기 곤란하면 내가 직접 만져봐도 돼요?"

한태식이 결정타를 먹였고, 아이들이 더 신나게 웃어댔다.

'아, 아, 선생님……, 선생님…….'

서주상은 신음했다. 저놈이 저 말까지 해버렸으니 여선생이 어찌할 것인가. 여선생이니 때릴 수도 없고, 때린다고 맞고 있을 한태식도 아니었다. 그렇다면……, 그렇다면…….

"너, 너……."

여선생이 목이 막히며 비틀거리는 것 같았다. 그러더니 교재를 몰아 잡고 허둥지둥 밖으로 나갔다.

"흥, 그게 가짜였나 봐. 이거 간보기가 너무 싱겁게 끝나서 원."

한태식이 아이들을 휘둘러보며 두 손바닥을 털었다. 그게 신호이기라도 한 듯 아이들이 박수를 쳤다. 아이들의 그 박수는 '과연 넌 센 아이야' 하는 인정이었다. 그 '센 척'은 일진의 존재 근거이고, 자존심이었다.

일진의 센 척은 학생들에게 가하는 학폭에서부터 선생 간보기까지 걸쳐 있었다. 나약해 보이거나 순한 교사, 뚱뚱한 교사, 생김이 빠지는 여선생도 으레 간보기의 대상으로 삼았다. 그리고 일진은 학교의 모든 규칙을 어김으로써 동료들에게 자기들이 센 것을 과시해 나갔다.

선생님 없을 때 선생님 이름 두 자만 불러대는 것, 가방 없이 빈 몸으로 학교 오는 것, 슬리퍼 칙칙 끌면서 교문 들어서는 것, 지각 조퇴 자주 하는 것, 교복 바지 바짝 줄여 입는 것, 머리 기르는 것, 머리 빠글빠글 파마하는 것, 머리 원색으로 염색하는 것, 반지·귀걸이 주렁주렁 다는 것, 험한 욕 입에 달고 사는 것, 걸음걸이 껄렁껄렁 요란하게 하는 것, 담배 피우는 것, 소풍 때 술 취하는 것. 그들의 이런 센 척은 학교 안에서 무적의 힘을 발휘했다.

"아니, 그런다고 교실을 나와버리면 어떡합니까."

서주상네 담임선생이 안타깝다는 듯 말했다.

"그럼 어떻게 합니까. 그렇게 막 나오는 애 앞에서. 안 보셔서 그렇지 금방 앞으로 뛰어올 것 같은 기세였어요."

여선생은 홀쩍이며 눈물을 찍어냈다.

"아니, 그건 그저 간보기일 뿐이에요. 기싸움이라구요. 그 기를 팍 꺾어버려야지 선생님이 당하면 어떡합니까. 간보기 처음 당하는 것 아니잖아요."

"예에……, 그치만 오늘 같은 일은 처음이라……."

"아하, 처음이라니요. 간보기인 걸 딱 눈치챘으면 배짱 세게 나갈 태세를 딱 갖췄어야지요."

"아니 선생님, 덩치 큰 개가 곧 뛰어나올 것 같은 기세였다니까요."

"아하, 기싸움이라니까요, 기싸움. 선생님은 어디까지나 선생님이고, 그놈은 기껏해야 중3 애송이에요. 아니, 그놈이 고3이라도 마찬가지예요. 학생은 어디까지나 학생일 뿐이라구요. 그래, 나와 만져봐라 한다고 어찌 감히 나와요. 그 순간 기가 팍 꺾이고 말지요."

"아이고 선생님, 그러다가 팍 쫓아 나오면 어떡하라구요."

"선생님이 그렇게 기가 약하니까 쫓겨 나온 거잖아요. 그리고 그놈이 그따위 소리를 했을 때 급소를 갈기는 결정타 한

방을 날렸어야지요."

"결정타 한 방……?"

"당연하지요. 좋아, 너가 지금 한 말이 무슨 죄에 걸리는 줄 알아? 성희롱 발언이야. 그것도 감히 선생님을 상대로 말야. 성희롱은 성범죄고, 성범죄는 얼마나 엄히 다루고 있는지 알지? 그런데 넌 선생님을 상대로 했으니 그 죄가 더 커 당장 퇴학감이야, 퇴학! 너 나와, 당장 나와. 교장실로 가게 당장 나오라구! 이렇게 몰아쳤으면 어떻게 됐을까요?"

"어머나, 그랬으면 그 망나니 녀석이 꼼짝 못하고 무릎을 꿇었겠네요. 그걸 진작 좀……." 여선생은 못내 아쉬운 얼굴로 손을 맞부비고는, "그럼 이걸 이제 어떡하면 좋을지……", 그녀는 또 눈물을 글썽거렸다.

"글쎄 그러니, 요새 애들이 얼마나 거칠고 예의 박약입니까. 거기다가 기간제는 더 쉽게 보고 나대는 풍조 아닙니까. 그럴수록 그런 대비책을 강구하셨어야지요. 지금 남은 방법은 딱 하나가 있는 것 같습니다. 내가 그놈을 불러 단단히 나무라고 반성문을 쓰게 하겠습니다. 그다음이 선생님이 해결해야 할 문젠데, 다음 주에 걔를 상대로 아까 내가 한 성범죄 얘기로 공격해서 그놈이 꼼짝 못하게 제압할 수 있겠어요?"

"네에, 하겠습니다."

여선생은 큰 결심을 한 듯 대답했다.

"예, 마음 단단히 먹으세요. 교사자격증 딸 때까지 얼마나 힘들었습니까. 그 고생에 비하면 이까짓 적은 적도 아닙니다. 힘내세요. 그리고, 오늘 시간 또 남았습니까?"

"네, 6교시에 그 옆반……."

"아, 다음 주까지 기다릴 것도 없게 생겼네요. 이놈들 정보통 신속한 것 아시죠? 제 놈들의 승리를 쉬는 시간에 재까닥 옆반에 알려줄 겁니다. 마음 진정하시고, 단단히 준비해 일격에 분쇄해 버리십시오. 기싸움은, 당황하지 않는 한 선생이 백전백승하게 되어 있는 싸움입니다. 학생은 제 놈들이 아무리 불량스러워도 졸업장은 받아야 하고, 선생과 학교는 퇴학을 시킬 수 있는 절대권을 가지고 있으니까요. 힘내세요. 길을 가다가 발을 헛디뎌 넘어진 거라고 생각하고 싹 잊어버리시고, 힘내세요."

"네에, 감사합니다, 감사합니다."

여선생은 몇 번이고 머리를 조아렸다.

서주상네 반 아이들은 맘 놓고 잡담하며 노닥거리고 있다가 담임선생의 급습을 받았다.

"요놈의 자식들, 자알들 놀고 있다. 학급 명예 더럽히고, 담임 망신시켜 놓고 그렇게들 기분 좋으셔? 기분 좋은 김에 오늘 방과 후에 체력 단련 좀 해보실까? 이 담임과 함께 운동장 열 바퀴! 어때!"

담임의 불호령에 아이들은 바짝 얼어붙어버렸다. 무슨 벌받을 일이 생기면 운동장 열 바퀴를 함께 뛰는 것이 담임의 전매특허였다. 담임은 머리에 군밤을 먹이거나 볼을 꼬집는 등 그 어떤 사소한 체벌도 가하지 않았다. 그러나 좀 큰 문제가 발생하면 반 전체의 책임을 물어 운동장 열 바퀴를 돌리곤 했다. 처음에 몇몇 학부모가 너무 심하지 않느냐고 항의를 했다가 결국은 다 포기를 하고 말았다.

"예, 달리기는 체력 단련에 가장 효과가 큰 국제 공인의 스포츠입니다. 달리기는 혈액순환을 촉진시켜 뇌에까지 혈액 공급을 활발하게 해줍니다. 그러므로 뇌 활동이 십분 강화되어 학습 효과가 커짐과 동시에 집중력이 크게 향상됩니다. 또한 전신운동이기 때문에 내장 속까지 다 자극되어 신체 건강에 탁월한 효과가 있는 건 더 말할 게 없구요. 특히 장년기의 온갖 생활 스트레스를 해소시키는 데는 그보다 더 좋은 특효는 없습니다. 부모님도 저와 함께 뛰어보시는 게 어떠실지요."

담임의 이런 대꾸 앞에 학부모들은 더 아무 말도 할 수가 없었다.

"너 한태식!" 담임은 오른손 둘째, 셋째 손가락을 쪽 펴 한태식을 겨누더니 "따라와!" 그 손가락을 굽혀 어깨 너머로 손짓하고는 돌아섰다.

아까 안하무인으로 뻐기던 기세는 어디로 가버리고 한태식은 풀 죽은 잡초가 되어 담임의 손짓을 따라 교실을 나갔다.

담임은 한태식에게 길게 말하지 않았다. 그런데 한태식의 고개는 점점 깊게 떨구어졌다.

"나도 너를 도와주고 싶다. 그러나 모든 결정은 너의 선택에 달렸다. 어떤 걸 선택할래?"

"예에, 다음 시간에 공개 사죄 하겠습니다."

"좋아, 그럼 내가 사회 선생님을 설득해서 사건을 경찰서로 넘기는 건 막도록 하지. 지금 사회 선생님은 교장 선생님한테 보고할 작정을 하고 계시니까. 그 대신 넌 낼 아침까지 반성문을 써 와!"

"네, 알겠습니다."

"형식적으로 끼적이면 안 돼. 진정으로 사죄하는 진심이 담겨야 해!"

"네, 그렇게 하겠습니다."

"됐어, 가봐."

"선생님, 감사합니다."

한태식은 긴장한 얼굴로 깊숙이 절을 하고 돌아섰다.

"아 쓰바, 찐따 같은 년……, 괜히 물먹이려다가 꽥 뒈질 뻔했네. 아 찐찌버거 같은 년, 아 안여돼(안경 쓴 여드름 돼지) 같은 년. 그래도 우리 담탱이가 남자답고 짱이야. 아 쓰바!"

한태식은 이렇게 투덜거리며 껄렁껄렁한 걸음걸이로 걸어가고 있었다.

"야 똥개, 낼 아침까지 반성문 써 와. 우리 담탱이가 팍 감동 잡수시게, 진심을 꽉꽉 눌러 담아서."

한태식은 서주상의 머리를 쿡쿡 쥐어박으며 말했다.

"응, 알았어."

서주상이 시무룩하게 대답했다.

"왜 대답이 션찮냐. 알았어?"

"응, 잘 써 올게."

서주상이 밝은 소리로 얼른 답했다.

'아휴, 저런 날강도 같은 새끼, 잘못은 지가 다 저질러놓고……. 아, 아, 서주상은 얼마나 분할까. 요걸 담임선생이 딱 알아야 하는데……. 서주상이 너무 불쌍해.'

유지원은 또 애가 타고 있었다.

서주상에게 반성문을 대신 써 오게 하는 건 일진이 으레 하는 '반성문 상납'이었다. 서주상은 이런 사건이 일어나지 않은 평소에도 일진의 숙제를 꼬박꼬박 해다 바치는 '숙제 상납'

을 해오고 있었던 것이다.

서주상은 그동안 그들이 잘못을 저지를 때마다 반성문을 써대느라고 얼마나 낑낑대며 몸이 달고는 했는지 모른다. 어떤 과목이든 숙제는 참고서 보아가며 해나가면 어려울 게 하나도 없었다. 다만 귀찮을 뿐이었다. 그런데 반성문은 자기가 잘못한 것 없이 잘못했다고 써야 하는 글짓기였다. 그것도 '담탱이가 팍 감동 잡수시게, 진심을 꽉꽉 눌러 담아서' 써야 하는 게 큰 고통이었다.

애들이 하나같이 어려워하고 싫어하는 숙제가 글짓기였다. 글짓기는 언제나 시작하기 전에는 쓸 이야기가 많은데 막상 쓰려고 작정하고 앉으면 그 많던 이야깃거리들이 어디론가로 다 달아나고 날아가버려 머릿속이 하얗게 텅 비어버리는 것이었다. 아이들은 너나없이 그게 왜 그러는지 이유를 알고 싶어 했다. 그러나 그 답은 쉽게 찾아지지 않았다. 어른들도 머릿속이 텅 비기는 마찬가지라며 속 시원한 대답을 못하고 우물쭈물 넘기고 마는 것이었다. 그나마 좀 확실한 대답을 해주는 것은 국어 선생이었다.

"책을 많이 읽어야 한다. 꾸준하게 책을 읽지 않고 글을 쓰려는 것은 마른 우물에서 물을 푸려는 행위와 같은 어리석음이다."

그 말이 정답 같기는 한데, 그렇다면 글짓기를 쉽게 하기는 틀린 일이었다. 엄마들은 누구나 책을 읽지 못하게 하기 때문이었다. 공부에 방해만 된다는 것이었다. 엄마들이 그저 열심히 보라고 하는 것은 교과서와 참고서뿐이었다.

그런데 반성문은 그냥 글짓기도 아니었다. '담탱이가 팍 감동 잡수시게' 써야 하는 게 문제였다. 서주상은 쓰고 지우고, 또 쓰고 지우며 노트북을 괴롭히고 있었다.

"얘 주상아, 12시가 다 됐다. 아직 안 자니?"

엄마가 방문을 빠끔하게 열며 물었다.

"예, 숙제가 좀 있어요."

"너무 늦었는데, 무슨 숙제?"

"예, 수행평가 논술이요."

"논술? 아유, 힘들겠다. 아직 멀었니?"

"아니에요. 조금만 더 하면 돼요. 엄마, 피곤하신데, 먼저 주무세요."

"그래, 엄마가 좀 피곤해서 먼저 자야겠다. 아들, 미안해."

엄마가 입을 가리며 하품을 했다.

"아니에요, 엄마. 빨리 주무세요."

서주상은 또 엄마한테 죄송함을 느꼈다. 엄마는 병원에서 일하느라 늘 피곤했다. 그런데도 엄마는 언제나 행복하다고 말했다. 착한 아들이 희망이기 때문이라는 거였다. 바라는 대로 아들이 잘될 수 있다면 지금보다 열 배로 고생해도 참아낼 수 있다고 했다. 같은 대학병원에서 일하는 아빠도 엄마와 똑같은 말을 하고 또 하곤 했다. 엄마 아빠의 희망처럼 되는 게 자신의 희망이기도 했다.

서주상은 새벽 2시가 되어서야 반성문을 가까스로 다 썼다. 거짓말 반성문은 내용만큼 중요한 것이 길이였다. 길이가 짧아서는 진짜로 반성하는 것 같지 않게 보일 수 있었던 것이다. 반성문을 받아 든 선생님들이 으레 하는 말이, "이게 왜 이렇게 짧아. 진심으로 반성하지 않고 형식적으로 쓰는 시늉만 했잖아" 하는 것이었다. 그래서 서주상은 A4 용지를 가득 채우려고 안간힘을 썼던 것이다. 자기가 잘못하지도 않은 잘못을 자기가 잘못했다고 반성하면서 길게 써나가야 하는 것은 이 세상에서 가장 힘든 일인 것만 같았다.

서주상은 A4 용지에 가득 찬 글을 바라보았다. 그 긴 글을 자신이 썼다는 게 흐뭇하고도 자랑스럽기까지 했다. 그러면서 한편으로는 깜짝 놀라기도 했다. 내가 이렇게도 거짓말을 잘하는 아이인가 하는 생각이 문득 들기도 했던 것이다.

서주상은 혹시 잘못된 것이 있을지도 모른다 싶어 반성문을 처음부터 읽기 시작했다.

반 성 문

제가 사회 선생님께 저지른 일이 큰 잘못이었다는 것을 깨달은 것은 선생님께서 교실을 뛰쳐나가신 다음이었습니다. 저는 선생님께서 그렇게 심하게 놀라고 당황하실 줄 전혀 몰랐었습니다. 다른 선생님들처럼 저에게 어떤 벌을 내리고 끝나게 될 일일 줄 알고 그 일을 저질렀던 것입니다.

그게 무슨 말이냐 하면 5교시는 점심을 먹은 다음이라 누구나 다 나른하고 졸음이 오는 시간입니다. 그리고 그 시간이 국영수가 아니고 사회 시간 같은 기타 과목이면 애들이 더 지루해하고 싫증을 냅니다. 그래서 저는 애들을 좀 재미있게 해주고 저도 좀 센 척하고 싶어서 사회 선생님께 그런 장난을 쳤던 것입니다.

제가 그런 장난을 치면 선생님께서 저를 불러내 야단을 치시고, 어떤 벌을 내리고 끝날 줄 알았습니다. 그러면 애들은 한바탕 즐겁게 웃고, 저는 센 아이로 반 전체의 인정을 받게 되니 저의 목적을 달성하게 되는 것입니다. 그런데 제가 장난을 치자마자 사회 선생님은 너무 놀라고 당황하시더니 교실을 뛰쳐나가시고 말았습니다. 그 갑작스러운 일을 당하고 저는 가슴이 쿵 울리는 것을 느꼈습니다. 그리고 이거 큰일 났다,

내가 너무 큰 잘못을 저질렀구나 하는 것을 깨달았습니다.

그래서 제가 어떻게 해야 좋을지 몰라 몸이 달아 있는데 선생님께서 교실에 오신 것입니다. 선생님, 저는 정말 잘못한 것입니다. 선생님을 그렇게 심한 말로 놀린 것은 너무너무 잘못한 일입니다. 그 잘못이 제가 늘 센 척하고 싶어 하는 버릇 때문에 생겼다는 것도 이번에 크게 반성하고 있습니다.

선생님, 이번 일을 계기로 그 센 척하는 못된 버릇부터 고치기로 결심하였습니다. 저는 진심으로 반성하고 또 반성하고 있습니다. 선생님, 한 번만 용서해 주십시오. 다시는 이런 잘못을 저지르지 않을 것을 맹세합니다. 선생님, 잘못했습니다. 정말 잘못했습니다. 선생님께서 이번에 큰 처벌 받지 않도록 구해주신 은혜 평생토록 잊지 않겠습니다. 선생님, 감사합니다. 정말 감사합니다.

반성문을 다 읽고 나자 서주상은 가슴이 뭉클해지는 것을 느꼈다. 정말 자신이 그런 잘못을 저지르고 쓴 것 같은 생각이 들었던 것이다. 참 이상야릇한 느낌이었다.

그런데 서주상은 그 반성문을 읽어가며 선생님께 그와 반대되는 한 편의 글을 써나가고 있었다.

선생님, 선생님, 이것 믿으시면 안 돼요. 한태식은 나쁜 놈이에요. 전남호와 한 패거리로 일진인 나쁜 놈들이에요. 이놈들은 학폭을 저지르는 범인들이에요. 저를 벌써 몇 달째 괴롭히고 있어요. 이놈들은 저만이 아니라 좀 약해 보이거나, 순하거나, 공부를 못하거나, 뚱뚱하거나, 가난하거나, 장애가 있는 아이들을 골라 매일 학폭을 저지르고 있어요. 아, 아, 선생님 저는 하루하루가 너무 살기가 힘들어요. 날마다 학교 가는 게 너무너무 싫고 무서워요. 어디로 멀리멀리 걔네들 없는 곳으로 도망가고 싶어요. 그치만 저를 위해 고생고생하시는 엄마 아빠를 생각하면 그럴 수도 없어요. 우리 불쌍한 엄마 아빠를 생각해서 날마다 이를 악물고 참고 있어요. 그치만 선생님, 저는 죽을 것같이 힘들어요. 선생님, 저 좀 구해주세요. 저 좀 구해주세요. 저를 구해줄 사람은 선생님밖에 없잖아요. 한태식같이 나쁜 놈 용서해 주지 말고 저를 구해주세요. 선생님은 날마다 우리와 가장 가깝게 계신데 왜 우리가 이런 고통을 당하고 있는 걸 모르세요. 예, 알아요. 아이들이 아무도 말을 안 하고 철저하게 비밀을 지키고 있으니까 모르시는 거지요. 예, 저부터, 저의 일인데도 저부터 선생님께 말씀드리지 못하는걸요. 걔네들 보복이 무서워서요. 그러니 다른 애들은 더 말할 게 없는 일이죠. 선생님, 저는 너무 외롭고 힘들어요. 언제까지 참을 수 있을지 모르겠어요……

서주상의 두 눈에서는 눈물이 주루룩 흘러내렸다. 그는 문 쪽으로 얼른 고개를 돌리며 눈물을 훔쳤다.

서주상이 교실로 들어서자마자 의자에 삐딱하게 앉아 있던 한태식이 검지를 까딱까딱하며 서주상을 불렀다. 사흘거리로 지각하기 일쑤인 그가 이렇듯 학교에 일찍 온 것은 그래도 반성문이 신경 쓰인 탓인 듯했다.

서주상은 허둥지둥 가방에서 반성문을 꺼냈다.

"새끼, 아주 기일게에 썼네."

반성문을 받아 든 한태식이 비식 웃으며 서주상을 힐끗 쳐다보았다. '기일게에' 늘어지는 그의 목소리에 만족감이 들어 있었다.

서주상은 일단 안심하며 소리 없이 긴 숨을 내쉬었다.

"뭐 해. 안마!"

한태식이 반성문을 들여다보며 퉁명스레 내질렀다.

"응, 그래……."

서주상은 얼른 한태식의 뒤로 가서 양쪽 어깨를 주무르기 시작했다. 한태식은 서주상의 손의 움직임에 따라 시원하다는 듯 콧소리를 흘리며 반성문을 읽어나가고 있었다.

서주상은 다른 날과는 달리 창피스럽지도 않았고 자존심 상하지도 않았다. 신경은 온통 반성문에 가 있었기 때문이다.

마음에 들까? 어디 트집이나 잡히지 않을까? 트집 잡혀 또 엎어터지고 새로 써야 한다면……. 서주상은 조마조마해서 견디기가 어려웠던 것이다.

"햐아, 너 아주 삼삼한 아벌구(아가리만 벌리면 구라)구나?"

한태식이 반성문을 종이 소리가 울리게 빠르게 흔들며 말했다.

"응……? 응……?"

서주상은 갈피를 잡지 못하고 어리벙벙했다. 어찌 보면 한태식이 좋아하는 것 같았고, '아벌구'라는 말을 쓴 것을 보면 마땅찮아하는 것도 같았던 것이다. '아벌구'는 좋을 때 쓰는 말이 아니었던 것이다.

"새끼, 그래도 범생이(모범생) 축에 든다고 우리 말 못 알아듣냐?" 한태식은 피식 웃고는, "쓰발눔, 구라 삼삼하게 처가면서 아주 잘 썼다 그거다. 까칠한 우리 담탱이도 팍 감동 안 잡숩고는 못 배기겠다 그런 말씀이다 그거다" 하며 안마하고 있는 서주상의 손등을 쳤다.

"그래? 고마워, 고마워."

서주상은 고개까지 꾸벅꾸벅했다.

'얌마, 고맙기는 니가 왜 고마워. 꾸벅거리긴 왜 또 꾸벅거리고.'

그들의 모습을 훔쳐보며 유지원은 서주상을 타박해 대고 있었다.

"야 깜돼, 어른 여기 계시다."

한태식이 막 뒷문으로 들어서는 아이에게 손가락을 까딱거렸다. 그 아이는 깜돼라는 별명처럼 얼굴이 표 나게 거무튀튀했고, 뚱뚱했다. 무뚝뚝한 얼굴로 한태식 옆에 다가선 그 아이는 바지 주머니에서 꺼낸 손을 한태식 앞에 쑥 내밀었다. 그 손에는 1만 원짜리가 들려 있었다. 그 아이는 한태식의 삥뜯기 대상이었다. 그 아이는 좀 있게 살아서 '돈 상납'을 하는 것이었다.

"오늘은 완 모어!"

한태식은 돈을 받을 생각을 하지 않고 한마디 던졌다.

"······."

아이는 아무 반응 없이 서 있었다.

"원어 발음이라 못 알아듣냐? 완 모어!"

"······."

그래도 아이는 아무 움직임이 없었다.

"너 나 빡돌게 만들래?"

한태식이 버럭 소리치며 발길질을 해댔다. 의자에 앉아서 발을 치뻗은 것인데도 구두 끝이 그 아이의 얼굴을 아슬아슬하게 스치고 지나갔다. 싸움에 얼마나 능한지를 보여주는 폼이었다.

그 아이는 잽싸게 바지 주머니에서 1만 원을 더 꺼냈다.

"이게 다야……."

두려움에 찬 그 아이의 목소리였다.

아침 조회를 알리는 종소리가 울렸다. 아이들이 재빠른 동작으로 자리를 잡고 앉았다. 곧 담임선생이 들어왔다.

인사를 받은 담임이 출석부를 펼치며 학생들을 휘둘러보았다.

"거기 빈자리, 전남호지?" 담임이 빈자리를 손가락질했고, "네, 전남홉니다", 반장이 뒤돌아보며 확인했다.

"전남호 지각. 오늘 벌 청소!" 담임이 말했고, "옛, 알겠습니다", 반장이 또렷하게 대답했다.

"에에, 오늘도 모두 정숙하게, 얌전하게 생활 질서 잘 지키고, 공부 열심히 할 것."

'아이구 맨날 똑같은 소리 지겨워. 집에서도 공부, 학교에서도 공부, 아이구 지긋지긋해.'

유지원은 고개를 떨구고 앉아 속으로 외쳐대고 있었다.

"아 참, 한태식!"

담임이 밖으로 나가려다가 몸을 되돌렸다.

한태식이 기세 좋게 나가 반성문을 두 손으로 바쳤다.

"잘 썼어?"

"넵!"

담임이 돌아섰고, 한태식도 돌아서며 주먹으로 하늘을 쳤다.

'엄마들이 맨날 공부, 공부 타령만 하지 우리들 속은 아무것도 모르는 것처럼 선생님도 입만 열면 공부하라고만 하지 우리들 사이에서 무슨 일이 벌어지고 있는지 아무것도 몰라요. 난 그런 집도, 학교도 다 싫어요. 너무너무 싫증 나요.'

유지원은 노트에다 볼펜을 마구 돌려대고 있었다. 백지 위에 수많은 동그라미들이 어지럽게 얽히며 그려져 나가고 있었다. 그 의미 모호한 추상화는 말로는 다 표현이 안 되는 유지원의 깊은 속마음인지도 몰랐다.

전남호와 한태식의 서주상 괴롭히기는 전날과 다름없이 계속되었다. 유지원은 그 모습들을 보지 않으려고 애썼다. 아무 도움도 주지 못하는 자신의 무능이 괴로웠고, 그가 당할 때마다 자신이 당하는 것처럼 괴롭기 때문이었다. 그러나 아무리 고개를 돌리려 해도 서주상이 괴롭힘을 당할 때마다 꼭 보게 되는 것이었다.

'아, 아, 서주상은 얼마나 고통스러울까. 얼마나 미칠 것 같

을까. 그냥 보기만 하는 내가 이렇게 견디기 어려운데. 서주
상은 날마다 얼마나 학교에 오기가 싫을까. 학교가 얼마나 지
옥 같을까. 내가 쟤네 엄마한테 알려줄까……? 아니야, 해결
은 안 되고 보복만 더 크게 당하면……. 저렇게 언제까지 견
딜 수 있을까. 저러다가 결국 서주상도 신문에 나는 애들처럼
아파트 옥상에서 뛰어내리는 것 아닐까. 그러면 안 되는데.
저 착하고 공부도 곧잘 하는 서주상이 그렇게 돼서는 안 되
는데. 아, 미칠 것 같다. 내가 미칠 것 같다.'

유지원은 쉬는 시간마다 서주상을 지켜보면서 속을 끓였다.

서주상네 담임은 점심시간이 되기를 기다려 사회 선생과
자리를 함께했다.

"어제 그 녀석, 한태식이가 반성문을 써 왔습니다."

담임은 반으로 접힌 종이를 내밀었다.

"……"

좀 굳어진 얼굴에 어색스러운 웃음을 피워내며 사회 선생
이 종이를 받았다. 그녀는 약간 멈칫하는 기색이더니 종이를
펼쳤다.

담임은 창 쪽으로 먼 눈길을 보낸 채 앉아 있었고, 사회 선
생은 입을 꾹 다문 진지한 얼굴로 반성문을 읽어나가고 있었
다. 담임은 눈길을 딴 데로 돌리고, 자세를 고쳐 앉고, 두어

번 잔기침을 했다.

"이거⋯⋯." 사회 선생이 반성문을 다시 반으로 접으며, "정말 그 애가 쓴 것일까요?" 하며 눈살을 찌푸렸다.

"왜, 의심나시는군요?"

담임이 옹색스러운 웃음을 엷게 지었다.

"그런 불량스러운 애가 이런 글을 쓸 수 있을까요?"

사회 선생은, 당신은 그걸 정말 믿고 있는 거야? 하는 표정을 뚜렷하게 짓고 있었다.

"글쎄요, 그게 좀⋯⋯."

담임의 옹색스러워하는 웃음이 좀 더 진해졌다.

"이거 제가 보기엔 누가 써준 게 분명해요. 그런 불량배가 이런 설득력 있는 글을⋯⋯." 사회 선생은 목소리가 더 강해지더니, "이거 어디 학원에서 써가지고 왔을 거예요" 하며 손끝으로 반성문을 탁 쳤다.

"학원이오?"

담임이 사회 선생을 멍하니 쳐다보았다.

"네에, 학원이오!"

사회 선생은 단호한 목소리를 뒷받침하듯 고개까지 까딱했다.

"아니, 그런 학원도 있습니까?"

담임이 더 멍한 얼굴로 물었다.

"네, 논술학원이오."

"논술학원이오?"

"네에, 논술학원에서 애들 독후감도 써주고, 자소서(자기소개서)도 써주고, 돈만 주면 뭐든 써주는 것 모르시는 거 아니잖아요."

"아아……, 네에……, 그래요, 사교육 만능, 학원 만능 세상이긴 하지요……."

담임은 고개를 끄덕이며 중얼거리고 있었다.

"선생님은 못 믿겠다는 표정이시군요."

사회 선생이 쓸쓰름한 웃음을 지었다.

"아, 아닙니다. 선생님 말을 못 믿는 게 아니라, 너무 한심하고 비참해서 그 사실 자체를 믿고 싶지 않은 겁니다. 저도 그 반성문을 반신반의하고 있었고요. 허나 그 사실까지 따지고 들면 얘기가 딴 국면으로 전개되고 해서……, 일단 써 온 거니까 인정하고, 사건을 매듭짓자 생각했던 거지요."

담임은 미안한 기색을 드러내며 사회 선생을 향해 어설프게 웃었다.

"선생님, 그런 식으로 미온적으로 문제를 처리하면 점점 더 화를 키우는 게 아닐까요?"

사회 선생은 정색을 하고 따지듯이 말했다.

"화를 키워요?"

똑바로 허리를 펴는 담임의 안색이 변했다.

"네, 기분 나쁘게 듣진 마세요. 제가 기간제 신세라 여러 학교를 떠돌다 보니 그런 불량배들을 너무 많이 대했습니다. 그들이 선생을 그렇게 함부로 대하니 동료 학생들에게는 어떻게 하겠습니까. 학습 분위기를 다 망치고 있는 그들은 이미 학생이 아니라 학교를 망치는 암적 존재입니다. 그런 불량배들을 엄벌하지 않고 너무 미온적으로 다루는 것은 암균만 키우는 처사가 아니냐 그런 의미입니다."

사회 선생은 전혀 딴사람 같은 완강함을 드러내고 있었다.

담임의 얼굴이 침울하게 변하며 고개를 수그렸다. 잠시 침묵하던 그는 고개를 번쩍 치켜들었다. 정색을 한 그의 얼굴도 전혀 딴사람이었다.

"선생님이 무례한 꼴을 당한 기분 충분히 이해합니다. 그래서 그런 불량배들을 엄벌해야 한다는 주장도 일리가 있음을 충분히 이해합니다. 그 엄벌주의가 우리 교육계의 지도 방법의 하나로 엄존하고 있음도 인정합니다. 그러나 그들이 선생님께서 계속 언급하는 것처럼 꼭 제거해야 하는 불량배냐 하는 사실을 판단하는 데는 좀 더 신중해야 합니다. 그들은 엄연히 학적이 있는 학생이고, 바른 교육이란 그들을 제거하는 걸 우선시할 게 아니라 그들이 왜 그렇게 되었는지 원인을 규명해 내고, 그 원인 치료부터 하는 게 정도가 아닐까 합니다."

담임의 어조나 태도는 이미 대화의 범위를 벗어나 토론으로 진입해 있었다. 사회 선생도 표정을 바꾸어 몸을 추슬렀다.

"네, 선생님의 교육론, 일리가 있습니다. 그러나 그런 온정적, 미온적 태도 때문에 오늘날 일진이라는 세력이 각 학교마다 득세를 하며 학교 폭력을 일으키고, 동료 학생들을 너무 괴롭혀 자살하게 만드는 사건이 비일비재해 사회문제까지 일으키고 있는 실정입니다. 어제 그 학생도 이런 식의 미봉책을 썼다간 점점 방자해져 일진이 될지도 모릅니다. 아니, 이미 일진일 수도 있습니다."

사회 선생의 눈빛은, 당신 그 사실을 자신 있게 파악하고 있어? 하는 물음을 담고 있었다.

"예. 일진, 그것 분명히 나쁜 존재입니다. 건전하고 건강한 교육 현장을 위해서 명백히 제거되어야 할 존재입니다. 그러나 보십시오, 한여름 철의 잡초가 줄기만 자꾸 잘라낸다고 없어지는 겁니까? 뿌리까지 다 뽑아버려야 제거됩니다. 일진이 꼭 그렇습니다. 일진이라는 애들은 왜 생겨났습니까? 그 뿌리가 무엇일까요? 그 답은 너무 자명하고, 찾기 쉽습니다. 다만 묵살하고, 외면하기 때문에 문제지요. 그 뿌리는 경쟁 교육, 점수 따기에 수단 방법을 가리지 않는 무한 경쟁 교육 아닙니까? 인간 교육, 인성 교육, 적성 교육, 창의 교육 다 팽개치고 달달 외우는 암기 교육으로 점수 잘 따는 것만 최고로 치다 보니 낙오자를 수없이 양산해 냈습니다. 그러니까 일진이라는 아이들도 그 잘못된 암기 교육의 피해자란 사실입니다. 그 아이들은 암기를 잘 못하거나, 취미가 없다는 죄 아닌 죄로 학업 포기 상태로 방치되고, 그 좌절감과 스트레스 탈출구로 삐져 나간 것이 일진이라는 것입니다. 그러니까 명확히 말하자면 일진은 동료 학생들의 가해자인 동시에 잘못된 교육의 피해자라는 사실입니다. 선생님이 말한 대로 일진 사건이 일어날 때마다 그들을 엄벌해 학교에서 내쫓아버린다고 합시다. 그럼 그들은 사회에 나가 뭐가 되겠습니까. 곧바로 조폭이 되고 말 것입니다. 모든 학교는 조폭 세력 공급처가 될 거구요. 그럼 우리 사회는 어찌 되겠습니까. 망하는 길밖에 없는 거지요. 그런 심각성 앞에서 우리는 다시금 참된 교육이란 무엇인가 하는 명제와 만날 수밖에 없습니다. 우리는 교직을 천직으로 삼으려 했을 때 각자의 전공과는 상관 없이 교직 과목을 공통적으로 공부했습니다. 우리는 언제부턴가 잊어버리기 시작한 그 원론을 되찾아야 하고, 그 원론을 고수해야 합니다. 교육은 그 어떤 경우에도 단 한 명의 학생이라도 포기하지 말아야 하며, 교육은 단순 지식을 무조건 주입하는 것이 아니라 인간을 인간답게 바르게 육성해 나가야 하는 것입니다. 이거 얘기가 너무 장황했습니다."

"……교육을 근본적으로 뜯어고쳐야만 일진도 학폭도 불량 학생도 다 없어지게 된다는 말씀이군요." 사회 선생은 무거운 표정으로 잠시 말을 끊었다가는, "저도 근본적으로 동의합니다. 그 학생을 용서하겠습니다. 충고 감사합니다", 그녀는 정중하게 인사하고는 일어섰다.

종례를 마치고 담임선생이 나가자 반장이 나서서 청소 당번을 챙겼다.

"반장, 알지? 내 따까리."

바지 주머니에 두 손을 찌른 전남호가 한 발쯤 뒤에 선 서주상을 턱짓으로 가리켰다.

"……그래, 알았어."

반장이 마지못한 기색으로 대꾸하며 가라고 손짓했다.

뒷문에 난 직사각형의 폭 좁은 창문을 통해 유지원은 그들의 모습을 지켜보고 있었다.

'존나 새끼들, 웃기게 놀고 자빠졌네.'

유지원은 속으로 가운뎃손가락을 세워 엿을 먹였다. 반에서 권력이 가장 센 것은 반장과 부반장이었다. 그리고 주먹이 가장 센 것은 그들 일진이었다. 그런데 그들은 서로 가깝지도 않고, 멀지도 않게, 간섭하지도 않고, 방해받지도 않으면서 그렇게 슬쩍슬쩍 통해가며 살고 있었다.

반장이 가고, 전남호도 꺼떡거리며 사라지자 유지원은 교실로 들어갔다. 그리고 책상을 옮기고 있는 서주상에게 빠르게 다가가 아무도 모르게 손에 쪽지를 건넸다. 서주상과 만나는 것을 아무도 모르게 하고 싶었던 것이다.

청소를 끝내자마자 서주상은 화장실로 달려갔다.

교문 앞 왼쪽 길 뻐정(버스 정류장) 지나 첫 번째 건널목 건너에 있는 미피(미스터피자)로 와. 내가 쏠게. 나 곧 떠나게 됐어.

서주상은 목이 꽉 메는 것을 느끼며 쪽지를 접혀졌던 대로 다시 접었다. 나 곧 떠나게 됐어……. 그마저 떠나고 말면…….

서주상은 건널목을 건너면서 더 자주 주위를 살폈다. 청소까지 끝나고 난 다음이라 아이들의 모습은 거의 보이지 않았다. 미스터피자로 들어서자 구석 자리에 앉아 있던 유지원이 먼저 손을 흔들었다.

"곧 떠난다고?"

서주상이 앉지도 않고 다급하게 물었다.

"응, 결국 엄마가 백기를 들었어."

유지원이 두 팔을 번쩍 들어 올리며 환하게 웃었다.

"너 그렇게 좋아? 느네 엄만 엄청 서운하고 속상하실 텐데."

"서운하긴. 엄마 인생 찾아서 남편하고 신혼 생활 다시 시작하면 됐지."

"그게 무슨 소리야?"

"응, 우리 아빠가 엄마 달래면서 한 말. 된통 욕만 먹었지만 말야."

"근데 넌 거기 가서 잘 살 것 같애?"

"당근이지. 엄마 지옥에서 탈출하는 것만도 얼마나 큰 행복인데. 근데 난 네 일이 걱정돼서 만나자고 한 거야. 너 도대체 언제까지 그렇게 살 거냐?"

"괜찮아. 졸업할 때까지 몇 달 안 남았으니까."

"야, 날마다 그런 고통을 당하면서 어떻게 몇 달을 견디냐? 난 너한테 아무 도움도 못 되고, 너한테 너무너무 미안하고, 난 보는 것만도 너무나 힘들고 고통스러운데."

"아니야, 괜찮아. 넌 나서면 안 돼. 너도 살아야 하니까."

너도 살아야 하니까……, 그 말이 서주상이 주먹질을 하는 것처럼 가슴을 치는 것을 유지원은 아프게 느끼고 있었다.

"야 주상아, 그래서 하는 말인데, 너 나하고 함께 그곳으로 안 갈래? 내 일 해결해 주신 그 선생님을 너한테도 소개해 줄 게. 그럼 그 새끼들 손아귀에서도 싹 벗어날 수 있잖아."

서주상이 한참이나 유지원을 빤히 쳐다보고 있다가 입을 열었다.

"난 말이야……, 난 세상 없어도 우리 엄마 아빠 소원을 들 어드려야 해."

"그래, 느네 엄마 아빠도 네 목에 소원 딱 걸어놓고 널 못살 게 굴고 있잖아. 그러니까 함께 튀자는 거지."

"아니야, 난 달라. 우리 엄마 아빠는 같은 대학병원에서 함 께 간호사로 근무하고 계시거든. 근데 두 분 소원은 내가 의 사가 되는 거야. 나도 의사가 되고 싶고. 난 두 분 소원을 꼭 풀어드릴 결심으로 일진 그 새끼들한테 당하는 고통도 참아 내고 있는 거야. 내가 그 새끼들이 가하는 고통을 이겨내게 되면 난 의대에 들어갈 힘을 꼭 얻게 될 거야. 의대 갈 시험공 부가 아무리 어렵다 해도 그 새끼들한테 당하는 고통보다 더 심하지는 않을 거거든."

서주상은 꽁꽁 힘을 써가며 말했다.

유지원은 갑자기 서주상의 작은 체구가 몇 배로 커져 보이는 느낌을 받았다. 그 앞에서 전남호와 한태식은 너무나 작아 보였다.

　"그래, 그런 결심을 하고 있으면 됐어. 네 말 들으니까 이제 안심이 됐어. 난 많이 걱정했거든."

　"그래, 걱정해 줘서 고마워. 그동안에도 네 눈빛을 보면 날 얼마나 걱정하고 있는지 알 수 있었어. 내가 표현은 못했지만, 그게 나한테 얼마나 큰 힘이 되고 위안이 됐는지 몰라. 오늘 걱정해 준 것도 너무 고맙고."

　"넌 참 좋겠다. 네 엄마 아빠 소원과 네 소원이 일치해서. 느네 집은 얼마나 행복하니. 자아, 피자 많이 먹어."

　"그래, 고마워."

나도 사람이다

"야, 느네 아빠 또 경찰서에 갇혔다며?"

김태호가 학급 아이들이 다 들으라는 듯 큰 소리로 말했다.

"……."

배동기는 고개만 숙이고 앉아 있었다.

"술 취해 큰길에서 오줌 갈기다가 잡혀갔다며?"

박동욱이 더 큰 소리로 말했다. 몇몇 아이들이 쿡쿡대고
웃었다.

"……."

배동기는 그 웃음소리에 그만 눈을 감았다.

"에이, 그냥 오줌만 갈긴 게 아니야. 어떤 여자한테 덤벼들었어. 그걸 덜렁거리면서 말야."

김태호가 마치 직접 본 것처럼 말하며 흉내까지 냈다. 그 얄궂은 몸짓에 아이들 전부가 와아 웃음을 터뜨렸다.

"……."

배동기는 이 창피스러움과 망신을 견디기가 어려웠다. 그러나 어금니를 맞물며 참아내려고 애썼다. 상대방은 기운 센 놈 둘이었다. 하나라면 어떻게 해보자고 덤빌 수 있지만 둘은 자신이 없었다. 그놈들은 덩치가 클 뿐만 아니라 싸움도 꽤나 하는 일진이었다. 군대에 들어가면 무조건 총 쏘는 것부터 가르치듯 일진도 싸움하는 요령부터 가르친다고 했다.

"그래, 술 취했으니까 그것까지는 그럴 수 있다고 쳐. 근데 왜 경찰서에 끌려가서는 경찰을 때리냐 그거야."

"글쎄 말이야, 그러니까 얼마나 용감무쌍하신 거야? 야, 너 그렇게 용감하신 아빠를 하늘 높이 존경하며 살고 있지? 별 넷짜리 장군님도 못 하실 그런 일을 화끈하게 해치운 아빠를 어찌 존경하지 않을 수가 있겠어. 그렇게 위대한 분 싸인 좀 받아다 줄래?"

아이들 전부가 또 와아 웃음을 터뜨렸다.

"……."

배동기는 이가 뿌드득 갈리도록 참아내고 있었다. 성질 같아서는 당장 일어나 두 놈 주둥이를 박살 내고 싶었다. 이상규 놈의 코뼈를 부러뜨렸을 때처럼.

"야, 연립주택에 살 정도로 가난해 빠졌으면 부지런히 일해야지 그 거지꼴 면하지. 그렇게 대낮부터 술 취해 다니면 어쩌자는 거야?"

김태호가 엄한 목소리를 흉내 내며 꾸짖듯 했다.

"야, 야, 연립주택이라면 말도 안 해. 연립에 전세 살잖아, 전세. 그렇게 술만 퍼마시다간 그 전세비까지 다 까먹고 진짜 알거지가 될 날 낼모레야."

박동욱도 척척 박자를 맞추고 있었다.

"……"

배동기는 새롭게 끼쳐오는 창피스러움을 느끼고 있었다. 가난하다는 것, 그건 언제나 감추고 싶은 부끄러움이고, 어디에서나 어깨 움츠러드는 열등감이었다. 가난이란 옷만 남루하게 만드는 것이 아니었다. 마음까지도 남루하게 만들었다. 자신은 초등학교 때부터 그 슬픔과 창피스러움을 절절히 느끼며 살아왔었다.

아까처럼 아이들은 웃지 않았다. 아이들이 웃지 않는 그 썰렁한 고요가 배동기는 더욱 창피하고 견디기 어려웠다.

"야 찐따야, 모해(뭐 해)? 그 철없는 인간이 정신 차리도록 종아리를 쳐서 가르치지 않구."

김태호가 볼펜 끝으로 배동기의 팔을 쿡쿡 찔러댔다. 몇몇 아이들이 ㅋㅋ 웃었다.

"그럼, 그럼. 아빠가 철 안 들었으면 당연히 아들이 매를 들고 나서야지. 그게 진짜 효도라구. 만약 맘 아파 니가 못하겠으면 우리한테 넘겨. 우리가 수업료 안 받고 그 못된 버릇 싹 고쳐줄 테니까. 어때, 오늘 당장 넘길 생각 없어?"

박동욱이 배동기의 왼쪽 턱에다 볼펜을 직직 그어댔다.

배동기는 두 주먹을 말아 쥐며 부르르 떨었다. 둘 다 당장 죽여버리고 싶은 살의가 견디기 어렵게 솟구치고 있었다. 두 놈을 죽이고 자신도 죽고 싶었다. 죽고 싶은 생각은 그동안 가난에 찌들어 살아오면서 하고 또 하고……, 수없이 해온 생각이었다. 그런데, 굶주림이 굶주리고 굶주리고 또 굶주려도 익숙해지지 않듯이 죽음도 생각하고 생각하고 또 생각해도 친숙해지지 않았다. 죽어버리면, 아빠와 함께 죽어버리면 모든 부끄러움도 창피스러움도 기죽고 주눅 드는 것도 다 끝나버릴 수 있었다. 고등학생이 되면서 부쩍 많이 고민해 온 생각이었다. 그러나 그 죽음이 익숙해지지도 않고 친숙해지지도 않아서 여지껏 살아온 거였다. 죽음이라는 검은 얼굴은 언제나 무섭고 두렵고 공포스러웠다. 어느 순간 불쑥 뛰어들고 싶다가도 조금만 시간이 지나면 공포스러움이 커지면서 뒷걸음질 치게 만들고는 했다. 그리고 또 뒤따르는 생각, 나는 아직 살아보지도 않았는데……. 그리고 그 생각을 덮어버리는 또 다른 생각, 살아보면 뭘해, 대학도 못 나오면 또 지지리 궁상으로 살다 뒈질 건데……. 그러면서 하루하루 살아온 거였다.

"야, 경찰 아저씨들 떴다!"

한 아이가 신호를 함과 동시에 수업 시작 벨이 울렸다. 선생들은 벨이 울림과 동시에 교실에 들어서기 위해서 이미 복도를 걸어오고 있었던 것이다.

교실로 들어서는 선생을 보며 배동기는 반가움과 함께 긴 숨을 내쉬었다. 수업 시작이 괴롭힘의 멈춤이었기 때문이다.

배동기는 고개를 더 깊이 숙였다. 선생의 얼굴을 볼 필요가 없었던 것이다. 자신도 많은 수포자(수학 포기자)들 중에 하나였다. 더구나 자신은 대학도 가지 않을 인포인(인간이기를 포기한 인간)이기도 했다. 수포자는 벌써 서른다섯 명 중에 스물다섯 명 정도나 되었다. 그리고 고3에 올라가면 더 늘어난다고 했다. 수포자가 75퍼센트에서 85퍼센트에 이른다는 것은 헛소문이 아니었다.

배동기는 또 그 생각에 빠져들고 있었다. 언제까지 이 새끼들한테 이렇게 당해야 하지? 졸업할 때까지? 아……, 그건 너무나 긴 세월이다. 날마다 그들 멋대로 저질러대는 괴롭힘을 앞으로도 1년이 더 넘도록 당해야 하다니……. 그건 도저히 이겨낼 자신이 없었다. 그동안에도 가까스로 참아오느라고 얼마나 애를 썼는지 몰랐다. 하루하루가 지옥이었다. 지옥이 있다고 해도 이런 고통보다는 나을 거라는 생각이 들었다. 이 놈들한테 하루 종일 시달리고, 또 창고 짐 나르는 알바로 밤이면 몸이 흐물거리는 것처럼 피곤한데도 깊은 잠을 잘 수가 없었다. 밤마다 악몽에 시달렸다. 어떤 날에는 아래가 발가 벗겨져 음모를 다 뽑히기도 했고, 어떤 날은 발가벗겨져 찍힌 사진이 동영상으로 올려지기도 했고, 또 어떤 날은 팔다리를 묶인 채 전신에 볼펜으로 문신이 그려지기도 했고, 셔틀을 거부해 거꾸로 매달려 두들겨 맞다가 죽어가기도 했다. 그런데 그런 악몽은 그냥 허황되게 꾸어진 것이 아니었다. 그 정도의 차이는 있지만 모두 한두 번씩 당했던 일들이었다.

그런 악몽에 시달리게 되면 다음 날 아침에는 더욱더 학교 가기가 싫어졌다. 오늘은 더 험한 일을 당하려나 하는 공포감이 앞을 막는 것이었다. 그런 때면 떠오르는 말이 있었다.

"동기야, 힘내자. 희망을 잃으면 안 돼. 아무리 힘들고 견디기 어렵더라도 포기해선 안 돼. 고등학교는 반드시 나와야 해. 그래야 앞으로 네 인생을 살 수 있어. 선생님이 돕는 데까지 도와줄 테니까 힘내고, 무슨 일이 생기면 바로바로 말해. 선생님은 언제나 네 편이야. 알지? 믿지?"

담임 강교민 선생님의 말씀이었다. 자신의 이름을 성 빼고 '동기야'로 그렇게 다정하게 불러준 것은 담임선생님뿐이었다. 그 따스함이 기억 저편에 아련하게 남아 있는 엄마의 품 같은 느낌이었다. 그리고 선생님은 '알지?' 하며 자신의 손을 잡았고, '믿지?' 하며 이마를 맞대 사랑의 박치기를 해주셨던 것이다. 그렇게 해준 것도 선생님 한 분, 이 세상에서 선생님 오직 한 분이었다. 그 생각만 하면 언제나 그때처럼 가슴으로 뜨거운 눈물이 흘러내리고는 했다.

그러나 악몽은 그런 것만이 아니었다. 그와 반대되는 악몽도 많았다. 두 놈을 칼로 찔러 죽이고 경찰들에게 끝없이 쫓기다 보니 낭떠러지였고, 두 놈을 양쪽 팔에 끼고 높은 아파트 옥상에서 뛰어내렸고, 한 놈씩 뒤쫓아가 독침을 찔러 감쪽같이 해치웠고, 자동차로 갈려 죽이는가 하면, 물에 빠뜨려 죽이기도 했다.

……방법은 그것뿐이야. 배동기는 다시 그 생각에 묶였다. 악몽에서처럼 죽일 수는 없는 일이었다. 그건 꿈에서나 이루

어지는 일이었다.

배동기는 학교가 파하자마자 알바 창고로 내달렸다. 학교 다니는 것은 졸업장을 받기 위한 건성이었고, 알바 창고가 진짜 목숨줄이었다. 아빠는 이미 폐인이었다. 알코올중독이었고, 일할 마음도 전혀 없었다. 밥을 먹으려고도 하지 않았다. 그저 허덕거리며 찾는 건 술이었다. 소주라는 술은 참으로 쌌다. 다른 물건들 값에 비하면 너무 싸서 이상할 지경이었다. 그런데 그 싼 게 문제였다. 아빠처럼 평생 돈을 찌질하게 번 사람도 그 싼 술을 마음 놓고 마실 수 있었던 것이다. 그런데 그 술은 싼값에 비해 독했다. 그래서 날마다 마셔대면 틀림없이 알코올중독이 되게 되어 있었다.

알바 창고에서 누군가가 말했다. 알코올중독이란 술이 사람을 먹고 있는 거라고. 그 말이 맞았다. 아빠는 술을 마시지 않으면 비실비실 기운을 쓰지 못했고, 눈동자가 풀려 헛것을 보고 있는 것 같았고, 손이 부들부들 떨려 물을 마시기 어려울 지경이었고, 혀가 말려드는 것인지 말도 제대로 하지 못했다. 그러다가 그 싼 소주를 한 병 마시면 언제 그랬냐는 듯 정상이 되고는 했다. 그러나 겉모습만 정상이 되는 것 같았을 뿐 정신은 깊이 병들어 있었다. 아빠는 정신없이 술을 찾을 뿐 그 술이 어떤 돈으로 사는 것인지 전혀 생각하지 않았다.

그리고 하나밖에 없는 아들의 장래에 대해서도 아무 생각이 없었다. 자신은 그런 아빠를 언제부턴가 원망하지 않게 되었다. 오히려 자신이 알바를 해서 술을 사줄 수 있는 것을 다행으로 여기게 되었다.

창고 일이 다 끝나고 나서 배동기는 장씨 아저씨 옆으로 다가섰다. 기운이 센 아저씨는 가끔씩 자신이 기운이 달려 끙끙거리면 씨익 웃으며 기운을 보태주고는 했다. 그런데 들리는 말로는 젊은 시절 한때는 주먹을 날렸다고도 했다. 배동기는 그것에 마음이 끌렸다.

"저어……, 아저씨. 한 가지 여쭤볼 게 있는데요."

배동기는 정다운 웃음을 피워내며 아저씨 옆으로 다가섰다.

"공부라면 여쭤보지 마라."

아저씨가 눈을 찡긋했다.

"에이, 수학 문제를 하나 여쭤보려 했는데요."

배동기가 함께 눈을 찡긋해 보였다.

"하 요놈, 농담도 잘한다니까. 그래, 뭘 묻고 싶은 게냐?"

아저씨가 담배를 꺼내 물었다.

"저어 있잖아요, 싸우는데요……, 싸움을 잘하는 요령이 있는 거예요?"

배동기가 마른침을 삼키고 나서 진지하게 물었다.

"왜, 싸움 잘하고 싶어서?"

아저씨가 담배 연기를 후우 내뿜으며 비식 웃었다.

"남자가 영 싸움할 줄을 모르면 병신 같잖아요."

"그야 그렇지. 세상살이 하는 덴 항시 법보다 주먹이 먼저인 법이니까. 근데 네 생각엔 어떠냐? 니가 싸움에 소질이 있는 것 같으냐, 없는 것 같으냐?"

"글쎄요, 싸움을 할 때마다 지고 싶지는 않았고, 맞는 게 겁나지도 않았고, 진 것보다는 이긴 때가 더 많았어요."

"허 그놈 참, 말 한번 똑똑하게 잘하네. 그 정도면 싸움에 소질이 있는 거지. 근데 아까 싸움 잘하는 요령이 있느냐고 물었지?"

"네에……."

"그야 당연히 있지. 모든 일에는 요령이 있는 법인데, 특히 싸움에는 요령이 필요하지. 왜냐하면 싸움은 꼭 이겨야 하는 거니까."

"아저씨, 그 요령 좀 가르쳐주세요."

배동기는 아저씨 옆으로 바짝 다가섰다.

"글쎄다, 그건 좀 곤란한데. 미성년자한테 그런 것 잘못 가르쳐줬다간 인생길 망치게 될 수도 있는데."

"아니에요, 아저씨. 그냥 호신용으로 익혀두려는 것이지 주먹 쓰는 깡으로 나서려는 게 아니에요."

배동기는 정말인 것을 강조하려고 아저씨와 눈길을 똑바로 맞추었다.

"그거 정말이야?"

"네에, 아저씨."

"그래, 그동안 일 착실하게 잘해왔으니까 아저씨가 믿지. 그렇지만 다시 한 번 약속해라. 나쁘게는 쓰지 않겠다고."

"네 아저씨, 틀림없이 약속드립니다. 싸움 요령을 배워서 호신용으로만 쓰지 나쁘게 쓰지 않겠습니다."

배동기는 마치 무슨 선서를 하듯이 다잡은 모습으로 또렷이 말했다.

"녀석 참, 그래 내가 한 수 가르쳐주지." 아저씨가 담배를 끄고 두 팔을 크게 한 번 휘두르고는, "그게 하루 이틀에 될 일이 아니니까 오늘은 가장 중요한 것, 그러니까 마음을 단단히 먹어야 한다는 뭐 그런 뜻으로 하는……, 그게 딱 맞는 유식한 말이 있는데……, 이거 원 이 무식한 돌대가리가 글쎄……, 머릿속에서 뱅뱅 돌기는 하는데 딱 잡히질 않네그래……, 그게 그러니까 마음을 단단히 먹고 정신을 딱 차려야만 싸움에 이길 수 있다는, 넉 자로 된 유식한 말인데 말야……", 그는 연방 고개를 갸웃갸웃해대며 애가 타서 죽었다.

328

"아저씨, 혹시 말예요……, 그게 저어……, 정신 무장 아니에요?"

배동기가 낮은 목소리로 아주 조심스럽게 말했다.

"아하, 맞다, 맞다! 정신 무장! 바로 그 말이야, 정신 무장! 햐아, 너 아주 똘똘, 똑똑하구나."

아저씨가 너무 좋아하며 배동기의 머리를 마구 헝클어뜨리듯 쓰다듬었다.

배동기의 머릿속에서는 초등학교 때의 머나먼 기억이 문득 떠올랐다. 무슨 경시대회에 나가 상을 타 왔을 때 아빠가 꼭 그렇게 머리를 거칠게 쓰다듬었었다. 1등상도 아니었는데. 그런데 그때 처음으로 아빠가 날 사랑하는구나 하는 행복함을 느꼈던 것이다. 그때는 엄마도 있었고, 아빠도 술주정꾼이 아니었다. 그러나 그런 행복감은 그것이 처음이고 마지막이었다.

"봐라, 싸움을 이기는 데 있어서 정신 무장이 얼마나 중요한지를 가르쳐주는 게 다음 말이다. 잘 들어라. 듣고, 마음에 딱 새겨서 절대 잊어버려선 안 된다. 싸움은 무슨 싸움이건 간에 이기려고 하는 것이다. 그러니까 반드시 이기려면 내가 지금 하는 말을 명심해야 한다. 그게 뭐냐면 말야, 싸움을 하는 데 있어서는, 기운 센 놈이 기술 좋은 놈 못 당하고, 기술 좋은 놈이 젊은 놈 못 당하고, 젊은 놈이 죽기 살기로 덤비는 놈 못 당하는 법이다. 너 이 말뜻 알아듣겠어?"

"네에, 마음 독하게 먹는 사람이 최후의 승자라는 거잖아요."

"옳거니, 넌 내 수제자가 될 자격이 있다."

아저씨가 손가락으로 딱 소리를 크고 경쾌하게 울렸다.

"오늘은 이거 한 가지만 배워도 충분하다. 근데 너 그거 다 기억할 수 있어?"

"네에!"

"아니, 한 번 듣고?"

"네에!"

"요놈 봐라. 어디, 복습!"

"기운 센 놈이 기술 좋은 놈 못 당하고, 기술 좋은 놈이 젊은 놈 못 당하고, 젊은 놈이 죽기 살기로 덤비는 놈 못 당한다."

"히야, 이놈 머리 좀 보게. 그 머리에 부모 제대로 만나 공부 제대로 했다 하면 크게 한가락 할 놈이었잖아. 이거 참 아까운 종자일세."

아저씨가 끌끌끌 혀를 차며 또 배동기의 머리를 와일드하게 쓰다듬었다.

배동기는 다음 날부터 그들의 괴롭힘을 한결 수월하게 견디어낼 수 있었다.

'그래, 어디 맘대로 해봐. 느네들을 곧 박살 내고 말 테니까.

기다려, 조금만 더 기다려. 내가 가난한 게 무슨 죄냐. 나도 사람이야, 느네들하고 똑같은 사람이라구. 어디 가난한 놈들 주먹맛 좀 봐라. 아주 쓴맛을 보여줄 테니까.'

배동기는 이렇게 속말을 곱씹기 시작했다. 새로운 희망이 고통을 훨씬 가볍게 해준다는 것을 배동기는 최초로 경험하고 있었다.

"어제 아저씨가 말했었지? 싸움하는 데 요령이 왜 필요하다구?"

"꼭 이겨야 하니까요."

"그렇지. 그럼, 꼭 이기려면 어떻게 해야 하느냐! 두 가지, 두 가지를 틀림없이 절대적으로 지켜야 하는 거야."

아저씨는 배동기 눈앞에다 손가락 두 개를 세우고는, "첫째, 상대방한테 얻어터지는 것을 무서워해선 안 돼. 둘째, 아무리 심하게 맞고 채이고 해도 절대 눈을 감아선 안 돼" 하며 그는 배동기의 안면을 향해 주먹을 쭉 뻗었다.

배동기는 반사적으로 주춤 물러섰다.

"넌 이미 눈을 감았어. 눈을 감으면 상대방 펀치를 피할 수가 없잖아. 그럼 이미 제대로 얻어터지고 나가 뻗어 싸움은 지는 거지. 맞아도 눈을 똑바로 뜨고 맞아야 상대방의 헛점을 바로 찾아내고 반격을 가할 수 있잖아. 사람은 누구나 공격을 하는 순간 헛점을 노출하게 되는 거니까. 그리고 눈을 뜨고 주먹을 날려야만 자기가 노리는 지점에 펀치를 적중시킬 수 있는 거야. 너 말야, 야구 선수들이 방망이를 휘두를 때 눈을 뜨겠냐, 감겠냐? 눈을 감으면 백번 쳐도 헛방이지. 그들은 모두 140킬로 이상 속도로 날아오는 그 빠른 공을 똑똑히 지켜보고 있다가 방망이를 휘두르는 거야. 그렇게 공을 골라내야 홈런을 칠 수 있는 거지. 주먹을 뻗는 것도 똑같은 이치야, 알아들어?"

"예에……"

배동기는 침을 꿀꺽 삼키며 고개를 끄덕였다.

"그다음, 세 번째 요령이 되겠는데, 싸움은 기운이 아니라 기술이라 그랬지? 그 기술이란 급소 공격이고, 급소 공격을 잘해야 한 방으로 싸움을 끝낼 수 있는 거지. 너 나이쯤이면 더러 들어서 알고 있을지도 모르는데, 너 남자의 제일 중요한 급소가 어딘지 알아?"

"예에, 여기요."

배동기가 좀 쑥스러워하며 손가락으로 배꼽 아래를 가리켰다.

"허어, 잘 아네. 너 혹시 불알 채여본 적 있어?"

"네, 중학교 때 축구하다가요."

"그 맛이 어땠어?"

"아휴, 죽는 줄 알았어요. 눈에서 불이 번쩍 하고, 숨이 컥 막히고, 거기가 어떻게 말로 표현할 수 없게 무지무지 아픈 게 정말 죽는 줄 알았어요."

"그래, 아주 좋은 경험 했다. 남자가 제아무리 천하장사라 해도 거기 한 방 채이면 다 나가떨어져 꼼짝을 못하고, 싸움은 백전백승이 되는 거지. 알아들어?"

"근데 거기를 어떻게……?"

"요런 풋내기. 그걸 주먹으로 할 생각을 하니까 어려운 거지. 발은 어디다 쓰려고 그냥 둬? 족탕 끓여 먹으려고? 발을 쓰는 거야, 발. 발로 한 방이면 만사 오케이야."

"발……, 발……."

말에 따라 배동기의 오른발이 약간씩 움직였고, 고개도 갸웃거려졌다.

"그래, 발이다. 자아, 똑똑히 들어라. 싸움에서 이기려면 발을 얼마나 잘 쓰느냐에 달렸다. 다리는 팔에 비해 거의 두 배 가까이나 길다. 거기다가 힘은 네 배나 더 세다. 그런데 사람들은 누구나 싸우려면 권투 폼을 잡는다. 우리 몸에서 가장 중요한 얼굴 머리 부분과 상체 몸통을 방어하기 위해서지. 그렇게 되면 하체 부분은 완전 무방비 상태로 노출되어 있는

거야. 그리고 몸의 균형을 더 안전하게 잡기 위해서 두 다리
는 평소보다 더 벌어지게 되지. 그 벌어진 두 다리 사이에 뭐
가 있지?"

"……!"

"그래, 남자 최고의 급소가 딱 걷어차기 좋게 노출되어 있는
거야. 그걸 향해 팔보다 네 배의 힘을 가진 다리를 쭉 뻗으면!"

"……!"

"상대가 네 명이든, 다섯 명이든 싸움은 1, 2분 안에 끝나버
려."

"……!"

"단 한 가지, 다리를 뻗을 때마다 불알을 명중시킬 수 있도
록 왼 다리, 오른 다리를 똑같이 자유자재로 쓸 수 있도록 연
습, 연마할 것!"

"근데……, 그 연습을 어떻게……."

"기다려. 내가 낼 만들어다 줄 테니까."

"그걸 얼마나 해야 되나요?"

"요놈, 이럴 때 보니까 안 똑똑하네. 연습은 많이 할수록 좋
은 것 아니냐? 많이 할수록 실력도 힘도 늘고, 그럴수록 빨리
써먹게 되고. 안 그래?"

"예에……, 그, 그래요."

배동기는 황급히 말을 바꾸었다. 하마터면 '대박!' 하는 외침이 터져 나갈 뻔했던 것이다.

"봐라, 박지성 선수고, 김연아 선수고, 추신수 선수고, 모든 유명한 운동선수들의 공통점이 뭔지 알지? 모두 연습을 무지무지 많이 한 거야. 싸움도 일종의 운동 아니냐?"

"네, 알겠어요. 하루에 수백 번씩 걷어차기 연습을 하겠어요."

"뭐 수백 번? 그럼 열흘 안에도 써먹게 되지. 그리고 10년만 그렇게 하면 걷어차기 세계 랭킹 먹는 건 식은 죽 먹기고. 크크크크……."

아저씨는 어깨를 들썩거리고 웃으며 담배를 꺼냈다.

배동기는 집으로 돌아오자마자 연립주택의 좁은 마당 어둠 속에서 걷어차기 연습을 시작했다. 목표물은 어둠 속에 가상으로 세워둔 김태호와 박동욱의 거기였다. 걷어차기는 전혀 어렵지 않았다. 태권도의 옆차기나 돌려차기처럼 상대방의 얼굴 높이까지 차는 것이 아니었기 때문이다. 상대방의 허벅지 높이이기 때문에 한쪽 다리를 수평보다 조금 더 높아지게 올리면 되는 거였다.

오른쪽 다리 열 번, 왼쪽 다리 열 번, 두 놈의 거기를 향해 다리를 힘껏 내뻗으며 걷어찼다. 몸의 균형이 잘 잡히지 않았다.

다시 열 번, 열 번. 다리 내뻗는 것도, 균형 잡는 것도 좀 나아졌다.

다시 열 번, 열 번. 확실히 더 나아졌다.

다시 열 번, 열 번. 몸의 흔들림이 없어지면서 은근히 자신감이 생겼다.

그렇게 백 번씩 하고 나자 전신에 땀이 쭉 흘렀다. 그날을 하루라도 앞당기고 싶은 생각에 피곤한 줄도 몰랐다.

배동기는 다음 날 첫 시간이 끝나자마자 옆반으로 가 윤병서를 불러냈다.

"병서야, 우리처럼 가난해서 당하는 애들이 반마다 다 있지?"

"그야, 한두 명씩은 다 있지."

"걔네들 모레 토요일 점심때 우리 동네 놀이터에 모이게 해. 너랑 나랑 반반씩 맡아."

"왜, 무슨 일 있어?"

윤병서가 불안스러운 얼굴로 눈을 껌벅껌벅했다.

"응, 우리가 당하는 것 끝장낼 일."

"끝장내? 어떻게?"

윤병서가 눈을 휘둥그렇게 떴다.

"비밀! 우선 모이게 해."

배동기의 목소리가 강해졌다.

"너 괜히 걔네들 뿔나게만 만드는 거 아니니?"

윤병서는 더 불안한 얼굴로 목소리도 움츠러들고 있었다.

"얌마, 왜 미리부터 겁먹고 이래? 쪼잔하게."

"겁 안 먹게 생겼니? 걔네들을 상대로……."

"나도 수없이 생각한 거야. 자신 있어, 자신 있으니까 시작하는 거야. 날 믿어."

"그래도 그게……."

"새끼, 겁 많기는. 언제까지 그렇게 당하면서 살래? 그러다가 우리 다 죽어. 시달려 말라 죽거나, 못 견뎌 자살해 죽거나. 그래도 겁나서 당하기만 할래?"

윤병서를 노려보는 배동기의 눈에서는 독기가 뻗치고 있었다.

"알았어. 그건 비밀로 하고, 니가 한턱 쏠 일이 있다고 할게."

"좋아, 그게 좋아."

다음 날 아저씨가 창고 옆에서 보여준 건 헌옷을 입힌 마네킹이었다.

"아저씨, 이거 어디서 났어요?"

"고물상에서 얻었지. 발가벗겨놓으면 흉해서 옷도 입히고. 싸울 때 발가벗고 싸우는 것도 아니잖아?"

아저씨와 배동기는 마주 보고 킥킥 크크 웃었다.

"자아, 이걸 딱 이렇게 세워서 묶어놓고, 저 사타구니를 향해서 다리를 쭉 뻗는 거야. 자아, 이렇게!"

아저씨는 구령과 함께 오른쪽 다리를 쭉 뻗었다. 발이 마네킹의 사타구니에 적중했다.

"정확하게 사타구니를 보고 발을 뻗으면 백발백중 불알이 맞게 돼 있어. 왜냐면 양쪽에 허벅지가 이렇게 비스듬하게 서 있으니까 발은 사타구니 쪽으로 갈 수밖에 없잖냐. 그런데 이때 한 가지 꼭 주의할 게 있다. 한쪽 다리를 뻗었으니까 몸의 균형이 흔들린 상탠데 딴 놈이 공격해 들어올 수가 있지. 그런 때 한번 써먹은 오른발을 또 써먹으려면 시간이 걸려서 상대방의 공격을 당할 수밖에 없게 돼. 그때 바로 지체 없이 왼발을 쓰는 거야. 그럼 공격해 들어오는 상대방을 받아 찰 수 있으니까 상대방은 더 세게 나가떨어질 수밖에 없지. 그래서 두 발을 똑같이 쓸 수 있도록 연습하라는 거야. 알아들어?"

모션까지 함께 취하는 아저씨의 설명은 말버릇 '알아들어?'와 함께 잘 어울리고 있었다.

"예, 잘 알았어요."

마음에 착착 감겨드는 아저씨의 설명이 너무 감사해 배동기는 공손하게 고개까지 숙였다.

"그래, 알았으면 어디 한번 해봐."

아저씨가 자리를 비켜주었다.

"……."

배동기는 마네킹의 사타구니에 시선을 집중시켰다. 그리고 숨을 한껏 들이켰다.

'김태호, 박동욱 받아라!'

배동기는 속으로 외쳐대며 오른쪽 다리를 내뻗었다. 힘이 잔뜩 들어간 발목은 정확하게 마네킹의 사타구니를 강타했다. 그는 오른발을 땅에 딛기 무섭게 왼쪽 다리를 다시 내질렀다. 왼쪽 발목도 목표 지점에 적중했다.

"아니 너, 태권도 했었냐?"

아저씨가 놀란 눈으로 배동기를 쳐다보았다.

"아뇨. 초등학교 때 학원비가 없어서 창밖에서 구경만 했어요."

배동기는 그 짧은 시간에 생각이 오락가락했지만, 어젯밤에 연습을 했다는 말은 안 하기로 했다. 이상하게도 그건 비밀로 감추어두고 싶었다.

"그래, 그렇게 하루에 한쪽 다리에 50번씩만 연습해라. 그럼 한 달 하면 써먹어보고 싶어서 다리가 근질근질해질 것이고, 6개월 하면 자신감이 딱 붙을 것이고, 1년 하면 대여섯 명은 거뜬하게 해치울 수 있는 고수가 될 거다. 열심히 해라."

아저씨는 또 배동기의 머리를 거칠게 쓰다듬어주었다.

집으로 돌아온 배동기는 어제의 두 배, 200번씩을 연습했다. 지치고 힘들었지만 이를 앙다물며 참아냈다. 하루빨리 김태호와 박동욱의 지옥에서 벗어나는 길은 그것밖에 없었다.

토요일날 놀이터에 모인 아이들은 모두 여덟이었다.

"2반과 5반은 두 명씩이라 모두 여덟인 거야."

윤병서가 설명했다.

"응, 알았어." 배동기는 간단하게 대꾸하고는 아이들에게 눈길을 돌리며, "느네들 말야, 그동안 학폭 당해오면서 차라리 죽고 싶다, 자살하고 싶다고 생각한 일 있으면 손들어봐" 하고 침착하게 말했다.

아이들이 주저주저하며 서로를 힐끔거렸다.

"야, 남들 눈치 볼 것 없어. 여기 학교가 아니고 우리끼리니까 니들이 생각했던 대로만 답하면 돼. 빨리!"

배동기가 아이들을 휘둘러보았다.

손을 든 아이는 일곱 전부 다였다.

"응, 나도."

배동기도 서둘러 손을 들었다. 서너 아이가 소리 없이 웃었다.

"다 봤지? 우리는 그동안 학폭을 당해오면서 모두가 다 차라리 죽고 싶다고 생각해 왔어. 그런데 앞으로 또 언제까지 학폭을 당할지 몰라. 아니, 학교를 졸업할 때까지겠지. 그렇게 계속 당하다 보면 도저히 더는 견딜 수 없어서 우리들 중에 누군가는 자살을 하게 될지도 몰라. 그게 한 명이 될지, 두 명이 될지, 절반이 될지, 전부 다가 될지 아무도 몰라. 얘들아, 느네들 그렇게 죽고 싶니? 그렇게 죽으면 너무 억울하잖아? 우리가 잘못한 게 아무것도 없으면서 그렇게 죽는 건 너무 억울하잖아? 우리가 당하는 건 순전히 가난하기 때문이야. 그게 무슨 죄니? 그게 우리 잘못이니? 그건 우리 부모들이 가난한 거지 우리 잘못 때문이 아니잖아. 우린 아직 살아보지도 않았잖아. 그런데 그냥 죽어버리기는 너무 억울하잖니? 우리가 담에 어떻게 살게 될지는 아무도 몰라. 지금 우리들 맘에 우리 부모들처럼 가난하게 살고 싶은 생각은 하나도 없잖아? 그러나 열심히 일하면 부자로 살 수도 있어. 그런데 지금 죽으면 너무 억울하잖아?"

배동기의 말에 아이들은 하나같이 침울하고 슬픈 얼굴이었다. 어떤 아이의 눈에는 눈물이 번지기도 했다.

"그래서 내가 살길을 찾았어. 그 지긋지긋한 학폭 지옥에서 벗어날 방법을 찾았다구."

아이들이 모두 어리둥절해했다.

"그건 우리도 일진 새끼들처럼 한 덩어리로 똘똘 뭉치는 거야. 그리고 맞짱 뜨는 거야. 그냥 무조건 덤비는 게 아니야. 한 방, 단 한 방으로 작살내버릴 수 있는 특종 무술을 내가 배우기 시작했어. 그걸 내가 느네들한테 가르쳐줄 거야. 그 한 방이 얼마나 대박인지 못 믿겠으면 지금 당장 시범을 보일 수도 있어. 단 시범 상대로 나설 사람은 반 죽음 각오를 해야 돼."

배동기의 말에 아이들은 더욱 어리둥절해졌다.

"자아, 누구든 나서봐. 한 방에 끝내줄 테니까."

배동기는 두 팔을 휘두르며 더욱 자신만만하게 말했다.

아이들은 서로를 힐끔거릴 뿐 아무도 나서지 않았다.

"좋아, 그 위력은 차차 알게 될 거고. 우리가 뭉쳐서 우리 살길을 찾는 데 함께 나설 사람은 손 들어봐."

윤병서가 손을 들었다. 다른 아이들은 겁난 눈과 두려운 얼굴로 서로의 눈치만 보고 있었다.

"야, 겁먹을 것 없어. 날 믿어. 내가 자신 없으면 나서겠냐!"

배동기가 힘차게 말하며 주먹으로 허공을 쳤다. 두 아이가 손을 들었다. 다른 네 아이는 더 움츠러들고 겁이 나 보였다.

"요런 한심한 새끼들아, 느네들이 그렇게 병신처럼 구니까 그 새끼들이 즈네 맘대로 우릴 짓밟는 거야. 날 믿으라니까.

내가 맨 앞장을 설 거야. 어쩌면 느네들은 별로 싸우지 않고도 그 새끼들한테서 해방될 수도 있다구!"

배동기의 목소리는 한층 더 어기차게 울렸다. 한 아이가 손을 들었다. 조금 있다가 또 한 아이가 손을 들었다.

"느네 둘은 뭐야? 끝까지 따까리 노릇 하다가 뒈지겠다 그거야?"

배동기가 두 아이를 향해 손가락을 겨누며 소리쳤다.

"난……, 난……, 쌈이 젤 자신 없어." 한 아이가 울상을 지으며 말했고, "난……, 둘 다 싫어", 다른 아이가 떨면서 말했다.

"됐어, 느네 자유야." 배동기는 코웃음을 치고는, "근데 한 가지 꼭 지켜야 할 것이 있어. 오늘 일에 대해선 완전 비밀을 지켜야 해. 약속할 수 있어!" 그는 버럭 소리쳤다.

"알았어, 약속해."

"그럼, 절대 말 안 해."

두 아이가 서로 말이 겹쳐질 만큼 빠르게 대답했다.

다음 날 밤부터 여섯 아이는 밤늦은 시간에 놀이터에서 만나기 시작했다. 집이 가난해 고등학교 등록금도 겨우겨우 낼 정도인 그들은 이미 대학은 포기한 상태였다. 그래서 학원 갈 일 없는 그들에게 밤 시간은 자유로웠다.

"그놈 참, 금덩어리 지니고 다닐 팔자도 아니면서 어디 써먹 겠다고 호신술은 그리 열성으로 연습하는 거냐?"

어느 날 아저씨가 배동기를 물끄러미 바라보고 서서 말했다.

"네, 아저씨 제 폼이 어때요?"

배동기가 숨을 헐떡이며 물었다.

"응, 폼 기똥차고, 날쌔고, 아주 최고다, 최고. 진짜로 붙었다 하면 서너 놈은 불알 다 터뜨려버리겠다. 넌 도대체 앞으로 뭐 하고 살 거냐? 장래 희망이 뭐야?"

아저씨가 궤짝에 걸터앉으며 물었다.

"장래 희망이요? 그딴 거 없어요."

전혀 망설임 없는 배동기의 대꾸였다.

"야 이놈아, 희망 없는 사람이 어딨어. 이제 인생살이 시작 해야 할 새파란 녀석이 못하는 소리가 없네. 너 그따위로 말 하면 못써."

아저씨가 꾸짖듯 말했다.

"정말이에요, 아저씨. 대학도 못 가는 신세에 무슨 희망이 고 꿈이 있어요. 진작에 종 친 인생인걸요."

배동기가 발길질을 멈추고 아저씨 가까이 오며 말했다.

"흠, 큼, 큼……, 대학, 대학을 못 간다. 그래……, 그건 좀 문 제는 문제다."

아저씨가 쯧쯧 혀를 차며 담배 연기를 길게 내뿜었다.

"대학 못 나오면 끝장이잖아요. 앞날이 완전 캄캄, 답답해요."

배동기가 어깨를 늘어뜨리며 긴 한숨을 토해냈다.

"그렇기도 하지. 대학을 나오고도 취직이 안 돼 난리판굿인 세상인데 말야. 하지만 대학 안 나왔다고 인생 완전 끝장나는 것도 아니다. 얘, 하늘이 무너져도 솟아날 구멍 있더라는 말 있잖냐. 대학 못 나와도 살아갈 길이 영 없는 건 아니다."

"……?"

배동기의 눈은 '어떻게요?' 하고 묻고 있었다.

"기술을 배우는 거지. 한 가지 기술을 자신 있게 익혀두면 세끼 밥 먹고 살기는 평생 걱정 없다."

"에이, 아저씨두 참. 그건 특성화고엘 가야 하는데, 저는 이미 틀렸잖아요. 무슨 기발한 방법이 있는 줄 알고 저는 귀가 솔깃했잖아요."

배동기는 맥 빠지는 소리 그만하라는 듯 아저씨에게 핀잔을 주었다.

"야 이놈아, 특성화고에 가서 배우는 기술만 기술이냐? 그렇게 학교에서 배우는 기술 말고 몸으로 때워가며 배우는 기술이 또 있는 법이야. 잘 알지도 못하는 녀석이 건방지게."

아저씨가 배동기의 머리에 알밤을 먹였다.

"몸으로 때워가며 배우는 기술이요? 그게 뭔데요?"

배동기는 다시 귀가 솔깃해졌다. 아저씨 말대로 '세끼 밥 먹고 살기는 평생 걱정 없는' 그 기술이 무엇인지 궁금하지 않을 수 없었다. 2학년이 되고 나서 부쩍 자주 생각하게 되는 앞날이었다. 앞날을 생각할 때마다 막막하고 답답하고 암담하여 좌절감과 절망감만 자꾸 커져갈 뿐이었다. 자신이 내세운 뚜렷한 목표 하나, 아버지처럼 살지 않겠다! 그러나 무엇을 하며 살아갈 것인지 그 길을 찾을 수 없어 자신도 별수 없이 아버지처럼 살아가게 되는 것이 아닌가 하는 공포감이 커지고는 하는 것이었다.

"글쎄, 그런 기술이 있지. 아주 괜찮은 기술이거든. 언제나 세끼 밥 배불리 먹고, 돈도 차곡차곡 모아갈 수 있는 기술이란 말씀이야."

아저씨가 놀리듯 하는 어조로 말하며 담배를 뻐끔뻐끔 피웠다.

"아저씨, 그 기술이 뭔데요? 빨리 말씀해 주세요."

"글쎄다, 이 아저씨가 무식해서 뭘 알아야 말이지. 너 특성화고에 가서 알아보지 그러냐."

아저씨가 담배 연기를 풀풀 날리며 딴청을 부렸다.

"아저씨이, 그게 아니구요, 제가 잘못했어요. 아저씨를 무식하다고 한 게 아니라 제가 아저씨 말을 잘못 알아듣고 그렇게 말한 거잖아요. 죄송해요. 제가 잘못했어요. 그러니까 그 기술이 뭔지 빨리 말해 주세요."

"왜, 구미가 당기냐? 배워볼 맘이 있어?"

"네에, 세끼 밥 배불리 먹고, 돈도 차곡차곡 모아갈 수 있는 기술이라면 그게 무슨 기술이든 배우겠어요."

"정말이야?"

"네에, 진짜예요. 제가 찾고 찾던 게 그런 거예요."

"흐음……, 결심이 단단할까?"

배동기의 마음을 점검하듯 아저씨가 배동기를 지그시 쳐다보았다.

"네에, 돌처럼 아니 강철처럼 단단해요."

"요놈, 말은 아주 매끈매끈 잘한다니까."

"아니에요. 제 결심이 뭔지 아세요?"

"결심……? 어디 말해 봐."

"절대로 우리 아빠처럼 살지 않겠다는 거예요. 우리 아빠처럼 빌빌이, 쪼다, 찌질이로 살지 않기 위해서 저는 아무리 어렵고 힘든 일이라도 참고 이겨내기로 오래전부터 결심해 왔어요."

"호오, 이놈이 아주 제법이라니까. 그래, 호신술 기를 쓰며 익혀가는 걸 보면 무슨 일이든 해내긴 해낼 놈이지. 그럼, 그 기술 가르쳐줄 사람을 소개해 주면 그 기술을 열심히 배울 맘이 있어?"

"네에, 있어요. 무슨 기술이에요?"

배동기는 마른침을 삼키며 아저씨 옆으로 바짝 다가섰다.

"중국집에서 면 뽑는 기술!"

"네에에에?"

길게 이어지는 배동기의 목소리만큼 눈도 커졌다.

"왜, 실망했다 그거냐?"

아저씨의 표정이 실망스러워졌다.

"그게 뭐예요? 면 뽑는 기술이……"

"아니, 너 면 뽑는 것 몰라? 한 번도 구경한 일 없어?"

"네, 무슨 말인지 모르겠어요."

"아하, 그렇구나. 너 손짜장이란 말은 들어봤지?"

"그건 어쩌다가……"

"그 손짜장이란 말야, 맛대가리 없는 기계면이 나오기 전에, 옛날에 밀가루 반죽을 손으로 쳐가며 뽑아낸 쫄깃쫄깃한 면으로 만든 짜장면인데, 그게 진짜배기 짜장면인 거야. 그래서 짜장면 맛을 아는 사람들은 값이 좀 비싸도 그 손짜장만을 찾기 때문에 유명한 거야."

"손으로 국수 가락을 뽑는다구요?"

"그래 이 녀석아. 그래서 그게 아무나 할 수 없는 특별한 기술이니까 너한테 가르쳐주려는 거지."

"그런 기술자를 아는 사람이 있어요?"

"응, 아저씨 친구. 아저씨하고 함께 주먹 좀 쓴다고 건들건들하고 다니다가 그 아저씨가 몸을 좀 다쳤지. 그래서 중국집에 취직해 면 뽑는 기술을 배운다는데, 나보고 같이 하자는 거야. 근데 나는 너무 하찮아 보여서 외면했지. 그러고 몇 년 지났는데 기계면이 나오기 시작하고, 손으로 면 뽑는 기술자들이 한물가서 다 직업을 바꾼다는 거야. 그런데 그 친구는 반대로 손수 중국집을 차리고 나섰어. 아주 작은 식당 앞에 간판을 크게 내걸었는데, '쫄깃쫄깃 옛날식 손짜장'이 식당 이름이었지. 그리고 오가는 사람들이 다 보도록 유리창 바로 앞에서 자기가 면발을 뽑아대기 시작한 거야. 그게 요샛말로 대박 터졌지. 그래서 그 집 가면 언제나 줄을 서야만 짜장면을 얻어먹을 수 있어. 돈 많이 벌었고, 알부자야. 이 아저씨는 철 안 들어 젊은 시절 허송해 버리고 이렇게 짐이나 나르며 겨우겨우 사는데, 그 친구는 자가용 팍 굴리는 알부자라구. 너도 고등학교 졸업하면 그 아저씨 밑에 가서 10년만 죽었다 하고 고생하면 면 뽑는 기술 잘 배워가지고 나와 서른 전에 개업할 수 있고, 그래서 20년만 착실히 벌면 세상에 아무도 부러울 것 없는 알부자가 될 수 있단 말이다."

"아저씨, 절 소개시켜 주세요!"

배동기는 아저씨의 팔을 덥썩 끌어안았다.

"잘할 수 있을까?"

"네에, 잘살 수 있다면 아무리 어려운 일도 다 참고 견딜 수 있어요. 그 결심은 절대로, 죽어도 안 변해요."

"그래 알았다. 졸업만 해라."

"감사합니다, 아저씨."

누가 먼저랄 것 없이 두 사람은 서로 부둥켜안았다.

보름쯤 지난 점심시간이었다. 점심을 먹고 난 아이들이 끼리끼리 모여 앉아 쉬고 있었다.

"야, 그거 시작해." 김태호가 말했고, "응, 멋지게 찍어야지" 하며 박동욱이 건들거리며 핸드폰을 꺼냈다.

"얌마, 배동기, 일루, 일루……."

김태호가 손가락을 까딱까딱했다.

"……."

'쓰발놈들, 또 시작이다.'

배동기는 입을 꾹 다물며 김태호 앞에 섰다.

"벗어!"

김태호가 말했다.

"뭘?"

배동기가 주춤했다.

"바지!"

"왜 그래?"

배동기가 물러섰다.

"존나 새끼, 맞고 벗을래?"

김태호가 눈을 부릅떴다.

"못해, 죽어도 못해!"

배동기가 한 발 더 물러서며 소리쳤다.

"뭘 못해, 새끼야. 벗으라면 빨랑 벗어!"

핸드폰을 들고 있던 박동욱이 배동기를 사정없이 걷어찼다. 배동기가 비틀거렸고, 아이들의 눈이 일제히 이쪽으로 쏠렸다.

"이 새끼야, 벗으라면 벗어. 우리가 근사한 나체 사진이 필요하다구."

김태호가 의자에서 벌떡 일어나며 발길질을 했다. 배동기가 살짝 피했다. 그 바람에 헛발질을 한 김태호가 몸의 중심을 잃어 비틀거렸다.

"어, 어, 너 피했어. 너 지금 반항하는 거야!"

눈에 불을 켠 김태호가 소리 질러댔다.

"나도 사람이야! 나도 느네들하고 똑같은 사람이라구. 그래, 반항한다. 죽어도 못 벗어!"

배동기가 김태호만큼 큰 소리로 맞대거리를 하고 나섰다.

아이들은 모두 놀란 얼굴로 교실 뒤쪽으로 몰려들었다. 아이들이 놀란 것은 바지를 벗기려는 사태 때문이 아니었다. 그들의 명령에 당연히 꼼짝 못하고 순순히 따라야 할 배동기가 갑자기 무서운 기세로 반항하며 대들기 때문이었다.

"이 새끼가 미쳤나. 너 죽고 싶어?"

김태호가 더 무서운 기세로 외쳐댔다.

"그래 죽여, 이 새끼들아! 느네들도 나랑 같이 죽자!"

배동기도 기세등등하게 맞고함을 질렀다.

"요런 존나 새끼가!"

박동욱이 주먹을 날렸다.

다음 순간 배동기가 다리를 내뻗었다.

"윽!"

박동욱이 교실 바닥에 쿵 나가떨어졌다.

"어, 이 새끼가 이거!"

김태호가 달려들었다.

배동기가 또 발길질을 했다.

"윽 크……."

김태호도 무슨 큰 짐짝처럼 교실 바닥에 쿵 나가떨어졌다.

"아우, 아우, 아우…… 아, 나 죽네, 나 죽네……." 두 손으로 사타구니를 싸잡은 박동욱이 교실 바닥을 뒹굴며 곧 숨 넘어가는 비명을 지르고 있었고, "아으, 아으, 아으…… 엄마, 나 죽어, 아이고 엄마……", 김태호도 똑같이 몸부림치고 있었다.

아이들은 다 넋이 나간 표정으로 순식간에 벌어진 그 사태를 바라보고만 있었다.

그런데 박동욱과 김태호는 점점 더 비명을 심하게 질러대고 있었다.

"야, 쟤네들 불알 터져버린 것 아니냐?" 누군가 말했고, "야, 쟤네들 왜 소리를 점점 더 크게 질러대냐?", "병신, 너 불알 안 다쳐봤어? 거기 다치면 원래 시간이 갈수록 점점 더 숨 막히고 환장하게 아프잖아", "야, 근데 저거 그대로 두면 안 되잖아?", "맞아, 빨리 의무실로 옮겨야겠다. 얘들아, 빨리 의무실로!" 반장이 앞으로 나섰다.

그들 둘은 아이들에게 업히고 떠받쳐져 복도가 찌렁찌렁 울리도록 비명을 질러대며 의무실로 가고 있었다. 그러니 일진에게 당하기만 하던 찌질이가 일진들을 눈 깜짝할 사이에 해치워버렸다는 그 기막힌 소문은 삽시간에 퍼질 수밖에 없었다.

그 사태를 듣고 가장 소스라친 건 담임 강교민이었다. 두 아이의 상태가 너무 심해 병원으로 옮겼다는 데 놀랐고, 그 가해자가 또 배동기라는 것에 더욱 놀랐다. 얼마나 심하게 다쳤으면 병원까지 실려 갔는지 걱정이었고, 또 배동기가 일을 저질렀으니 수습이 꽤나 어려울 것 같아 또한 걱정이었다. 그리고 그동안 배동기가 일진에게 피해를 입고 있었던 것을 까맣게 몰랐다는 게 담임으로서 참으로 면목 없는 일이었다. 선생이 제아무리 면밀하게 살피려 해도 아이들의 비밀주의는 그처럼 철저했다.

그러나 그보다 큰 문제는 나라에 있었다. 문제를 일으키는 곳은 다름 아닌 교육부였다. 교육부에서는 연간 5,500건에 달하는 공문 폭탄을 투하했다. 선생들은 해당 부서에 따라 그 보고서를 작성하느라고 많은 시간을 탕진하며 골이 빠졌다. 그러니까 선생은 현장 교육자가 아니라 행정관료로 전락해야만 했다. 그러다 보니 교육자 역할은 그만큼 소홀해져 선생들은 어쩔 수 없이 수업 준비가 부실해졌고, 학생에 대한 관심도 등한해질 수밖에 없었다.

그러니까 마치 교육부는 교육을 위해 존재하는 기관이 아니라 교육을 망치려고 있는 이상한 조직 같았다. 교육부는 왜 그 많은 공문을 남발해 대며 교육을 망치는 행태를 하는 것일까. 그것은 중앙의 통제와 지배를 강하게 함으로써 권력의 안정을 꾀하고자 했던 군부독재의 욕구였다. 그런데 군부독재가 타도된 지가 언제인데 그 후의 권력들도 그 악습을 그대로 답습해 오고 있었던 것이다. 그건 권력의 마성인 지배욕구를 그대로 드러내는 뻔뻔스러운 작태였다.

강교민은 반장부터 불렀다.

"어떻게 된 거야? 다 봤어?"

"네……."

"자세히 말해 봐. 객관적으로!"

반장은 있었던 그대로 사태 보고를 했다.

7교시가 끝나자마자 강교민은 바로 담임반으로 들어갔다. 1분이라도 시간을 아끼기 위해서였다.

"배동기, 잠깐 상담실에 가 있어."

강교민은 배동기에게 명령했다.

배동기는 고개를 떨구고 교실을 나갔다.

"지금부터 종례 시간까지 약 15분 정도, 오늘 발생한 배동기 사건에 대해서 여러분은 보태지도 말고, 빼지도 말고, 있었던 그대로, 여러분이 목격한 그대로 쓰도록 한다. 여러분은 누구 편을 드는 일 없이 객관적으로 사건 보고서를 쓰는 것이며, 이것은 수행평가에 반영한다. 빨리 시작!"

아이들은 어리벙벙한 채로 노트를 펼치기 시작했다. 그들에게 이런 수행평가야말로 황당하기 짝이 없고, 느닷없이 벼락 맞은 기분이었다. 갑자기 글을 쓰라니……, 그보다 막막하고 어려운 일이 어디 있을 것인가. 책이라곤 좋은 책이든 나쁜 책이든 읽어본 적이 없었다. 엄마들은 교과서와 참고서 이외의 책은 못 읽게 하는 감시자요, 훼방꾼이었다. 아무리 좋다는 책도 엄마들에겐 공부에 방해되는 나쁜 물건일 뿐이었다. 그래서 엄마들은 책 읽는 것을 '정신 나간 짓, 바보짓, 미친 짓, 철없는 짓'이라고 열을 올렸다. 그렇게 교과서만 파며 살았으니 글쓰기가 잘될 리가 없는 일이었다.

그러나 수행평가에 들어간다니 잘 써보려고 기를 써야 했다. 엄마들이 신줏단지 모시듯 떠받드는 것이 공부요, 점수 아닌가.

강교민은 아이들의 글을 모아가지고 교무실로 돌아왔다. 그리고 반장을 시켜 배동기를 데려오게 했다. 그동안에 강교민은 빠른 속도로 아이들의 글을 훑어보았다. 그 글들은 문장과 길이는 조금씩 다를 뿐 내용은 다 동일했다. 강교민은 일단 안심이 되었다. 그건 선도위원회에 제출할 제3자 증언으로써 효과가 클 것이 분명했기 때문이다.

배동기는 담임선생님 앞에 고개를 푹 떨구고 섰다.

"동기야, 너 말하고 싶은 심정이 아닐 테니 굳이 묻지 않겠다. 여기, 학급 아이들이 본 그대로 사건 보고서를 써냈으니까. 뭐……, 선생님한테 할 말 있니?"

"……죄송, 죄송합니다."

목멘 소리를 하며 배동기가 고개를 더 떨구었다.

"괜찮아. 네가 그렇게 학폭을 당해온 걸 몰랐으니 선생님이 오히려 미안하구나. 가라, 가서 푹 쉬어라."

강교민은 배동기의 등을 두드려 돌려세웠다.

강교민은 다음 날부터 시달리기 시작했다. 두 아이의 엄마가 나타나 뜨거운 모정을 맘껏 발휘하는 것이었다. 강교민은 무조건 머리를 조아리기만 했다. 오후에는 두 아버지까지 나타나 합세했다. 그들의 분노는 가해자를 반드시 감옥에 보내고 말겠다는 데로 뻗치고 있었다.

바로 선도위원회가 열렸다.

"우리가 할 일은 별로 없습니다. 학부모들이 진단서 첨부해 경찰에 바로 고발해 버렸으니까요. 한 가지, 경찰까지 가버렸으니 학교 명예 추락이 거참……."

교감이 언짢은 표정으로 혀를 찼다.

"이것이 반 아이들 전체가 쓴 사건 목격기입니다. 객관적 증거 효력을 발휘할 수 있는 것입니다."

강교민이 종이 묶음을 교감에게 내밀었다.

"객관적 증거 효력? 그럼 이걸 경찰에도 제출하겠다는 뜻이오?"

"예, 가해 학생 배동기를 소년원으로 보내지 않을 수 있는 유일한 방법입니다."

"그럼 그 학부모들과는 맞서는 입장에 서겠다는 겁니까?"

"아닙니다. 셋 다 저의 제자입니다. 저는 셋 다 다치지 않게 하는 게 목적입니다."

"아 강 선생! 또 그 잘난 무희생 교육론이오?"

생활지도부장이 버럭 소리쳤다.

"어쨌든 한 아이도 버려서는 안 된다는 강 선생의 교육관은 옳은 것이오. 그 학부모들 상대하기가 쉽지는 않겠지만 수고 좀 하세요."

교감이 눈으로 격려의 뜻을 표시했다.

강교민은 다시금 학교폭력대책자치위원회라는 조직에 심한 반감을 느꼈다. 그것은 학교 폭력에 대처하는 종합 시스템이었는데, 거기에는 경찰이 포함되어 있었던 것이다. 그건 곧 학교 자율성의 침해였다. 그 제도가 마련되기 전에는 학교에서 일어난 일은 학교 내에서 처리할 수 있는 학교의 자율성이 확보되어 있었던 것이다.

학교폭력대책자치위원회가 생긴 것은 2004년 9월이었다. 그것이 2011년에 발생한 충격적인 자살 사건을 계기로 대폭 보완, 강화되어 2012년부터 시행되기 시작했던 것이다. 중학교 2학년인 한 남학생이 온갖 학교 폭력에 시달리다 못해 장문의 유서를 남기고 자살을 해버린 것이었다. 그 유서에는 그가 당한 학교 폭력의 종류가 자세하게 기록되어 있었다. 그는 상습적인 구타로부터 시작해서 금품을 갈취당했고, 숙제를 대신 해줘야 했고, 온갖 셔틀을 했고, 강제로 담배를 피워야 했고, 담뱃불로 지짐을 당해야 했고, 물고문을 당했고, 목에 전깃줄이 감긴 채 바닥에 떨어진 과자 부스러기를 핥아 먹으라고 강요당했고, 자기들의 게임 캐릭터 레벨을 올리라고 폭행당했고, 게임 아이템을 사내라고 강요당했다.

그 아이는 그런 폭력들을 견디다 못해 죽음을 택한 것이었다. 그 아이가 남긴 유서의 충격으로 세상은 또 발칵 뒤집혔다. 중2짜리들이 행사한 폭력이 너무나 가지가지였고, 심지어 물고문까지 감행했기 때문이었다. 그 사건은 사회의 폭력성이 그대로 학생들에게 영향을 미친다는 말을 명백하게 입증해 주고 있었던 것이다.

언제나 그렇듯 그 사건의 충격의 강도도 매스컴들이 잘 보여주고 있었다. 모든 매스컴들이 총동원되어 교육의 위기, 사회의 위기, 국가의 위기로까지 확대해 가며 숨이 가빴다. 그렇게 분위기가 고조되자 집권 세력에서는 정권의 위기를 느끼게 되었다. 그래서 급조해 낸 것이 학교폭력대책자치위원회였다.

그 종합 대책의 핵심은 경찰력까지 동원해 강력하게 처벌하는 것이었다. 그것은 폭력을 더욱 강한 폭력으로 제압하겠다는 전형적인 행정편의주의 발상이었다. 그 즉흥적인 조처가 발표되면서 문제가 다 해결된 양 매스컴이 잠잠해졌다. 그러나 그것은 종기의 고름을 완전히 짜내지 않고 겉에 새 고약만 바꿔 붙이는 것과 같은 미봉책이었다. 이번에도 학교 폭력이 발생하는 그 뿌리를 캐내려는 근본적인 노력을 하지 않음으로써 국가가 직무 유기를 했고, 그에 동조해 교육계가 직무 유기를 했고, 그와 함께 사회가 직무 유기를 했고, 거기에 휩쓸려 학부모들이 직무 유기를 했다.

그 강력한 제도가 생기고 10여 년이 지나는 동안 학교 폭력은 통계상 줄어드는 것 같았다. 그러나 그건 줄어든 것이 아니라 폭력의 형태가 교묘해지고 은밀하게 바뀐 것뿐이었다. 그 교묘함과 은밀성 때문에 선생들은 그것을 발견해 내기가 점점 더 어려워지고 있었던 것이다.

강교민은 학부모들을 설득하려고 며칠 동안 진땀을 뺐지만 아무 효과 없이 허사였다. 그래서 마지막 방법으로 김태호와 박동욱에게 당한 학폭 피해에 대해 배동기가 맞고발을 하게 만들었다. 어느 시민단체에서 봉사하는 변호사가 그 일을 맡아주었다.

역시 변호사의 힘은 셌다. 변호사가 나타나자 경찰도 부드러워졌고, 학부모도 풀이 꺾이고 말았다.

"잘됐습니다. 서로 죄를 졌으니까 소년원에 함께 가면 되겠지요."

변호사의 이 한마디는 학부모를 향한 결정적 저격탄이었다.

학부모들은 경찰 고발은 접었는데 그 대신 배동기의 퇴학을 강력히 요구했다. 그런 무지막지한 폭력범을 같은 학교에 둘 수 없다는 것이었다. 강교민은 온갖 말을 다 했지만 그들의 마음을 돌릴 수가 없었다.

"강 선생, 재단에까지 압력이 들어가는 모양이오. 교장 선생 입장이 말이 아니에요. 애가 안됐지만, 강 선생이 그만 포기해요. 다른 길이 없잖아요."

교감이 안타깝게 사정하듯 했다.

"네에……, 어쩔 수 없지요."

결국 배동기는 퇴학 처분을 당했다. 초·중·고생의 48퍼센트가 학교 폭력을 당했고, 그들의 42퍼센트가 자살을 생각했다는 통계를 강교민은 새삼스럽게 떠올렸다.

"동기야, 미안하구나. 선생님이 힘이 모자라 이리됐다. 어서 먹어."

강교민은 탕수육을 배동기 앞으로 바짝 밀어놓았다.

"아니에요, 선생님. 선생님께서 얼마나 애쓰셨는지 잘 알아요. 소년원에 안 갇히게 해주신 것만도 얼마나 감사한데요. 그 은혜 평생, 평생 잊지 않을 겁니다. 선생님, 감사, 감사……."

배동기의 목이 메더니 탕수육 위로 눈물이 뚝, 뚝, 뚝, 떨어져 내렸다.

"이 녀석아, 울지 마. 울지 말고 어서 먹어. 배고플 시간이잖아."

강교민도 말이 눈물에 젖으며 탕수육을 배동기 앞으로 더 밀었다.

"동기야, 너무 걱정 마. 선생님이 여기저기 열심히 일자리 알아볼 테니까."

"선생님, 그건 걱정 마세요. 저 곧 취직할 수 있어요."

배동기가 손등으로 눈물을 쓰윽 닦으며 말했다.

"취직이 돼?"

"네, 제가 알바하는 데 함께 일하는 아저씨가 고등학교 졸업하면 바로 손짜장집에 취직시켜 준다고 했거든요. 근데 퇴학당했으니까 더 빨라진 거지요."

"아, 그래? 참 고마운 아저씨구나. 그 손짜장이면, 손으로 면 뽑는 것 말하는 것 아니냐?"

"네, 맞아요. 그거 아주 알부자 되는 기술이래요."

"그래, 맞다. 아무나 할 수 없는 특별한 기술이지. 그것 참 잘됐다. 열심히 배워라. 그래, 이거 식기 전에 어서 먹으라니까."

"네, 선생님도 드세요."

배동기가 탕수육 접시를 선생님 앞으로 밀어놓았다.

"그래, 먹자. 이거 다 먹고 짜장면 곱빼기로 시키자."

"네에, 선생님."

그들은 탕수육을 하나씩 집었다.

자발적 문화식민지 1

"무슨 일인데 그리 급히 만나자고 숨이 넘어가?"

김희경이 생기라고는 전혀 없는 얼굴로 의자에 털썩 몸을 부리며 상대방에게 눈을 흘겼다.

"미안해, 그럴 일이 있어. 근데 넌 완전히 중병 앓는 환자 꼴이다. 아들은 만만세 부르며 엄마 품 떠나 신바람 나게 살고 있을 텐데, 넌 언제까지 그렇게 짝사랑병 앓고 있을 거냐?"

박선미가 상대방에게 똑같이 눈을 흘기며 통을 놓았다.

"내 마음 나도 모른다고 하더니 내가 꼭 그 꼴이지 뭐니. 아들놈은 그렇게 매정하게 에미를 버리고 떠났는데 에미는 이렇게 아들놈을 못 잊고 이 모양이니⋯⋯. 가슴 한쪽이 뻥 뚫려버린 것도 같고, 내 몸 어느 한쪽이 잘려 나간 것 같기도 하고⋯⋯, 내 맘을 내가 어떻게 할 수가 없어. 자식이라는 게 뭔지⋯⋯."

김희경은 짙은 안개를 토해내듯 한숨을 쉬었다.

"뭐긴 뭐야. 우리 여자들한테 자식은, 특히 아들은 나보다 더 소중한 또 하나의 자신이고, 가장 큰 희망이지."

"어머, 너 말 한번 멋지게 한다. 틀림없이 그런 존재지?"

"그런데 아들놈들은 그게 아니라서 비극인 거지."

박선미가 커피잔을 들며 쯧쯧 소리 요란하게 혀를 찼다.

"그래, 비극도 그런 비극이 없어. 그 비극을 끝내려고 하는데⋯⋯, 왜 내 맘이 정리가 안 되는지, 그게 속상해 미치겠어. 즈이 아빠 옆에서 아무 속도 모르고 '이젠 당신 인생 살라'고 해대고. 남편이 위로한답시고 자꾸 그런 소리 하니까 더 속상하고."

"그럼, 남자들이야 어찌 여자 속 아나? 그래도 어쩌겠어. 차차 마음을 정리해야지. 어차피 장가들이면 당할 일, 몇 년 앞당겨 당한 거라고 생각해."

"으음⋯⋯. 나도 그 생각을 가끔 했어. 그것밖엔 길이 없으니까."

김희경은 또 깊은 한숨을 쉬며 손수건으로 양쪽 눈가를 찍어냈다.

"그래, 그렇게 해. 아직도 살날이 창창하게 남은 나이에 그 꼴이 뭐야."

"참, 자식한테 올인한 게 자식한테 버림받을 죄가 되다니, 우리나라 엄마들 신세 안됐어. 근데 느네 아들은 어때?"

"모르겠어, 딴생각하는 것 같진 않은데, 공부를 하는 건지 도를 닦는 건지 알 수가 없어. 과외를 그렇게 시켜대도 성적은 마냥 그게 그 타령이야. 아마 머린 날 닮았나 봐."

"그게 얼마나 착하고 고마운 효자야. 차암, 나 혼자만 불행에 빠진 것 같고……."

김희경은 습관이 되어버린 것처럼 또 한숨을 내쉬었다.

"아니야, 너 혼자만 당하는 일이 아니야. 얼마 전에 학교 상담 선생님한테 들었는데, 학교를 그만두는 애들이 한 해에 7만 명씩이나 된대. 그러니까 너무 마음 상하지 말고 전처럼 기운 차려야 해. 아까운 우리 인생 이렇게 한숨으로 눈물로 허송해서는 안 되잖아. 요새 아이들이 흔히 말하잖아. 제발 간섭 말고 엄마는 엄마 인생 찾으라구. 어쩌면 그 시건방진 말이 정답인지도 몰라."

"넌 오늘 아주 근사한 말만 하기로 작정을 한 모양이구나?

그래, 그 말이 맞는지도 몰라. 엄마는 엄마 인생 찾아라. 어린 애로만 생각했던 아들한테 그 말을 듣고 얼마나 충격받았는지 몰라. 첫째는 배신감이었고, 둘째는 창피스러움이었어. 내가 너만을 위해 어떻게 살았는데 하는 배신감이 너무 컸고, 가만 있어봐 내 인생이 뭐지 하며 두리번거린 창피스러움이 감당하기 힘들었어. 근데 자꾸자꾸 생각해 보니까 아들 인생, 내 인생이 따로따로라는 걸 차츰 깨닫고 받아들이기 시작했어."

"그래, 그래야 해. 우리가 자식을 아무리 사랑해도 자식들 인생을 대신 살아줄 수는 없는 일이잖아. 니가 일 당하는 걸 보면서 나도 많이 생각했어. 나도 얼마든지 당할 수 있는 일이니까. 그래서 아들 공부에 대해 수위 조절을 하느라고 계속 신경 쓰고 있어."

"그래, 그거 참 잘했다. 미리미리 조심하고 적당히 잘 조정하며 뒷바라지해야지 앞서 나서서 끌어가려 했다간 낭패당하기 쉬워. 난 참 많이 후회돼."

김희경이 또 한숨이었다.

"얘, 너 니 인생도 찾고, 정신적 휴식도 취할 겸 해서 한 일주일쯤 템플 스테이, 산사 체험 다녀오지 않을래?"

"템플 스테이, 산사 체험……?"

김희경이 생소한 표정을 지었다.

"응, 이 시끄럽고 정신없는 속세를 잠시 떠나 나를 찾는 적막한 시간을 갖는 게 정신 건강에 얼마나 좋은지 몰라."

"너 불교였니?"

"아니, 종교와 아무 상관 없어. 완전한 휴식을 찾아가는 거니까."

"언제 해본 모양이구나?"

"응, 작년에 누가 소개해서 동행했는데, 너무 좋은 경험이었거든."

"거기가 어딘데?"

"응, 오대산 월정사."

"아, 들어본 이름이야. 거기가 그렇게 좋아?"

"말도 마. 산 깊고, 숲 울창하고, 공기 맑고, 니가 휴식하면서 괴로움 털어내고 안정 찾기에는 최고의 장소야."

"음, 그런 데라면 좀 생각해 볼게. 근데 니 급한 일로 만나서 내 얘기만 했네."

"아니야, 얘. 일이 아무리 급해도 다 순서가 있는 법이잖아. 니가 맘이 얼마나 괴로운 사람인데."

"고맙구나."

"근데 있잖니, 니가 소개해 줬던 원어민 교사……."

박선미가 살짝 일어났다 앉으며 앉음새를 다잡았다.

"응, 포먼……."

김희경이 무심한 듯 대꾸하며 커피잔을 들었다.

"그 사람이 지금도 느네 딸 네이티브 스피커(원어민 영어 강사)니?"

"글쎄, 그럴걸, 아마……."

"어머, 넌 딸한텐 관심이 없니?"

박선미의 어조가 약간 꼬여 돌아갔다.

"아니, 관심이 없는 게 아니고 아들 일에 워낙 정신이 없다 보니까. 그리고 딸애가 착실하게 제 일 해나가는 애라서. 왜 무슨 일 있어?"

"글쎄, 그게 말야……. 그 포먼하고 느네 딸하고는 무슨 눈치가 안 보여?"

목소리가 낮아지면서 박선미의 말이 조심스러워졌다.

'느네 딸하고는……' 이 매듭에서 김희경은 '우리 딸하고는 무슨 일이……' 하는 뜻을 포착했다. 그래서 바로 '느네 딸하고 무슨 일 있구나?' 하는 말이 튀어 나가려는 것을 그녀는 꾹 눌렀다.

"글쎄, 별말 없이 돈을 받아 가는 걸 보니까 그저 그냥 회화 공부를 하고 있는 것 같던데."

김희경은 이렇게 우물쭈물 말하며 박선미의 눈치를 살폈다.

"바보 멍텅구리 같은 기집애, 느네 서인이처럼 착실하게 회화 공부만 하면 좀 좋아. 하는 꼴 하고는!"

박선미는 거칠게 혀를 차며 이렇게 속을 드러내고 있었다. 말을 이렇게까지 하는 것은 상대방에게 무슨 일이 있느냐고 물어달라고 하는 거나 마찬가지였다.

"왜 그래? 무슨 일이 있는 거야?"

맘 놓고 말하라는 듯 김희경은 부드럽게 웃으며 다정하게 말했다.

"나 아주 속상해 미치겠다." 박선미는 커피를 한 모금 마시고는, "너 이 얘긴 절대로 아무한테도 해선 안 돼"하며 맹세라도 받겠다는 듯 김희경의 눈을 똑바로 쏘아보았다.

"알았어, 안심해."

김희경은 고개까지 힘지게 끄덕여 보였다.

"너 쉽게 대답하지 말아. 니가 포면 그놈을 소개해 주었기 때문에 딱 너한테만 말하는 거니까."

김희경은 가슴이 철렁했다. '포면 그놈' 한마디는 바로 폭탄이었던 것이다. 사건이 얼마나 크고 심각하면 선생님이 그놈으로 둔갑했을 것인가. 그때 번뜩 머리를 치는 것이 있었다. 그 말이 또 터져 나가려고 해 그녀는 가까스로 말을 참아냈다.

"얘, 걱정하지 말라니까. 자식들 일인데 어련히 비밀 잘 지킬까 봐."

김희경은 아무 눈치도 못 챈 것처럼 속을 싹 감추며 말했다.

"글쎄 말이다, 글쎄 있잖니……." 박선미는 상체를 구부리며 속삭이듯 목소리를 낮추고는, "이걸 어쩜 좋으니, 그 미친년이 그놈 앨……", 표 나게 떨리는 그녀의 목소리는 여기서 멈추었다.

'그렇다니까! 족집게 무당 따로 없다니까.'

임신을 적중시킨 자신의 예감에 김희경은 적이 만족을 느꼈다. 그리고 오랜 몸살 끝에 군침이 확 솟는 어떤 음식을 보았을 때처럼 입맛이 도는 것을 느꼈다.

"아니, 그게 왜 그리 걱정이야? 이 글로벌 시대, 세계화, 국제화 시대에."

김희경은 박선미의 입으로 양파 껍질을 까게 하는 흥미로움을 상상하며 이렇게 엉뚱한 쪽을 찔렀다.

"글쎄, 그렇다면 얼마나 좋아. 근데 그게 아니라니까. 그 미친년이 글쎄……."

박선미의 목소리는 문득 속삭임을 잃고 있었다.

"아니, 그럼 서로 좋아서가 아니고……?"

김희경은 여기서 살짝 추임새를 넣었다. 계속 엉뚱한 쪽으로 나갔다가는 속내를 들킬 위험성이 있었던 것이다.

"그렇다니까. 그냥 지가 좋아서 덜컥 임신을 했는데……."

박선미의 말은 여기서 막혔다. 목에 울음이 가득 찼던 것이다.

"저걸 어째……, 포먼은 알고 있고?"

"말했는데 글쎄……, 말도 마, 그년이 미친년이지."

박선미는 더는 못 참겠는지 울음을 훌쩍이기 시작했다.

"얘, 진정해. 사람들이 쳐다본다."

김희경은 친구의 어깨를 다독거렸다. 그러면서 딸 서인이를 생각했다. 혹시 걔도 그 녀석과……. 그녀는 뜨거운 것을 만진 것처럼 화들짝 놀라며 그 생각을 탈탈 털어냈다.

"그래서 생각다 못해서……, 하도 답답해서 널 만나자고 한 거야. 미안하지만 서인이보고 포먼 그놈을 좀 설득해 보라고."

박선미가 손수건으로 눈물을 훔치며 떨리는 소리로 말했다.

"우리 서인이보고? 뭐라고? 임신했으니까 결혼하라고?"

김희경은 친구의 곤혹스러운 입장을 생각해서 다 말해 버렸다.

"으응, 그 길밖에 다른 길이 없잖아. 미안해, 희경아, 좀 부탁해. 니가 소개해 준 거니까 벌 받는다 생각하고."

목소리보다 박선미의 얼굴이 더 절실하게 애걸하고 있었다.

김희경은 그 갈 데 없는 엄마의 얼굴을 더 보고 있을 수가 없어서 눈을 떨구었다.

"알았어, 말해 볼게."

"그냥 말만 하지 말고, 단단히, 꼭 되게……, 알겠지?"

"알았어, 알았어. 잘 말할게."

김희경은 한없이 불행한 엄마가 된 친구 박선미의 손등을 다독여주었다. 박선미의 모습은 얼마 전의 자신의 모습이기도 했던 것이다. 그래서 주책없이 행동한 친구의 딸을 향해 줄줄이 쏟아지려는 말도 가까스로 참아내고 있었다.

김희경은 친구와 헤어지자마자 핸드폰을 꺼내 딸에게 문자를 찍기 시작했다.

중대한 사건 발생. 급히 귀가 바람.

최대한 짧게, 용건만 요약했다. 순전히 딸의 요구 때문이었다. 딸은 핸드폰 받기를 싫어했고, 문자도 길게 보내는 걸 질색했다. 공부에 지장이 된다는 게 이유였다. 그것이 핑계라는 것을 알면서도 딸이 원하는 대로 할 수밖에 없었다. 딸은 침대에 벌렁 나자빠져 뒹굴면서 제 친구들과는 하잘것없는 소리 지껄여대며 30분이고 한 시간이고 노닥거리기 예사였다. 그러면서도 엄마하고는 통화하는 것이 싫어서 문자로, 그것도 핵심 용건만 최대한 짧게 쓰라는 것이었다. 그것은 자식들이 커나가면서 함께 커져가는 삶의 적막이었다. 아들이든 딸이든 자식들이란 그렇게 크는 만큼 에미 품을 벗어나려 하고 있었다.

김희경은 문자를 다시 한 번 읽다가 맨 끝의 '바람'이 마음에 걸렸다. 새끼한테 바라기는 뭘 바란다는 것인가. 에미가 당당하게 명령을 해야지. 그녀는 바람을 지우고 '할 것'이라고 명령했다. 그렇게 고쳤는데도 명령답게 힘찬 느낌이 뭔가 모자라는 것 같았다. 뭔가 꽉 찬 느낌이 들어야 하는데 생각하다가 문득 떠오르는 것이 있었다. 끝에다가 느낌표 하나를 더 찍었다. 그러자 '급히 귀가할 것!'이 되었다. 그러고 보니 힘찬 명령이 되었다. 마침내 엄마로서의 위신과 권위가 선 것 같은 기분이었다. 느낌표 하나의 효과가 이렇게 클 줄이야! 김희경은 더없이 흡족한 기분으로 전송 버튼을 눌렀다.

5분이 지나지 않아 문자 도착 신호가 울렸다.

무슨 일???

김희경은 물음표 세 개를 보며 기분이 확 상하고 말았다. 물음표를 세 개씩이나 찍어댄 것은 일찍 들어오기 싫다는 거부의 뜻으로 느껴졌던 것이다.

문자로는 말 못해. 최대한 급히!

못된 년, 점점 시건방지게 에미 알기를! 이 말과 함께 김희경은 전송 버튼을 신경질적으로 콕 눌렀다.

김희경이 최대한 빨리 딸을 만나려고 하는 건 친구 딸 남온유를 위해서가 아니었다. 자신의 딸 유서인의 안녕을 확인하기 위해서였다. 열 계집 싫어하는 남자 없는 법이고, 미국 싫어하는 젊은 여자애들은 없는 성싶었다. 평소에 늘 네이티브 스피커 이외로는 생각해선 안 된다고 주의를 시켜왔었다. 그러나 친구 박선미도 안 그랬을 리 없었다. 그런데 일을 저지르고 만 것이다. 그러니 딸에 대한 불안감도 떼칠 수가 없었다.

딸은 저녁밥 때쯤 돌아왔다. 그래도 에미 말이 신경이 쓰였던 모양이다. 김희경은 적이 기분이 좋았다.

"중대 사건이 뭐야? 아빠가 명퇴하는 것도 아닐 테고."

유서인은 책가방을 겸한 핸드백을 벗어놓으며 물었다.

"저 말하는 뽄새 하고는. 손발부터 먼저 씻어."

김희경은 딸에게 눈을 흘겼다.

"엄마, 뭐야! 중대 사건이라면서? 남 선약 다 깨게 해놓구선."

유서인은 대뜸 짜증을 부렸다.

"염려 마라. 니가 까무러칠 만큼 중대 사건이니까. 너 요새 남온유 자주 만나니?"

"왜, 걔한테 무슨 일 있어?"

유서인이 고개를 갸웃하며 물었다.

"대답이나 해. 앞지르지 말고."

"대학도 다르고, 전공도 다르고, 자주 만날 일이 있어야 말이지."

"포먼이 개에 대한 무슨 얘기 안 하대?"

"당연하지. 포먼한테는 우리가 다 고객인데, 고객 얘기 이쪽저쪽에 옮기는 건 직업 매너에 어긋나고, 저쪽 사람들 기본 예의도 아니잖아."

"얘, 남온유가 포먼 애 임신했단다."

김희경은 일부러 이렇게 직사포를 쏘아댔다. 딸년이 얼마나 놀라는지, 그 모습을 보고 싶었던 것이다. 그래야 중대 사건의 효과를 최대한 높일 수 있기도 해서였다.

"하, 임신? 걔 왜 그렇게 후지대? 아니, 멍청한 건가?"

딸은 코웃음을 치며 전혀 놀라지 않았다. 오히려 놀란 건 김희경이었다. 딸이 예상을 뒤집고 놀라지 않은 것에 김희경의 놀라움은 자못 컸다.

"얘, 넌 그것이 놀랄 일이 아닌가 보구나?"

김희경은 딸을 멀뚱하니 바라보며 좀 혜식게 이렇게 물었다.

"엄마도 참 유치해. 엄만 그 촌티 언제 벗을 거야? 남이야 임신을 하든 말든, 다 지 좋아서 하는 일인데 왜 엄마한테는 그딴 게 중대 사건이 되는 거냐구. 엄만 그렇게도 할 일이 없어?"

"이 기집애야, 말조심해. 뭐가 엄마가 유치하고 촌티 나? 그 임신이 좋아서 한 임신이 아니니까 문제고, 중대 사건인 거지."

"그건 또 무슨 소리야? 그럼 포먼이 어떤 흑인 원어민 교사처럼 성폭행을 저질러 임신시켰다는 거야? 글쎄에, 남온유가 그럴 정도로 섹시하고 미녀이실까?"

유서인은 놀라지는 않았지만 한결 적극적인 관심을 드러냈다.

"아니야, 그 반대야."

"반대……?"

"반대 몰라? 남온유가 성폭행을……, 아니 이게 말이 되나? 남자 모르게 여자가 임신을 해버린 건데……, 그걸 성폭행이라고 할 수는 없고, 이런 경우에 쓰는 뭐 적당한 말이 없나?"

"엄마, 그 말이 뭐가 그리 중요해? 도둑 임신이라고 해놓고, 남온유 걔가 정말 그딴 짓을 했대?"

"그렇다니까. 걔네 엄마가 한 말이니까 틀림없는 일이잖아."

"체, 딸이나 엄마나 똑같네. 그래서, 미국인 사위 얻게 돼서 신나서 엄마한테 자랑한 거야?"

"그 반대."

"뭐가 또 반대?"

"너 바보니? 남자가 싫어하니까 문제가 심각해진 거지."

"남자가 싫어하는 건 당연하지. 본인이 원하지 않은 임신을 왜 해? 더군다나 미국 사람을 상대로. 그딴 건 하나도 심각할 거 없는 문제야. 그건 전적으로 남온유 잘못이니까."

"얘, 그게 어찌 남온유 혼자 잘못이니. 함께 저지른 일이니 공동으로 책임을 져야 할 문제지."

"하이고 엄마, 왜 또 그렇게 후지게 나와? 19세기식으로. 섹스는 섹스고, 임신은 임신이야. 그 구분도 모르고 엄마하고 남온유 엄마하고는 남녀 공동책임론을 거론하며 신바람이 났겠구나?"

"그래서 말인데, 남온유 엄마가 너한테 간절하게 부탁하는 게 하나 있어."

"부탁?"

엄마의 말을 자르는 유서인의 목소리에 날이 서 있었다.

"응, 니가 포먼을 만나 한번 설득해 달라는 거야."

"뭘?"

"기왕 임신했으니까 그냥 결혼하라고."

"하 참, 엄마 그딴 방법은 이제 한국 사람한테도 안 통하는 것 몰라? 아이고 싫증 나. 고작 이 말 하려고 강의 시간에 문자 날리고 그 야단이었어?"

"그럼 어쩌니. 남온유가 그 남자가 좋아서 결혼하고 싶다는데. 어쩌겠니, 인생 중대사니까 니가 우정 한번 발휘해 줘야지."

"아휴, 기집애가 어찌 그리 바보 멍텅구리야. 한국에서도 안 통하는 그따위 고전적 수법을 미국 사람을 상대로 써먹으려 하다니. 미국 사람이 그렇게도 좋아?"

유서인은 혀를 차며 고개를 내저었다.

"넌 안 좋아?"

"난 백인 자체를 싫어해. 그들은 황인종들을 너무나도, 근본적으로 무시하니까. 그런 사이에선 진정한 사랑이 싹틀 수 없어."

딸의 이 냉정한 말에 김희경은 비로소 안심을 하며 그동안 담겨 있던 불안감을 씻어냈다. 그리고 그런 확실한 식견을 가진 딸이 고맙기까지 했다.

"그래, 니 맘이 그런 건 좋고, 남온유 생각해서 한 번만, 딱 한 번만 나서줘야 되지 않겠니?"

"엄마아, 왜 그렇게 말을 못 알아들어? 죽어도 안 될 일에 왜 나서서 나까지 경멸당하라는 거야? 남온유 엄마도 그렇지, 그런 일을 왜 엄마한테 부탁하고 그래? 왜 그렇게 개념 없이 살아? 참 보통 웃기는 게 아냐."

유서인은 더 할 얘기 없다는 듯 가방을 집어 들었다.

"그럼 남온유는 어떡하니……."

"뭐가 걱정이야. 그런 거 손쉽게 해결할 수 있는 게 우리나라잖아."

유서인이 내쏘듯 하고는 돌아섰다.

"아유 냉정한 기집애. 저럴 땐 내 딸 같지가 않고 딱 남이야."

김희경은 또 안심을 확인하며 딸의 등 뒤에다 대고 큰 소리를 질렀다.

"엄마도 이번 기회에 남온유 엄마 정리해. 그게 뭐야, 창피한 줄도 모르고 그딴 문제 들고 다니며 부탁이나 하는 한없이 후진 아줌마!"

유서인도 엄마의 목소리에 맞서는 크기로 이런 말을 남기며 제 방으로 들어가버렸다.

포먼은 친구 스미스에게 전화를 걸었다.

"야 스미스, 요새 뭐 하고 지내냐?"

스미스가 하루 세끼를 맥도널드 햄버거로도 때우기 어려운 형편일 것을 짐작하면서도 일부러 이렇게 물었다.

"뭐 하고 지내냐고? 너 지금 누구 놀리는 거냐? 모래 바닥에 내던져진 물고기 꼴이지. 왜 전화했어? 좋은 소식이냐?"

반가움이 넘쳐나는 스미스의 목소리가 태평양을 건너오는 데도 생생했다.

"모래 바닥에 내던져진 물고기치고는 생기가 펄펄한데?"

"목 빠지게 기다리고 있던 전화니까 그렇지. 기운 없어서 딴 사람들 하고는 말도 안 해. 하루에 두 끼씩밖에 못 먹고 견디는 게 벌써 열흘이 넘었어. 넌 도대체 어떻게 된 거냐? 그거 부탁한 게 벌써 두 달이 넘었잖아. 아무리 포화 상태라지만 너 너무 무성의한 거 아니냐?"

"야, 내가 무성의한 게 아니라 지금 너 혼자 떠들어대면서 날 자꾸 무성의한 사람으로 만들고 있잖아."

"뭐, 뭐라구? 그럼 부탁한 게 됐다는 거냐? 일자리가 생겼어?"

"언제 출발할 수 있니?"

"언제라니? 내일이라도 당장이지."

"비행기 표는?"

"그 정도는 빌릴 데가 있지."

"여기 숙소는?"

"……." 스미스는 잠시 말이 없다가, "저어……, 임시로, 거기서 보수 나오는 동안만 너한테 임시로 말야……", 그는 말 끝을 맺지 못했다.

"그건 곤란해. 너 와서 보면 알겠지만, 혼자 겨우 살 수 있는 관 같은 오피스텔이야."

"너 수입 좋다고 했잖아."

"수입 좋다고 필요도 없는 집을 크게 써? 잠만 자면 되는데 그런 낭비가 어딨어. 너, 그런 사고방식으로 사업을 시작했으니까 망한 거라구. 망한 건 필연이야. 너, 미국 최고의 부자로 꼽혔던 카네기와 록펠러가 똑같이 말한, 부자가 되는 법 두 가지가 뭔지 알아? 그 유명한 말, 첫째 돈을 쓰지 말라, 둘째 수입이 좋을 때 아껴 쓰라. 여러 말 말고 돈 빌리면서 오피스텔비도 빌려가지고 와. 여기 와서 서너 달이면 다 갚을 수 있을 테니까. 자아, 전화 요금 많이 나오는데 그만 끊자."

"야, 너 가장 중요한 것 빼먹었잖아."

스미스가 금방 앞을 가로막는 것처럼 다급하게 소리쳤다.

"아까 다 말했잖아. 당장 내일이라도 올 수 있다면서?"

"아니 그럼, 빠르면 빠를수록 좋다 그런 뜻이야?"

"잘 알아듣네. 그 정도 눈치면 회화 선생으로 기본 자격은 갖춘 거야."

"알았어, 바로 돈 준비할게."

"그래, 비행기 표 사고 연락해."

"고마워, 포먼. 넌 진정한 내 친……"

포먼은 여기서 전화를 끊었다. 문자 도착 신호가 울렸기 때문이다.

아까 학부모 상담이 많아 미처 다 못한 말이 있어요. 기본 조건 알지요? 포먼과 똑같아야 하는 것. 백인, 푸른 눈, 금발.

학원 원장이 보낸 것이었다.

포먼은 쓴웃음을 물며 'OK'라고 찍었다가 예절 따지기 억세게 좋아하는 한국 사람들을 생각하고 '예, 말씀대로 하겠습니다'로 고쳤다.

한국 사람들은 이해하기 힘든 게 한두 가지가 아니지만, 인종차별은 특히 유별났다. 원장이 문자까지 넣어가며 새삼 강조한 백인, 푸른 눈, 금발은 그 대표적인 것이었다. 한국 사람들은 외국인들 중에서는 무조건 미국 사람들을 최고로 쳤고, 그중에서도 최고로 치는 미국인의 조건이 바로 백인, 푸른 눈, 금발이었다. 그것은 할리우드에서 저 옛날 1950년대에 최고 미녀 배우를 가리는 기준이었다. 그런데 한국 사람들은 그걸 어떻게 용케 알아내 남자한테까지 확대, 적용시키고 나선 것이었다.

정규 학교는 별로 그렇지 않지만, 보수가 훨씬 많은 사설학원들은 그 세 가지를 원어민 교사 채용의 절대 조건으로 삼고 있었다. 그건 바로 학부모들이 원하는 조건이었기 때문이다. 발음이 어떤가는 그다음에 따지는 조건이었다. 영어 회화 학원에서 가장 중시해야 하는 발음이 차선으로 밀리는 것은 그야말로 이해하기 어려운 한국 특유의 현상이었다.

그리고 발음 문제에 대해서도 한국적 편견이 심하게 작용하고 있었다. 미국에서 법적으로 표준 영어를 정해놓지는 않았다. 그러나 표준 영어가 없는 것도 아니었다. 각종 매스컴들의 뉴스 보도나 여러 대중매체에서 사용하는 것을 표준 영어라고 할 수 있었다. 미국을 대표할 수 있는 그 발음은 거의가 중부 지역 영어였다. 오하이오, 아이오와, 일리노이, 인디애나, 켄터키, 미주리, 오클라호마 등이 거기에 해당했다. 그런데 한국 사람들은 그런 것 무시하고 뉴욕과 LA 발음을 최고로 쳤다. 그것은 동부와 서부를 대표하는 큰 도시이기 때문만이 아니었다. 그 두 도시가 한국인들에게 가장 친숙했던 것이다. 왜냐하면 그 두 도시에 한국 사람들이 가장 많이 이민 가 살고 있었기 때문이다. 그런데 정작 뉴욕에는 전통적인 뉴욕 발음을 구사하는 사람은 드문 실정이었다. 국제도시인 뉴욕은 유동 인구가 워낙 많아 세계 각국 사람들이 조금씩 다르게 발음하는 이상스러운 영어가 뒤죽박죽되어 있었던 것이다.

백인, 푸른 눈, 금발을 좋아하는 한국 사람들의 유별난 편견은 바로 흑인을 무조건 싫어하는 편견으로 이어져 있었다.

흑인에 대한 인종차별은 미국이 대표적이었다. 그러나 한국의 흑인 차별에 비하면 미국의 차별은 아주 인간적인 편이었다. 미국에서는 각 분야에서 성공해 명성을 날리는 흑인들이 얼마나 많은가. 최초의 일이긴 하지만 흑인이 대통령으로 뽑히기도 하지 않는가. 그런데 한국에서는 흑인을 차별하거나 멸시하는 정도가 아니라 아예 그 존재 자체를 인정하려고 하지 않는 극심한 편견을 드러냈다. 그래서 가끔 외국인들이 등장하는 TV 프로에서도 거의가 백인들이고, 동양인이 한둘 등장하는 상태에서 흑인은 마지못한 구색 맞추기로 단 한 명이 끼는 정도였다. 시청자들의 일반적인 흑인 거부가 그렇게 반영되고 있는 것이었다. 그런 흑백 차별은 도심의 큰길에서도 노골적으로, 예사로 드러나고 있었다. 서울의 전통 거리인 인사동 같은 데서는 외국인 관광객을 언제나 만날 수 있었다. 거기서 서너 명씩 짝지은 여학생들이 친절하게 백인들에게 인사하고 말을 거는 것을 흔히 볼 수 있다. 영어 회화 실습을 해보려는 용기 있는 시도인 셈이었다. 그런데 그들이 흑인을 대하는 건 정반대였다. 그들은 흑인을 미리미리 피했고, 분명 영어로 무엇을 물으며 도움을 청하는데도 그들은 슬슬 피해 가기 바빴다.

한국에 와 있는 원어민 교사들은 정부가 그 수를 파악하지 못할 정도로 많았다. 사교육 영어 학원들이 서울에서부터 지방의 도시들까지 헤아릴 수 없이 많기 때문이다. 그런데 흑인 교사들은 아주 드문드문 박혀 있었다.

한국 사람들의 그런 지독한 편견을 이해할 수 있는 근거를 도무지 찾을 수 없어서 네이티브 스피커 시간에 물어보고는 했다. 그것도 회화 실습의 효과를 높일 수 있는 얘깃거리였기 때문이다.

"그냥 싫다."

"징그럽다."

대답이 이렇게 간단하게 끊겨버리니 이야기를 더 이어갈 도리가 없었다.

한국인들의 그 근거 박약한 편견은 그들만의 두 가지 착각을 낳고 있었다. 그 첫 번째 착각은 자신들이 흑인보다 훨씬 우월하다는 믿음이었다. 그것은 자기들을 백인 다음가는 존재로 자리매김하는 것이었다. 그리고 두 번째 착각은 자기들이 미국을 비롯해 서양 여러 나라들에 대해 잘 알고 있는 것처럼 서양 사람들도 자기들에 대해 잘 알고 있을 것이라는 믿음이었다. 사실 한국 지식인들은 미국에 대해서 미국 사람인 자신이 깜짝깜짝 놀랄 정도로 잘 알고 있었다. 그게 바로 한국의 암기 교육의 효과였다. 그러나 그들의 믿음만큼 미국 사람들은 한국에 대해서 아는 것이 없었다. 그것은 지식의 차이가 아니라 관심과 무관심의 차이였다. 한국 사람들이 미국에 100의 관심을 가지고 있다면, 미국 사람들은 한국에 대해서 얼마나 관심을 가지고 있을까? 그걸 따지자면 복잡해지고, 부정확해진다. 한국 사람들에게는 아주 미안한 얘기지만, 쉽고 정확하게 따지는 방법이 하나 있다. 미국 사람들의 한국에 대한 무관심을 따져보는 것이다. 그건 얼마나 될까? 한국에 대한 미국 사람들의 무관심은 100이다.

한국 사람들은 그 사실을 모른다. 그러나 그건 엄연한 사실이다. 미국 사람들에게 한국이라는 나라에 대한 무관심은 저 아프리카의 가봉이나 잠비아 같은 나라에 대해 무관심한 것과 하나도 다를 게 없다. 그런데 안쓰러운 것은 한국 사람들은 결코 그 사실을 믿으려고 하지 않는다. 일반인들은 그렇다 하더라도 식견 있는 지식인들까지도 그런 사실을 사실대로 파악하지 않고 한국적 착각을 계속하고 있는 이유는 무엇일까. 그건 한국에 5년 동안이나 있으면서도 풀지 못한 숙제고, 수수께끼였다.

미국에서 박사 학위까지 받은 어떤 사람들은 이렇게 진단했다.

"치유 불가능한 열등감과 선망."

"분단 상황이 야기한 의존성."

그들의 말은 어느 정도 맞는 것 같았지만, 전적으로 수긍되는 것은 아니었다.

한국을 떠나고 싶은 마음은 털끝만큼도, 아니 절대로 없었다. 한국에 처음 올 때는 꽤나 불안불안했었다. 외국인, 특히 미국인에 대한 범죄가 전혀 없는 나라, 기초 회화만 해도 고액 수입이 보장되는 나라 정도가 아는 것의 전부였다. 그래서 임시변통으로 1, 2년 있어보자 하고 온 것이었다. 그런데 몇 개월 지나고 보니 이런 파라다이스가 또 있을까 싶었다. 주저하지 않고 10년 있기로 결정을 내렸다.

그런데 뜻밖의 사건으로 5년 만에 떠날 수밖에 없게 된 것이다. 이 좋은 천국을 떠나야 하다니……, 그건 손에 쥔 황금을 내놓아야 하는 아쉬움이고, 아까움이었다. 그 어디 가서 잡담식으로 영어 좀 지껄이고 그 많은 돈을 벌 수 있단 말인가. 미국에서는 상상도 할 수 없는 일이었다.

남온유가 일방적으로 임신을 했다는 것도 뜻밖이었고, 그 임신에 대해서 책임지라는 것도 너무 뜻밖이었고, 그 책임이 바로 결혼이라는 것도 더욱 뜻밖이었다. 한국은 모를 것이 첩첩산중인 나라였다.

그리고 또 뜻밖인 것은 그런 일에 엄마 아빠가 함께 나서서 살벌하게 행동하는 것이었다. 특히 남온유 아버지의 과격함은 무시무시했다. 그들이 데리고 온 통역도 잔뜩 겁에 질려 있을 지경이었다.

"책임지라구요? 우린 섹스를 합의했을 뿐이지 임신에 대해 합의한 사실이 없습니다. 그러므로 임신을 한 책임은 전적으로 미스 남에게 있습니다. 미스 남은 성인으로서 섹스를 선택했기 때문에 임신 예방은 당연히 미스 남이 해야 할 일입니다."

자신은 이렇게 사리 분명하게 응답했던 것이다.

"아니, 결혼을 하라고요? 그게 한국의 법이라고요? 그건 말이 안 됩니다. 나는 결혼을 할 만큼 미스 남을 사랑하지 않습니다. 또 말하지만 우린 섹스만을 합의하고 선택했으니까요. 그리고 난 미국 사람입니다. 미국에서는 여자가 일방적으로 임신하지도 않고, 임신했다고 결혼을 강요하지도 않습니다."

자신은 또 이렇게 논리 명료하게 응답했던 것이다.

그러자 터져 나온 남온유 아버지의 고함은 무시무시했다. 얼마나 무서웠으면 잔뜩 기죽은 통역이, "미안해요. 이런 말을 통역해야 하다니" 했을 것인가.

"Get the fuck off! Go back to your country! Fuck off right now or I'll kill you(당장 꺼져. 한국을 떠나. 꾸물대면 죽여버릴 거야)."

남온유 아버지는 거기서 끝나지 않았다. 학원 원장까지 만난 것이었다.

"빨리 떠나는 게 좋겠어요."

원장이 심각하게 말했다.

"그 사람이 뭐랬는데요? 난 잘못한 게 아무것도 없어요."

"알아요. 그렇지만 여긴 한국이에요. 포면 당신이 스스로 그만두지 않겠다면 학원에서 파면시킬 수밖에 없어요. 당신의 이 스캔들이 곧 퍼지게 될 거고, 그럼 그런 불륜을 저지른 당신에게 학부모들은 자기 자식을 맡기려고 하지 않아요. 이게 한국이에요."

"그렇다면 어쩔 수 없지요."

"한 가지 명심할 게 있어요. 우리 학원 그만둔 다음에 딴 학원에 취업하려고 하지 마세요. 그 여자 아버지가 당신 출국까지 체크하겠다고 했으니까."

"…… 이것도 한국이군요."

한국에서 10년 동안 돈을 잘 벌어 미국에서 멋지게 살려고 했던 인생 설계가 그렇게 무참하게 깨지고 만 것이었다.

원장의 말을 순순히 따른 것은 몇 개월 전에 일어났던 사건이 생생히 떠올랐기 때문이었다. 그건 다름 아닌 미 대사 피격 사건이었다. 미 대사는 공식 행사장에서 괴한이 휘두른

칼에 얼굴이 찢겨 피를 줄줄 흘리며 병원으로 실려 갔던 것이다. 대사는 칼 맞은 볼을 손으로 누르고 있었는데, 상처에서 흘러나온 피가 손가락 사이사이로 넘쳐나 손등으로 줄줄이 흘러내리고 있었다. 컬러텔레비전 화면은 시뻘건 피를 생생하게 보여줌으로써 대사가 얼마나 큰 위험에 처했었는지를 충분히 느끼게 해주었다. 뒤늦게나마 경호원들이 괴한을 덮쳤기에 망정이지 그렇지 않았더라면 괴한의 칼은 대사의 심장을 난자했을 수도 있는 일이었다.

미국인에 대한 범죄가 전혀 없다는 말을 믿고 한국에 왔고, 지난 5년 동안 마음 푹 놓고 제멋대로 살아왔던 것이 섬뜩했다. 대사를 저렇게 공격할 수 있는데……. 그 사건을 보고 느꼈던 긴장감이 남온유 아버지의 무시무시한 말을 듣고 나니 바로 현실이 되어 눈앞으로 닥쳐왔던 것이다.

'대사 꼴 나기 전에 빨리 뜨자!'

이 한 가지 생각밖에 없었던 것이다.

이메일로 스미스의 이력서를 받아 본 원장은 만족을 표시했다.

"스미스한테 알려줄 건 미리미리 다 알려주세요. 그런 일 생기면 서로가 다 불행해지니까."

원장이 안쓰러운 눈길로 포먼을 쳐다보며 말했다.

"나를 이렇게 만든 범인이 누군지 아세요?"

"범인……?"

"원장님이시잖아요. 미리미리 다 알려주지 않았잖아요."

"아하, 난 또 무슨 소리라고. 다 잊어요. 그게 한국이니까."

"한국은 모를 게 너무 많은 나라예요. 복잡하고, 난해하고, 어지러워요."

"한국 사람한테 미국도 마찬가지예요. 그러니까 서로서로 예의를 차리고, 조심해야 해요."

"영어는 어떡하든 배우려고 기를 쓰면서 사고방식은 미국식이 안 되니 무슨 소용이 있어요."

"그거 복잡한 문제네요. 스미스는 언제나 올 것 같아요?"

"곧 오겠다고 했어요. 며칠만 기다리세요. 아니, 며칠도 안 되나요?"

포먼은 갑자기 두려운 기색으로 말했다.

"아니, 괜찮아요. 곧 떠나기로 했다고 말해 놨어요. 어쨌든 가더라도 한국을 싫어하진 말아요."

"모르겠어요. 그건 미국에 가서 생각해 봐야 될 문제 같아요."

"그래요, 그게 맞는 것 같군요."

원장이 포먼의 어깨를 두들겼다.

스미스는 일주일 만에 도착했다.

"그게 무슨 소리야. 난 너와 함께 일하는 줄 알고 왔는데. 네가 떠나버리면 나 혼자 외딴섬에 떨어진 꼴이잖아. 난 자신 없어."

스미스는 예상보다 심하게 당황했다.

"야 스미스, 좀 침착하게 생각해 봐. 난 5년 전에 오직 혼자 이 땅에 왔었어. 그리고 혼자 참고 견디며 이겨내고 적응했어. 그런 나에 비하면 넌 너무 행복한 거야. 내가 자리 잡아 줬겠다, 며칠 동안 수업 방법을 비롯해서 필요한 모든 정보를 주겠다, 도대체 뭐가 걱정이냐? 괜히 겁먹고 엄살떨지 말고 날 스승님으로 잘 모실 생각이나 해. 태도가 불손하면 결정적인 것들만 골라서 싹 빼버리고 안 가르쳐줄 테니까."

포먼은 과장되게 으름장을 놓았다.

"알았어, 알았어. 수업료로 식사 때마다 내가 살 테니까 무엇이든 남김없이 다 가르쳐줘."

스미스가 굽실거리는 시늉을 했다.

"좋아, 그럼 네가 가장 알고 싶은 것, 제일 궁금한 것부터 물어봐."

포먼이 고개를 잦바듬하게 젖히고 스미스를 내립떠보는 포즈를 지었다.

"그러니까 말야……." 스미스가 뒷머리를 긁적이고 멋쩍게 웃으며, "너 한 달 수입이……" 하고는 양쪽 어깨를 들썩하는 그들 특유의 제스처를 했다.

"그래, 너 그럴 줄 알았어. 눈에 뵈는 건 그저 돈밖에 없지?"

포먼이 경멸스럽다는 듯 입술이 비틀리도록 쓴웃음을 지었다.

"당연하지. 돈은 곧 생명이잖아. 내가 사업 망쳐먹고 돈이 얼마나 소중한 것인지 다시금 깨달았어. 내가 얼마나 다급했으면 태평양을 건너 이 낯선 나라까지 왔겠어."

스미스가 비감한 표정을 지었다.

"그래, 돈은 곧 생명이지. 돈 없으면 바로 굶어 죽게 되니까. 나는 네가 망쳐먹은 사업 같은 것도 해볼 돈이 없이 가난해서 너보다 먼저 태평양을 건너왔으니까 돈 소중한 것은 너보다 먼저 깨달은 선배님이시지."

"소문 들으면 원어민 교사 해서 한밑천 잡는 건 쉽다는데, 그게 사실이야?"

"글쎄……, 뭐 그렇다고 할 수도 있지."

포먼은 계속 거드름을 피우며 뜸 들이기를 하고 있었다.

"아, 사람 속 태우지 말고 빨리 좀 말해 봐. 무슨무슨 일을 해서 얼마얼마를 버는지."

"그럼 오늘 저녁 뭘 살 건데?"

"서양인 최고의 요리 비프스테이크!"

"포도주는?"

"스승님 대접이니까 당연히!"

손가락으로 딱 소리까지 내며 스미스는 호기롭게 대응하고 있었다.

"좋아, 그럼 쭈우욱 설명해 줄 테니 잘 들어. 주된 업무인 학원은 초등학생들의 학교 수업이 다 끝난 다음부터 시작하는 거니까 오후 2시부터 밤 10시까지야. 국제 기준 하루 여덟 시간 근무. 저녁 식사는 학원에서 해결해 줘. 한식이라 처음에는 잘 안 맞을 거야. 그러나 꾹 참고 먹어둬. 그대로 돈이 절약되잖아. 그리고 가끔 양식도 나오니까 별문제가 없어. 여기서 한 가지 참고할 사항은 한식이라는 음식이 아주 건강식이라는 사실이야. 채식 위주라 살이 안 찌는 게 특징이야. 한국 사람들이 비만이 없는 이유가 그거야. 그런데 한국도 비만 인구가 늘고 있다고 몇 년 전부터 텔레비전 뉴스에서 자주 보도도 하고 있는데, 그 이유가 미국식 패스트푸드와 서양식 육식 식단이 문제라고 지적하고 있어. 그리고 WHO에서 세계 최고의 음식을 뽑았는데, 그게 바로 한국의 비빔밥이야. 왜냐 하면 야채와 육류의 비율이 9 대 1로, 영양학적 균형이 최고로 잘 맞는다는 거지."

"잠깐, 너 지금 영양학 강의 시간인 줄 아니?"

"어허, 학생이 건방져요. 이건 영양학 강의인 동시에 한국의 식생활 문화를 이해하는 아주 중요한 부분이야. 기본적으로 한국인의 생활을 알아야 한국인과 자연스럽게 어울릴 수 있고, 그래야 한국 돈을 벌 수 있을 것 아냐. 그래, 안 그래?"

"응, 그런 것 같네. 내가 맘이 너무 급해서 그만……."

"음식 얘기 말고, 어디까지 얘기했지?"

"밤 10시까지 하루 여덟 시간 근무."

"응, 그렇지. 하루 여덟 시간씩 근무하고 한 달에 받는 월급이 학원에 따라서 조금씩 달라 200만 원에서 600만 원 정도까지야. 그런데 우리 학원은 A급에 해당해 400에서 600 사이에서 경력과 능력에 따라 결정해. 난 신체 조건이 A급이라 바로 450에서 시작해서 지금은 최고의 보수를 받고 있어. 너도 아마 450부터 스타트하게 될 거야. 어쨌든 원장과 면담을 해야 결정돼."

"신체 조건이 A급이라는 건 그걸 말하는 거냐?"

"그렇지. 너와 나처럼 백인, 파란 눈, 금발!"

"체, 한국에 와서 조상 덕 보게 생겼네."

"부자 조상이 없었으니까 그런 덕이라도 봐야 할 것 아니냐."

"그다음 수입은?"

"흐흐흐……, 그다음 수입이 아주 알차서 본업을 압도하고, 비웃을 정도지. 그게 바로 네이티브 스피커 아르바이튼데, 주로 대학생들을 상대로 해서 회화 실력을 기르기 위해 대화를 하는 건데, 한 시간당 7만 원에서 10만 원이야. 보수는 그날그날 현찰로 받고. 그 아르바이트를 오전 9시부터 시작해 오후 1시까지, 네 시간씩 하는 거야."

"넌 물론 10만 원씩 받겠지?"

"내 제자 똑똑하네."

〈2권에 계속〉

* 인용 출처
  76쪽_ 박노해, 「노동의 새벽」 부분 인용(『노동의 새벽』 느린걸음, 2014년)
  77쪽_ 박노해, 「부모로서 해줄 단 세 가지」 부분 인용(『그러니 그대 사라지지 말아라』 느린걸음, 2010년)
  144쪽_ 에크하르트 톨레, 류시화 역, 『삶으로 다시 떠오르기』 중에서(연금술사, 2013년)

조정래 장편소설
풀꽃도 꽃이다 1

제1판 1쇄 / 2016년 7월 12일
제1판 27쇄 / 2016년 8월 27일

저자 / 조정래
발행인 / 송영석
발행처 / (株)해냄출판사

등록번호 / 제10-229호
등록일자 / 1988년 5월 11일(설립일자 | 1983년 6월 24일)

04042 서울시 마포구 잔다리로 30 해냄빌딩 5·6층
대표전화 / 326-1600 팩스 / 326-1624
홈페이지 / www.hainaim.com

ⓒ 조정래, 2016

ISBN 978-89-6574-561-7
ISBN 978-89-6574-560-0(세트)

파본은 본사나 구입하신 서점에서 교환하여 드립니다.

이 도서의 국립중앙도서관 출판예정도서목록(CIP)은 서지정보유통지원시스템 홈페이지(http://seoji.nl.go.kr)와 국가자료공동목록시스템(http://www.nl.go.kr/kolisnet)에서 이용하실 수 있습니다.(CIP제어번호: CIP2016016125)